JOHN MACKEN

DE BLOEDCODE

De Fontein

Eerste druk maart 2010
Tweede druk mei 2010

Oorspronkelijke titel: *Dirty Little Lies*
Vertaald uit het Engels door: Lia Belt
Artwork en omslag: Mark Hesseling
Omslagillustratie: Petar Ivanov Ishmiriev
Grafische verzorging: BeCo DTP-Productions, Epe
ISBN 978 90 261 2704 5
NUR 332

www.uitgeverijdefontein.nl

GCACGATAGCTTACGGG
AAATCTA**EEN**GTATTCG
GCTAATCGTCATAACAT

1

Dokter Sandra Bantam kijkt toe terwijl het mes opnieuw haar lichaam binnendringt. Er volgt een pauze, eventjes respijt, een kans om de gloeiende wonden te voelen, om de sijpelende rode streep te zien als het lemmet wordt teruggetrokken.

Ze gilt als de pijn in scheuten opkomt. Ze is verdoofd en scherp tegelijkertijd, duizelig, haar ogen gaan open en dicht, ze rilt en is misselijk. Het bloed dat vanuit een hele reeks bijtende wonden uit haar weglekt lijkt haar lichaamswarmte mee te nemen. Dokter Bantam is vele keren getuige geweest van het werk van dit soort mannen. Mannen die hakken en wurgen en verkrachten en moorden. Ze heeft de gevolgen en de nasleep ervan al talloze malen gezien. Maar nooit de gebeurtenis zelf. De bittere, afgrijselijke, verschrikkelijke gebeurtenis.

Aanvankelijk, bijna een hele dag geleden, dacht ze dat het om seks ging. Waarom zou je anders een alleenstaande vrouw aanvallen? Waarom zou ze anders zijn vastgebonden op de slaapkamer, naakt en kwetsbaar? Een afschuwelijke seconde lang besefte ze dat ze liever door zijn vlees zou worden gepenetreerd dan door zijn staal. Maar dat was nooit zijn intentie. Hij wilde informatie. Een uitbarsting van vragen, dwingend en snel over haar uitgestort. Waar is hij? Waar is Reuben Maitland? Wat voert hij uit? Waar werkt hij? Waar woont hij?

Dokter Sandra Bantam weet dat er haarvaatjes in haar oogwit knappen. Ze weet dat ze een heleboel bloed heeft verloren. Ze weet dat haar lichaamstemperatuur daalt. Terwijl ze knokt om adem te halen vraagt ze zich opnieuw af: waarom is hij zo dringend op zoek naar Reuben? Wat heeft hij gedaan? Wat wil hij? En heel even is het enige gezicht dat ze nog ziet dat van Reuben. Op dat moment haat ze hem met een pijn die even diep in haar vlees snijdt als alle steken, trappen en stompen bij elkaar.

En nu is er geen nieuwsgierigheid meer. Sandra staat even stil bij het feit dat het verhoor ten einde loopt. Wat gebeurt er wanneer folteraars niet krijgen wat ze willen, vraagt ze zich af. De pijn komt in een misselijkmakende golf over haar heen en trekt weer weg.

Wat dan?

2

Zestien weken eerder

Een haar. Een donkere haar. In het midden geknikt. De wortel zit er nog aan, en dat is goed nieuws. Hij trekt het dekbed verder omlaag en strijkt met zijn hand over het laken. Een bobbeltje op het katoen, de warmte van wrijving tegen zijn handpalm. Nog een. Twee haren, bijna identiek. Hij staat op en gluurt door een hoek van het raam naar buiten. De oprit is verlaten. Hij is veilig, voorlopig. Plotseling emotieloos loopt hij naar de kamer ernaast en houdt zich voor: *dit is een plaats delict.* Reuben Maitland wrijft nog wat amfetamine op zijn tandvlees, trekt een paar poedervrije operatiehandschoenen aan en neemt een smal koffertje mee naar de slaapkamer. Met een pincet stopt hij de haren in een doorzichtig buisje en drukt de dop erop.

Hij besteedt nog eens twintig minuten aan een nauwgezet onderzoek van het bed, de kussens, de stoel en de vloer, op zoek naar verder bewijs. Door de drug verwijden zijn pupillen zich en gaan zijn ogen verder open. Zijn concentratie is volkomen en hij knippert niet. Het geluid van een tv komt trillend omhoog door de vloer, en onwillekeurig tikt zijn voet mee. Hij vindt een aantal blonde haren, die hij allemaal negeert. Ze zijn heel zorgvuldig geweest, concludeert hij. De vloerbedekking is gestofzuigd, de kussenslopen zijn verschoond en de stoel is op zijn plek teruggezet.

Door een scheidingswand komt het geluid van een baby die wakker wordt: experimenteel, verkennend gemurmel dat om aandacht vraagt. Reuben Maitland beseft dat hij snel weg moet. Hij loopt de gang op, trekt zijn handschoenen uit, maakt er een prop van en steekt ze in zijn zak. Als hij over de balustrade van de trap kijkt, ziet hij nog net een babysitter zitten. Ze telefoneert, kijkt tv en heeft een tijdschrift geopend op schoot liggen. Hij ziet een babyfoon op de armleuning van de bank staan. Voor de kinderkamer blijft hij even staan en gaat snel zijn mogelijkheden na. Op ooghoogte aan de deur hangen letters in de vorm van dieren, die de naam J-O-S-H-U-A spellen. Hij draait aan de klink en duwt de deur open.

In de kinderkamer staart een baby van een halfjaar oud hem aan. Zijn speen is uitgevallen, zijn wijd open mond vormt een ovaal. Reuben stopt de speen in zijn mond terug en zet de babyfoon uit. Terwijl hij naar het kind kijkt, probeert hij twintig jaar ervaring in de genetica te vergeten. Het ondoorschijnende blauw van de ogen, het vlassige bruin van het haar, de vlakke gelaatstrekken die nog moeten ontluiken. Te jong om iets aan hem te kunnen zien, misschien. Maar er zijn andere manieren.

Het kind begint te jengelen, dus bukt Reuben zich en tilt het op. Hij voelt warmte door zijn door speed verharde spieren trekken, de baby straalt onwetende liefde uit als een warmwaterkruik. Maar daardoorheen lekken woorden, beelden en implicaties die Reuben met moeite onderdrukt. Hij probeert het mierennest van argwaan in zijn hersenen tegen te houden voordat het zich tot een leger van logica kan omvormen.

'Vertel het me,' fluistert hij, kijkend naar het gezicht van het kind. De vorm van de oren, de breedte van de neus, de kleur van de wenkbrauwen, de lengte van de kin; ze spreken allemaal tot Reuben, maar de woorden zijn gedempt. 'Vertel,' spoort hij het kind aan.

Joshua klaagt en dreint.

'Niet zonder je advocaat, zeker?'

De baby staart over Reubens schouder heen uit het raam. Reuben ziet de verandering in de gezichtsuitdrukking van het kind en volgt zijn blik. Er is een auto de oprit op gereden.

'Verdomme,' zegt hij. Een vrouw met donker haar schuift achter het stuur vandaan. Ze is knap, maar ze ziet er afgejakkerd uit en draagt een stapel mappen. Reuben moet wegwezen, en snel ook. Hij kijkt om zich heen om te controleren of hij geen bewijs heeft achtergelaten. Hij zet het kind terug in zijn bedje en pakt zijn mobiele telefoon, drukt op een snelkiestoets. Tegen de voordeur weerklinkt het geluid van een rinkelende sleutelbos. Reubens adem stokt. Dan verstomt het gerinkel. Hij verbreekt de verbinding en kijkt over de balustrade. Beneden rondt de oppas gehaast haar telefoongesprek af om de televisie op tijd uit te zetten. Snel loopt Reuben met zijn koffertje de trap af. Onderweg kiest hij een ander nummer, en de babysitter verandert van richting om de telefoon op te nemen. Hij hoort weer een sleutel in het slot. Reuben schiet door de gang de andere kant op, richting de achterdeur. De baby begint te huilen. De vrouw komt binnen, roept de naam van de oppas, en beiden lopen ze bezorgd de trap op. Hij hoort een kort gesprek.

'Hoe ging het?'

'Geweldig.'

'Heb je hem al eten gegeven?'

'Hij wordt net wakker.'

Reuben bedenkt zich. Hij draait zich om en sluipt naar de voordeur, die hij geruisloos open en dicht weet te doen. Omdat hij vermoedt dat hij vanuit de babykamer zichtbaar is, schuifelt hij naar de zijkant van het huis, stapt over het hekje naar de buren en loopt door de tuinen van twee halfvrijstaande huizen naar de weg. Zijn auto staat een paar straten verderop. Hij zet het koffertje op de stoel naast zich en rijdt naar het lab, geconcentreerd op het Noord-Londense verkeer, zwetend van zijn nipte ontsnapping terwijl de airconditioner zwoegt om zijn auto te koelen. Overal om hem heen zuigen auto's de stadslucht op en scheiden die weer uit, lichtelijk gekoeld, klaar voor consumptie door het volgende voertuig. Hij weet dat wat hij heeft gedaan verboden is, en dat er andere manieren zijn om erachter te komen. Maar als een onderzoek met honderd procent zekerheid moet worden afgerond, is de forensische wetenschap bijna altijd het antwoord.

De mieren in zijn hersenen beginnen zich op te stellen in gelederen die in vastomlijnde richtingen marcheren. Vragen en bedenkingen suizen rond als de agressieve scooters en taxi's die binnen zijn gezichtsveld zigzaggen. Hij draait de ondergrondse parkeergarage bij GeneCrime in. Het is een donkere, onheilspellende plek, die 's ochtends auto's verzwelgt en ze 's avonds weer uitspuugt. Reubens blik schiet naar de achteruitkijkspiegel. Hij merkt op hoe blond zijn haar is, hoe breed zijn voorhoofd, ziet de rimpels van zijn frons. Er zijn andere manieren om erachter te komen, houdt hij zich opnieuw voor. Toch laat Reuben zijn auto in het donker achter en verschaft zich met zijn pasje toegang door een deur waarop DIENST FORENSISCHE WETENSCHAPPEN staat.

Binnen is het stil. De meeste kantoormedewerkers zijn al naar huis. Een paar anderen zijn er nog, wachtend tot hun managers vertrekken. Reuben wordt bijna met argwaan begroet door de ondergeschikten die hij tegenkomt. Ze lopen rond in de lange gangen en staan te kletsen in de deuropening van laboratoria, niet zeker of ze al naar huis kunnen gaan. Terwijl hij in zijn kantoor plaatsneemt, komt Judith Meadows zonder te kloppen binnen. Ze is tenger en donker, en ze heeft een zacht uitdagende blik in haar ogen. De blik wordt versterkt door haar rechte rug en de serene uitdrukking op haar gezicht. In de jaren dat hij haar nu kent heeft Reuben zich vaak verwonderd over zijn senior technicus. Hij heeft de knagende indruk dat hij nooit verder zal komen dan haar buitenkant.

'Judith,' zegt hij, 'laat ze ophouden met rondhangen. Ik moet hier nog een paar dingen afhandelen. En ga zelf ook maar naar huis.'

'Waar ben je geweest?' vraagt ze.

Reuben slikt de bittere smaak weg die de speed in zijn keel heeft achtergelaten. 'Undercover operatie.'

'Spannende plek?'

'Een woonhuis in NW10. Het spande er wel even om.'

'Moet je nog monsters kwijt?'

Hij kijkt Judith een paar seconden onderzoekend aan voor hij zijn besluit neemt. Terwijl hij haar zo aanstaart, ziet ze eruit als de karikatuur van een mooie vrouw. Reuben heeft vaak geconstateerd dat Judith vanuit bepaalde hoeken aantrekkelijk is, en vanuit andere hoeken niet. Op dit moment komt ze hem bijna overstelpend verlokkelijk voor. 'Nee, ik regel het wel, bedankt.' Hij heeft het warm; er is geen ventilatie in zijn kamer. 'Is er nog gebeld?'

'Elf keer.'

'Elf? Jezus. Wat proberen ze me aan te doen?'

Judith glimlacht sluw. 'Wil je daar echt antwoord op?'

'Nee, laat ook maar,' zegt Reuben, en hij kijkt naar een vochtplekje onder zijn arm. 'Ik wil jou niet meeslepen in dit hele gedoe. Tot morgen.'

Judith snapt de hint en trekt weer een uitgestreken gezicht. Ze draait zich om en vertrekt. Reuben staart uit het raam. Elf keer gebeld. Ze beginnen de duimschroeven aan te draaien.

Twee naast elkaar gelegen laboratoria, waar hij vanuit zijn kantoor op uitkijkt, beginnen langzamerhand leeg te lopen, en de onderzoekers werpen een blik op Reubens venster of doen alsof ze nog wat laatste dingen afwerken. Hij pakt het heldere buisje uit zijn koffer en tuurt naar de inhoud. De geknikte haren zijn dubbelgevouwen en om elkaar heen gedraaid als zonnende slangen. Wie zijn jullie, vraagt Reuben ze in gedachten. Wie zijn jullie, verdomme? Het enige geluid is dat van dichtslaande deuren. Reuben beseft dat wat hij op het punt staat te doen onvermijdelijk is. Het is gevaarlijk en immoreel, en toch schreeuwt elke vezel in zijn lichaam hem toe dat hij het moet doen. Hij voelt zich bijna een passagier in zijn eigen lichaam, gedreven door nieuwsgierigheid en twijfels, en de amfetamine veegt zijn bedenkingen van tafel en zet ze om in handelingen.

Een korte klop op de deur leidt hem af. Hoofdinspecteur Phil Kemp staat in de deuropening. Hij is een gedrongen man met korte benen, zijn overhemd strak in zijn broek gestopt, en zijn bleke gezicht stelt de vraag al voordat zijn lippen eraan toekomen. 'Kunnen we al?'

'Binnenkort.'

'Dat hoor ik al weken. Wanneer precies?'

Reuben strijkt met zijn vingers over het glanzende fineer van zijn bureau. 'Als ik klaar ben, Phil.'

'Hoeveel verder denk je dit nog te kunnen doorzetten?'

'Niet verder. Het systeem van de voorspellende fenotypering is klaar.'

'Waar wachten we dan nog op?' wil Phil Kemp weten. Hij weigert zich te laten afschepen. 'Dit is het beste forensische instituut van het land. We zitten hier niet alleen maar te wachten tot er dingen gebeuren.'

'Kom binnen en doe de deur dicht.'

De hoofdinspecteur gehoorzaamt, pakt een stoel, leunt naar voren en steunt gretig en ongeduldig op zijn tenen. 'Wat is er?'

'Je weet wat er is. Sarah is te happig. En ik denk dat jij erin wordt meegesleept.'

'En dat wil zeggen?'

'Ik denk niet dat Sarah Hirst de kracht van voorspellende fenotypering begrijpt. Ze staat te popelen om het toe te passen. Ik zie het in haar ogen. Er wordt gekletst.'

'Wat zeggen ze dan?'

'Dat iemand heeft rondgesnuffeld in het lab. Dat er reagentia zijn verdwenen of buiten werktijd zijn verbruikt. Luister, Phil, we kennen elkaar al een hele tijd, dus dit blijft tussen ons. Ik weet zeker dat het jouw jongens van het CID niet zijn; die weten niet eens het verschil tussen een lab en een plee,' – Phil houdt nadrukkelijk Reubens blik vast – 'ik denk alleen dat Sarah meer belangstelling voor mijn uitvinding heeft dan gewenst is.'

'Maar we willen het allemaal in actie zien, Reuben. Op straat. Dat kun je haar, of wie dan ook, niet kwalijk nemen. De districtscommandant belt me elk uur. "Wanneer houdt Maitland verdomme eens op met dat gefoezel?"' Reuben glimlacht om de imitatie. 'Dus ik vraag het je nog een keer. Wanneer is het klaar?'

'En ik zeg het nog een keer, Phil: als ík er klaar voor ben,' antwoordt hij.

Phil Kemp staat op en begint te ijsberen. 'Rube, bekijk het eens van mijn kant. Je weet dat Sarah en ik worden beoordeeld. Op dit moment ben jij manager van de forensische afdeling, ik heb het CID en Sarah is verantwoordelijk voor de rest. Maar na de reorganisatie krijgt een van ons de algemene leiding.' Phil lacht even bitter. 'Aangezien jij om een of andere onbegrijpelijke reden nee hebt gezegd tegen die baan.'

'Management is niet zo mijn ding.'

'De prijs die je moet betalen als er een hoop te halen valt,' mompelt Phil, terwijl hij naar zijn versleten schoenen staart. 'Opperbevelhebber van GeneCrime. Dat wil ik. En Sarah wil het ook. Heel graag. En dat baart me zorgen. Als ze jouw techniek in handen had...'

'Vertrouw me. Ik kies geen partij. Ik heb gewoon nog wat meer tijd nodig, dan kunnen we er allemaal van profiteren.'

'Maar tijd is nu juist het probleem, Reuben.' Hoofdinspecteur Phil Kemp blijft op weg naar buiten nog even staan. 'En hoe langer het duurt, hoe meer je onder druk wordt gezet.' Hij haalt kort zijn schouders op en verlaat de kamer, en zijn waarschuwing wervelt mee in de luchtstroom die hem volgt.

Reuben draait zich om en staart het lab in, waar de laatsten van zijn medewerkers hun labjas ophangen en GeneCrime uit sluipen. Als ik er klaar voor ben, fluistert hij zichzelf toe. Het plastic buisje op zijn bureau roept hem. Hij pakt het op en staart ernaar. Als ik er klaar voor ben. Een nummer licht op op zijn mobieltje, dat vervolgens trillend over zijn bureau schuift, schreeuwend om aandacht. Reuben pakt het toestel en loopt het verlaten lab in, waarna hij het in de rotor van een grote centrifuge stopt. De telefoon houdt even op met rinkelen, en dan begint het weer. Reuben zet de machine aan, hoort het dopplereffect wanneer de telefoon begint te draaien, vervagend tot één langgerekte, schrille toon terwijl de centrifuge snelheid maakt. Reuben drukt zijn handen tegen zijn hoofd. Na een paar tellen is het belgeluid niet meer te horen. Hij schat dat de telefoon ronddraait met ongeveer driehonderd omwentelingen per seconde. Hij drukt op STOP en wacht tot de machine stilstaat. Het mobieltje ziet er niet slecht uit, al is het schermpje inktzwart en zijn de toetsen ingedeukt. Hij dumpt het toestel in de prullenbak en loopt naar een DNA-sequencer. Met een onwillekeurige spiersamentrekking klemt hij zijn kaken op elkaar. Misschien is het moment eindelijk aangebroken, vertelt de amfetamine hem.

Hij had het idee voor voorspellende fenotypering twee jaar eerder gekregen. Nu wenste hij bijna dat het nooit was gebeurd.

Het was schitterend eenvoudig, een voor de hand liggende extrapolatie vanuit iets wat iedereen al wist. Terwijl hij in het lab rondliep om de materialen te verzamelen die hij nodig had, probeerde de achtendertigjarige Reuben zich de exacte seconde in zijn leven voor de geest te halen waarin het idee zich had gekristalliseerd. Hij sloot zijn ogen en liet zijn gedachten afdwalen. Hij bevond zich in de achterkamer van een sjofele nachtclub in Zuid-Londen, begin 2005, omringd door politiemensen en forensisch wetenschappers. Op de vloer lag een man op zijn buik, met zijn armen gestrekt alsof hij op het punt stond een parachutesprong door de kleverige vloerbedekking heen te maken. Reuben droeg een wit pak met capuchon. Hij bekeek bloedmonsters en haren die in een grote kring om de man verspreid lagen. Voor zover de agenten ter plaatse hadden vastgesteld, was de man neergestoken na een handgemeen. Niemand had de dader gezien. Niemand wist hoe hij eruitzag of hoe gevaarlijk hij was. En daar, terwijl hij DNA-monsters verzamelde, was uiteindelijk de exacte seconde van inspiratie gekomen. Natuurlijk wist Reuben wie de moordenaar was. Die had zijn volledige identiteit daar bij hen in de kamer achtergelaten.

Reuben besefte dat zo'n veertigduizend genen de code voor een mens vormen, en dat enkele honderden daarvan direct of indirect invloed hebben op ons 'fenotype': wie we zijn en hoe we eruitzien. Hij wist dat hier genen bij zaten voor lengte, gewicht, haar-, oog- en huidskleur, neuslengte en -breedte, de vorm van de oren, gebitskenmerken, schoenmaat, lipvorm, kuiltjes in de kin, lichaamshaar en al het andere wat het oog kan onderscheiden. En dat daaruit volgde dat er ook enkele honderden waren die onze afzonderlijke gedragspatronen bepalen.

De dader was zo vriendelijk geweest om al zijn kenmerken op de plaats delict te verspreiden. Het enige wat Reuben hoefde te doen, was een systeem ontwikkelen dat niet alleen de sequentie van het DNA van een misdadiger analyseerde, maar ook de niveaus van uitdrukking van de afzonderlijke genen ervan. En simsalabim: de forensische wetenschap zou voorspellend worden in plaats van retrospectief. Je zou weten op wie je joeg, hoe hij eruitzag en hoe hij zich waarschijnlijk zou gedragen. Genetisch profielschetsen zou niet langer een streepjescode zijn, maar een kristallen bol.

Met een pipetje druppelde Reuben een kleine hoeveelheid heldere vloeistof in een buisje en zag dat de haren zich ontspanden en van elkaar losgingen. Het probleem met een kristallen bol, wist hij, is dat die enkel zo goed is als degene die erin kijkt. En in de verkeerde handen kan het voorspellen van de toekomst een hoop problemen veroorzaken. Maar er zijn momenten dat alle middelen gerechtvaardigd zijn. Zoals wanneer verdenkingen maar niet weggaan. Zoals wanneer mensen om je heen zich vrijheden veroorloven met je ideeën. Zoals wanneer een hele forensische afdeling eens moet gaan inzien hoe gevaarlijk technologie eigenlijk kan zijn. Reuben staarde grimmig naar een plastic membraan. Daarop, nauwelijks zichtbaar, zaten bijna tweehonderd vlekjes. Hij zette zijn laptop aan. Het moment was aangebroken.

3

De zolder koelde langzaam af, terwijl de zonnewarmte die tussen de glaswolisolatie en de dakpannen zat geleidelijk ontsnapte, de nacht in. Er kwamen verkeersgeluiden vanaf de straat door de pannen, die wemelden van de spleten en amper bestand leken tegen een regenbui. Van binnenuit leek het dak volkomen poreus, maar Reuben wist dat er nog nooit lekkage was geweest. Hij haalde zijn schouders op. Van dichtbij zag iets wat veilig was er niet altijd zo uit.

De steunbalken waar hij overheen liep maakten hem nerveus. Eén misstap en zijn voet zou door het plafond gaan. Het was net alsof hij over een houten koord danste. Hij legde de verzegelde plastic zak die hij bij zich had op een plek waar planken waren neergelegd, als een eilandje te midden van een zee van houten golven. Gelijksoortige transparante zakken, allemaal vol met stevig ingepakte dossieraantekeningen, Reubens persoonlijke onderzoeksarchief, lagen langzamerhand stof te verzamelen en te vergaan. Hij streek met zijn vingers over de stapel en voelde het fijnkorrelige roet op het gladde, glanzende plastic. Daarin zaten zo veel ideeën, zo veel werk, zo veel grenzeloze concentratie van zijn team. Hij voelde plotseling toegeeflijkheid voor hun toewijding en ontzag voor hun loyaliteit. Reuben stond op het punt zich balancerend terug te begeven naar de zoldertoegang toen hij een oude schoenendoos zag staan, alleen voorzien van het woord FOTO'S, die hem verloren aanstaarde. Hij aarzelde, het geruis van het verkeer in zijn oren. Toen bukte hij zich en pakte de doos.

Er zaten vele fotomapjes in. Hij koos er willekeurig een. Reuben en Lucy in het begin van hun relatie. Ze leken wel andere mensen. Zonder het gewicht van de verantwoordelijkheid. Alle mogelijkheden nog open. Met grijnzende gezichten poserend voor een verscheidenheid aan achtergronden. Reuben sloeg een volgend mapje open; de foto's zaten aan elkaar vastgeplakt, maar waren nog scherp en helder.

Het waren voornamelijk vakantiekiekjes, elke reeks van zesendertig foto's een kroniek van twee weken in de zon. Maar wat ze eveneens registreerden, merkte Reuben droevig op, waren de korte perioden tussen het bloedvergieten, een filmboekje van de reis van een man door het hart van de gruwel. Terwijl hij de foto's een voor een omhooghield in het licht uit de spleten tussen de dakpannen, schoten hem namen van zaken te binnen. Een vakantie op Kreta: de South Shield-moorden, 2001. Rijden door de Rockies: de gebroeders Tannahill, 2004. Kamperen in Noord-Frankrijk: Bethany en Megan Gillick, 2002. Een rusteloze strandvakantie in Spanje: de Greening-verkrachtingen, 2000. Reuben vroeg zich af of hij een extra rimpel zag voor elke moordenaar die hij had laten opsluiten.

Lucy riep omhoog door het luik en bracht hem weer bij zinnen. 'Moet ik iets van je aanpakken, lieverd?'

'Nee,' antwoordde hij, kijkend naar een foto van zijn vrouw van toen ze achter in de twintig was, tijdelijk blond, en er geweldig uitzag. 'Ik ruim alleen een beetje op.'

'Ik ga in bad. Kom je zelf naar beneden?'

Op een dag, hield Reuben zich voor, zou hij de zoldertrap monteren die hij vorig jaar had gekocht. Hij tuurde ernaar over de balken, waar hij nog steeds opgevouwen en ingepakt en nutteloos naast de toegang lag. De zolder op en af komen was een kwestie van klauteren, hijsen en springen, en het vergde behoorlijk wat moed. 'Ik red me wel,' antwoordde hij.

Hij hoorde zijn vrouw over de overloop trippelen en een deur beneden hem open en dicht gaan. Op de foto – Portugal, dacht hij – hadden ze lome zomerarmen om elkaars middel geslagen, ze hadden zongebruinde gezichten met rode omtrekken en een tevreden Mediterrane lethargie over zich. Hij vroeg zich even af wie de foto had gemaakt, of ze een voorbijganger hadden gevraagd dit specifieke moment van geluk voor het nageslacht te registreren, dat vervolgens op de tochtige zolder van hun huis zou blijven liggen. Dit was het tegenovergestelde van *Dorian Gray*. Terwijl hun gezichten ouder werden en strijdlittekens begonnen te vertonen, bleven er op zolder smetteloze afbeeldingen liggen van hun ongerimpelde gelaat.

De boiler begon te sputteren en te klagen toen Lucy de kraan opendraaide om het bad te laten vollopen. Terwijl Reuben het volgende fotomapje opensloeg, dacht hij aan de voorspellende fenotypering die de hele nacht doorwerkte. Morgenochtend, na wat bewerking en manipulatie, zou hij zijn antwoord hebben. Eindelijk. Hij bekeek zichzelf in een zwembroek, ontspannen, zongebruind, slank als altijd. De ogen, verborgen achter een zonnebril, die nog zo veel zouden zien: tien jaar van plaatsen delict, van het opruimen van andermans rommel, van het naspeuren van de brute misdrijven van enkelingen. Wederom was daar Lucy, voordat ze waren getrouwd, met een onschuldige grijns, een glinsterend badpak, natglanzend haar, en de foto zei: dit is geluk, onthoud dit moment.

En toen, achter aan de zesendertig kiekjes, misplaatst en enigszins kleiner, een andere foto. Een eenzame, verlaten heuvel die oprees uit het omringende vlakke land. De woorden 'Sedge Knoll' schoten hem te binnen. Reuben boog zijn hoofd een stukje naar voren en hield de foto tegen zijn gesloten ogen. Hij bleef even stil zitten, verloren in zijn herinneringen, totdat de amfetamine tussenbeide kwam en beelden van de afgelopen dag zijn hoofd in duwde.

Reuben wist dat ze zijn jachtige gedrag had opgemerkt sinds hij van zijn werk was gekomen. Nog steeds met de foto tegen zijn gezicht besloot hij te gaan minderen. Maar zo simpel was het niet. Niets was zo simpel. Op dit ogenblik was het puur een kwestie van overleven. En dat was iets waarover hij niet met Lucy kon praten.

Reubens telefoon ging en hij reikte ernaar met automatische, rukkerige bewegingen. Hij luisterde naar het ingesproken bericht en stopte ondertussen foto's terug in de schoenendoos. Toen schuifelde hij naar de zoldertoegang en liet zich zakken, wat door zijn chemisch versterkte spieren eenvoudig ging. Hij liep naar de badkamer en bleef ervoor staan, met zijn voorhoofd tegen het koude witte oppervlak van de deur.

'Luce? Ik moet weg. Werk. Iets akeligs.'

De stem van zijn vrouw bereikte hem door het hout, gedempt door de barrière, maar haar zucht was duidelijk hoorbaar. 'Wat, nú?'

'Ben bang van wel.'

'Je bent net thuis.'

Reuben keek op zijn horloge. Het was bijna negen uur, een tijdstip waarop de meeste normale mensen gingen zitten voor een rustige avond. Maar Reuben wist dat zelfs als hij niet naar de plaats delict ging, hij zich niet zou kunnen ontspannen. Vragen en scenario's zouden aan hem knagen, zijn rust verstoren en van hem een onherkenbare versie maken van zijn ontspannen zelf in de schoenendoos op zolder. Hij drukte zijn schoen in de vloerbedekking. Dat zo veel glimlachende gezichten hem nu zo'n ongelukkig gevoel konden geven. 'Ik weet het. Het is balen, maar totdat moordenaars leren zich aan normale tijden te houden...'

'Best.'

Reuben bleef nog even staan, en het enige geluid dat hij hoorde was het klotsen van een volle badkuip. Hij drukte zijn voorhoofd hard tegen het fineer van de deur. Lucy, die zich in het warme water liet zakken. Lucy op de foto's, glimlachend naar de camera. Lucy... Reuben rechtte zijn rug. Toen draaide hij zich om en liep naar beneden, de nacht in, stapte in zijn auto en reed naar de drukte van welke verschrikking hem dan ook wachtte.

4

Slechts twee dingen onderscheidden de flat van alle andere woningen boven de winkels langs Ealing Broadway. Ten eerste was de vloerbedekking kletsnat, zozeer dat in de platenwinkel eronder op de maat van de muziek natte stukken pleister van het plafond waren gekomen. Ten tweede, en dat was verontrustender, was er een man tegen de muur gespijkerd.

Gehuld in een forensische overall bekeek Reuben een slang die de bloederige mond van de overledene in liep. Hij was aangesloten op de koudwaterkraan in de keuken, die nog open had gestaan toen de eerste politieagent arriveerde. De kleding van de man lag aan repen en onthulde vele snijwonden, schaafwonden en ondiepe steekwonden, die zijn huid bedekten als uitslag. Heel weinig van hem was aan de aanval ontkomen, en de ongeschonden delen staken af als maagdelijk witte gebieden rondom zijn tepels en navel.

Reuben was al anderhalf uur ter plaatse sinds hij door het telefoontje van de zolder van zijn huis was geroepen. Naast hem stond een plastic rekje met verschillend gekleurde monsterbuisjes, veel ervan al voorzien van een etiket en een dop. De amfetamine van die middag, die zijn concentratie had versterkt en zijn onbehagen had afgevlakt, stroomde in golven af en aan. En terwijl hij bezig was, bleef hij steeds denken aan de laptop die zich zoemend en knarsend door de allereerste voorspellende fenotyperingsanalyse ooit werkte.

Hij streek met zijn vinger langs de slang en duwde voorzichtig de lippen van het slachtoffer van elkaar. Er waren een paar tanden gebroken, en de slang was door het gat geduwd op de plek waar vroeger zijn boven- en ondertanden op elkaar aansloten. De kiezen waren met secondelijm aan elkaar geplakt. Op de vloer lag een hamer. Reuben fronste en weerstond de neiging om aan zijn voorhoofd te krabben. Hij trok de slang naar buiten, die bijna een halve meter in de slokdarm van de dode man zat, en bekeek zijn kaken. Reuben was afgeleid, denkend aan het gezicht dat de laptop hem zou tonen, dus was hij traag van begrip. Secondelijm. Hamer. Slang. Water. Hij keek plotseling op van de aantekeningen die hij maakte. De man was verdronken in zijn eigen huiskamer, zonder dat zijn kleren zelfs maar nat waren geworden.

Reuben keek naar een paar schoenen die hij vanuit zijn ooghoeken zag aankomen over het kletsnatte tapijt en tot stilstand zag komen naast het lijk, en concludeerde dat ze toebehoorden aan hoofdinspecteur Sarah Hirst.

De schoenen logen niet. Reuben had altijd bewondering gehad voor Sarahs kledingstijl, maar hij probeerde het niet te laten merken. 'Ik zal wat aannamen doen,' zei hij.

'Ga je gang.'

'Een hoofd van het CID hier om... Hoe laat is het? Elf uur 's avonds? Gekleed alsof je op het punt stond uit te gaan. Dus...'

'Ja?' vroeg Sarah Hirst.

'Dit is geen routinemoord.'

'Kijk eens goed naar het slachtoffer, dokter Maitland. Ziet dit er wat jou betreft uit als een routinemoord?'

'Wat ik wil zeggen, Sarah, is dat hier meer achter zit. Ik verwacht half dat Phil Kemp hier ieder moment kan opduiken.'

'Hij is onderweg.' Hoofdinspecteur Sarah Hirst zuchtte en streek met haar vinger over haar gladde wenkbrauw. Haar wangen waren bleek, haar ogen staken er glanzend bij af. Ze was een jaar jonger dan Reuben, en het irriteerde hem dat haar razendsnelle opklimmen door een veelheid van politierangen geen sporen op haar gezicht had achtergelaten. 'Ik heb je vorige week op de radio gehoord,' zei ze.

'En?'

'Ik vond dat je moe klonk.'

'Misschien krijg ik niet genoeg slaap.'

'Hoezo? Wat doe je dan de hele nacht?'

Reuben hield zich in. Sarah Hirst had er een handje van om de deur naar het flirten open te zetten en je binnen te laten, zolang het haar doel diende. 'Werken,' antwoordde hij.

'De boog kan niet altijd gespannen zijn; dan word je een saaie vent.'

'En wat maakt jou zo spannend?'

Sarah glimlachte. 'Mooie benen, goed figuur, opwekkend gezelschap.'

Reuben keek haar aan en vergeleek haar met zijn vrouw. De gedachte aan Lucy trok even aan hem voordat Sarahs stem hem weer bij de les bracht. 'Heb je bruikbaar DNA gevonden?' vroeg ze, terwijl haar glimlach vervaagde en de deur dicht ging.

'Moeilijk te zeggen tot we meneer Slang hebben uitgesloten.' Reuben liet zijn tong rondgaan in zijn droge mond. 'En? Wie is de dader?'

'Jij bent de forensisch wetenschapper. Zeg jij het maar.'

'Ik verwijs naar mijn eerdere punt. Als dit zo belangrijk is dat het jou en Phil weghoudt van jullie gin-tonics, dan weten jullie al iets wat ik niet weet.'

'Dit is Jonathan Machicaran, voormalig informant en crackverslaafde. Weer een droevig geval van een leven dat is verwoest door drugs.'

Reuben voelde een aangename vloed van energie, die zijn spieren ontspande en zijn hersens stimuleerde. 'Dat is vreselijk.'

'Hij had ons recent voldoende info gegeven over Mark Gelson om... Hoi Phil, alles goed? Om hem te kunnen arresteren.'

'Reuben. Sarah,' mompelde hoofdinspecteur Phil Kemp.

'En riekt het naar Gelson, een man die is gefolterd en verdronken in zijn eigen huiskamer?'

'Mogelijk. Mark Gelson heeft een gevreesde crack- en heroïnehandel waarin we zijn geïnfiltreerd. Maar zijn verblijfplaats is onbekend.'

'Geen getuigen. We hebben niets wat hem met dit adres in verband brengt. En we hebben geen DNA van hem,' voegde Phil Kemp eraan toe.

'Aha, daar komt het. Nu snap ik waarom jullie hier zijn.'

'Kom op, Reuben,' zei Phil sussend. 'We zouden over een paar uur naar zijn gezicht kunnen kijken. We zouden hem niet eens in bewaring hoeven hebben. We zouden weten of het Gelson was of niet. En dat allemaal als jij maar...'

'Maar waar trek je de grens? Stel dat voorspellende fenotypering wijst op toekomstig psychotisch gedrag bij iemand die alleen maar wordt getest om hem uit te sluiten. Wat dan? Zou je hem dan zomaar laten gaan?'

'Nou, dan...' Sarah Hirst staarde naar haar schoenen, die langzamerhand nat werden.

'Luister, ik ben bij de vergaderingen geweest, heb de geruchten gehoord. Zoals ik al tegen Phil heb gezegd, ik denk gewoon niet dat het CID de implicaties hiervan begrijpt.'

'Ik zal je eens wat uitleggen,' begon Phil, die de druk verhoogde alsof dit een verhoor was. 'Daarbuiten,' hij wees door het venster, maar doordat het donker was zag hij alleen zichzelf terugwijzen, 'zijn acht miljoen levens, die voortdurend tegen elkaar botsten en tegen muren op lopen. Het is al moeilijk genoeg als je normaal bent. Maar laten we zeggen dat je dat niet bent. Laten we zeggen dat je bent geboren met de aanleg om te verkrachten, te moorden, te misbruiken. Hoe moeilijk is het dan? En wanneer raken wij betrokken bij dit soort mensen?'

'Zeg het maar.'

'Als ze al hebben verkracht, gemoord en misbruikt. En meestal pas als ze dat keer op keer hebben gedaan.'

'Het zijn net medicijnen,' merkte Sarah op. 'Voorzorg en genezing. We moeten er aan het begin zijn, voordat alles fout loopt. We moeten *interveniëren*.' Reuben zag voor zich hoe Sarah dat woord had geleerd tijdens een pr-workshop. 'De tijd van wachten tot misdadigers doen waarvan we toch al wisten dat ze het zouden doen moet afgelopen zijn.'

'Het moet nog worden getest.'

'Test het dan in vredesnaam.'

'Je begrijpt het niet. De juiste onderzoeken duren maanden, jaren zelfs.' Reuben geeuwde. Er begonnen gaten door de speed heen te prikken. 'En jij wilt het nu meteen gebruiken.'

'Waarom testen we het dan niet in de praktijk?'

'Moet ik daar nog antwoord op geven?' Reuben draaide zich om naar de ongelukkige man die aan de muur was gespijkerd, zijn huid opengehakt en ingekerfd, verdronken in zijn flat op de eerste verdieping door middel van een slang die rechtstreeks zijn maag in was geleid. 'Laat mij jullie dan iets vragen. Denk je dat voorspellende fenotypering dit had kunnen voorkomen?'

Phil en Sarah haalden bijna tegelijkertijd hun schouders op; hun schoudervullingen deden de wave.

'Luister, het is iets goeds – misschien wel het krachtigste middel dat we ooit hebben uitgevonden. Maar het moet voorzichtig worden toegepast. Ik weet wat jullie van me denken. Ik voel jullie irritatie.' Reuben draaide zich weer om en keek hen recht aan. 'Geef me nog wat meer tijd. Ik zal zorgen dat het waterdicht is. Dan maken we geen fouten.' Hij gooide de gebroken tanden van het slachtoffer in een plastic buisje. Het klonk alsof hij met dobbelstenen schudde. 'Tot die tijd geef ik het niet vrij. Vooral niet als het wordt overhaast om doelstellingen te behalen, een pr-oorlog te winnen of carrières te bevorderen. Want in de verkeerde handen is dit middel gewoonweg dodelijk.'

Sarah Hirst draaide zich om en beende naar buiten, haar hoge hakken boorden zich in de natte vloerbedekking en prikten er vierkante drainagegaatjes in. Phil bleef en keek in Reubens gezicht. Zijn ogen waren dof en ondoorzichtig, zijn gezicht slap. Een donkere mat van stoppels probeerde zich door zijn bleke huid omhoog te werken. Hij was kleiner dan Reuben en moest een beetje naar hem opkijken. Reuben voelde voor het eerst dat hun rollen hen uit elkaar dreven; ze waren nu eerder collega's dan vrienden. 'Ik zeg dit maar één keer, Reuben.'

'Heb je stiekem gevoelens voor me?'

'Sluit je niet af voor het CID. Werk mee, niet tegen.'

'Ik neem aan dat ik, al was het maar voor de vorm, moet vragen of dat een dreigement is?'

Phils gezicht verzachtte. 'Jezus, nee. We staan allemaal aan dezelfde kant. Sarah staat onder druk, net als jij en net als ik.' Hij legde zijn hand op Reubens schouder. 'Probeer hierin gewoon een compromis te vinden.

Bekijk het van onze kant. Als we dankzij jouw techniek een grote stap kunnen maken, staan we er allemaal goed op.' Phil klopte hem twee keer op zijn wang. 'En dan deelt het bureau intern promoties uit. Sarah of ik, hopelijk ik, wordt commandant van de eenheid, jij krijgt het budget en de middelen die je nodig hebt, en we zijn allemaal weer blij.'

'Nog één ding,' zei Reuben toen Phil naar de voordeur liep. 'Ik snap niet waarom jullie zo'n haast hebben. GeneCrime doet het uitstekend. We hebben het afgelopen halfjaar meerdere doorbraken beleefd.'

'En?'

'Er is nog iets anders gaande, of niet soms?'

Phil hield de deurklink vast, die was omwikkeld met een transparante bewijszak. Hij aarzelde. 'Ik heb altijd bewondering gehad voor je argwanende aard, Reuben. Die heeft je naar de top van je vakgebied gebracht. Maar doe me een plezier, vriend. Zet het af en toe even uit. Wie moet je anders ooit vertrouwen? Mij? Sarah? Je team?' Phil Kemp duwde de deur open. Ondanks het uur piepte zijn telefoon, om aan te geven dat er een document binnenkwam dat hij van een elektronische handtekening moest voorzien. Hij staarde naar het schermpje en zuchtte. Toen trok hij zijn wenkbrauwen naar Reuben op en liep de kamer uit, en hij floot een deuntje zonder daarbij de juiste noten lastig te vallen.

5

Een dikke Chinese man loopt alsof hij door stroop waadt, en zijn vleesrollen deinen als golven. Twee mannen die hem afzonderlijk volgen, komen naar elkaar toe. Een van hen is lang, blond en slank. De ander is kleiner en donkerder, en hij is gekleed alsof hij net uit een nachtclub komt. Het is laat in de middag.

'Jehova's getuigen,' meldt de lange man zich als zijn nieuwe mobieltje gaat. 'Met wie kan ik u doorverbinden?'

'Straffen, alstublieft,' kondigt zijn handlanger aan.

'Ik verbind u door. Prijs de Heer.'

'O, hallo, met Jez. Ik wil graag toestemming om iemand neer te schieten, alstublieft.'

'Drukke straat? Klaarlichte dag? Gezette Chinese man?'

'Dat allemaal.'

'En waarachtig, gij zult hem met grote toorn neerslaan.'

'Dank u.'

'Mis alleen niet.' Reuben laat zijn blik over de drukke stoep gaan. 'Waar ben je eigenlijk?'

'Voor je, aan de overkant. Ik loop net langs de pub met die bloembakken.'

'Ik zie je. God, je ziet er verschrikkelijk uit.'

'Jij ziet er ook niet zo best uit.'

'Nee, dat zal wel niet, Jez,' beaamt Reuben, terwijl hij een geeuw onderdrukt.

'Laat geworden?'

'Het duurde even om de verdronken man te verwerken.' Reuben had de plaats delict verlaten en was teruggekeerd naar zijn lab, waar hij een slapeloze nacht had doorgebracht terwijl de amfetaminemanie zijn lichaam verliet, om methodisch de eerste test ooit met voorspellende fenotypering uit te voeren. 'Hoe zit het met het doelwit?'

'Rode trui, hij gaat zo oversteken naar jouw kant van de weg.'

'Hebbes,' zei Reuben. 'Ik ga ophangen. Geef mij het pistool als je de trekker hebt overgehaald.'

'Jij bent de baas.'

'Oké, hij gaat het park in. We pakken hem als hij uit het zicht is. Ik zie je weer in het lab. En Jez?'

'Ja?'
'Bid maar tot Jehova dat het in één keer goed gaat.'
Een pistool verschijnt en gaat van de blonde naar de donkere man. De dikke man waggelt het park in en schopt afval voor zich uit. Achter hem bevestigen twee blikken dat het moment is aangebroken. Het wapen verschijnt en de trekker wordt van korte afstand overgehaald. De Chinese man slaakt een kreet en grijpt naar zijn nek. Er sijpelt bloed tussen zijn vingers door. Het wapen wordt weer doorgegeven. De mannen lopen elk een andere kant op.

Tien minuten later geeft Reuben Maitland een klein voorwerp dat lijkt op een vuurwapen aan zijn senior technicus Judith Meadows. Reuben merkt op dat ze er blijer uitziet dan gisteren: haar normaal zo serene trekken vormen een onmiskenbare glimlach. Judith pakt het pistool aan en vraagt: 'Hoe ging het, chef?'
'Aardig.'
'En dit is Run Zhang?'
'Niemand minder.'
'En het pistool zelf?'
'Ik denk dat we dat moeten aanpassen.' Reuben wrijft over zijn gezicht; er schuilt een vettige vermoeidheid in zijn huid. 'Ik weet niet zeker of we het terugtrekdeel nodig hebben. Het schijnt te veel pijn te doen.'
'Weer gekrijs?'
'Als een varken. Maar ik heb hem nog niet gesproken. Run kennende is hij waarschijnlijk naar het ziekenhuis gegaan.'
Judith zet de loop van het voorwerp in een Eppendorf-buisje. Ze laat de rode vloeistof rondwervelen voordat ze er een druppel van op een objectglaasje laat vallen. 'Zo, eens kijken wat we hebben,' mompelt ze, en ze tuurt door het oculair. 'Een paar miljoen cellen, schat ik.'
'Mooi.'
Judith draait zich om en richt de volledige aandacht van haar grote donkere ogen op hem. 'Weet je wat ik vanochtend heb gehoord, Rube?'
'Nou?' vraagt hij, even opgaand in de diepte van haar irissen.
'Iemand heeft weer in onze vriezers lopen vissen. Enig idee wat er aan de hand is?'
Reuben steekt zijn hand op. 'Rustig maar,' zegt hij. 'Deze keer was ik het.'
'O.' Judith zwijgt, kijkt van de microscoop naar haar baas en weer terug, en ze probeert de vraag binnen te houden.
'Kun je een geheim bewaren?'
'Altijd.'

Reuben kijkt om zich heen. 'De voorspellende fenotypering heeft zijn eerste uitje gehad.'
'Dat meen je niet! Maar hoe zit het dan met alle...'
'Phil Kemp, Sarah Hirst en een hoop andere mensen staan op het punt te ontdekken wat er gebeurt als je Pandora's doos openmaakt.'
'En wiens profiel heb je getrokken? Mark Gelson?'
Reuben staart naar de glanzende labvloer en ziet een vervormde weerspiegeling van het laboratorium en het personeel, ondersteboven. 'Nee. En meer moet ik er eigenlijk niet over zeggen.'
Judith zwijgt even. 'Met het risico dat ik mijn baas tegen de haren in strijk, mag ik dan ten minste de uiteindelijke FenoFit zien?' Ze knippert met haar wimpers. 'Alsjeblieft?'
Reuben kijkt om zich heen in het lab. Run Zhang, met zijn hand theatraal tegen zijn nek gedrukt, komt binnen door de zware veiligheidsdeuren. Hij blijft staan om zijn wond aan een paar technici te laten zien. Reuben pakt wat eruitziet als een kleurenfoto uit zijn binnenzak en houdt die heel even voor Judith omhoog. De FenoFit is een 3D-weergave van het gezicht van een knappe man met bruine ogen, golvend haar, een brede neusbrug en een puntige kin. In een tekstvakje rechts onderin staat: *lengte 1,85-1,90m, slank postuur, schoenmaat 44-45, atletisch.*
'Je kunt zeker zijn telefoonnummer niet voorspellen?' vraagt Judith, die afwezig door haar rubberen handschoen heen aan haar trouwring friemelt.
'Ben bang van niet. Maar wat vind je van de foto?'
'Het lijkt erop dat je het eindelijk voor elkaar hebt. Kunnen we er nu mee aan de slag?'
Reuben knikt langzaam. 'Bijna,' zegt hij. 'Heel binnenkort.'
'En de PsychoFit?'
'Gemiddelde intelligentie, neiging tot ruziezoeken, beperkt vermogen om goed van kwaad te onderscheiden.'
'Klinkt niet al te gevaarlijk.'
'Dat,' Reuben fronst zijn voorhoofd, 'hangt helemaal van de context af.'
'Trouwens, die nieuwe, dokter Paul Mackay, kan ieder moment zijn toegangspasje krijgen.' Judith trekt haar handschoenen en stofjas uit en strijkt haar rok glad. 'Is het goed als ik hem hierheen haal?'
'Natuurlijk.'
'Ga je je kunstje doen?'
'Ik voel me niet zo...'
'Kom op.' Judith glimlacht. 'Je weet dat ze altijd paf staan.'
Terwijl Judith wegloopt, houdt Reuben de FenoFit voor zijn ogen en

staart in het gezicht. Hij ervaart een duizelingwekkende mengeling van woede en ongerustheid. 'Ik weet niet wie jij verdomme bent, maar ik heb het gevoel dat we elkaar binnenkort zullen zien,' fluistert hij tegen de foto. 'En dat dat voor geen van ons tweeën goed zal zijn.' De FenoFit staart terug: uitdrukkingsloos en onbewogen. Reuben is zowel opgewonden omdat zijn technologie werkt, als bang over de richting waarin die hem onvermijdelijk duwt. Zijn fronsende concentratie wordt verstoord door Run Zhang.

'Kijk, dokter Maitland.' Run wijst terwijl hij naar hem toe schuifelt naar een sneetje net boven zijn kraag.

'Een schrammetje,' antwoordt Reuben, die de foto wegstopt.

Run is forensisch onderzoeker, groot en traag, een milde hypochonder die zich liever nergens mee laat beschieten in het kader van veldonderzoek. Hij is pas twee jaar in Engeland en moet zich nog aanpassen aan het wetenschappelijke Londens dat bij GeneCrime voornamelijk wordt gesproken. 'Een schrammetje? Dat stomme ding eh, bijna mijn ruggengraat eruit. U zei dat het geen pijn zou doen.'

'Het was maar een oefening, mijn dappere vriend.' Reubens telefoon kondigt aan dat hij in de komende paar minuten nieuwe beelden van de plaats delict zal ontvangen. 'Maar we komen er wel. Binnenkort zullen we wat we vandaag hebben gedaan in het echt kunnen doen. Een onmiskenbaar DNA-monster nemen van een verdachte op straat, terwijl diegene weinig meer voelt dan een muggensteek.'

'Dit was haaienbeet, verdomme.'

'Oké, oké, we werken eraan. Pak een pleister uit de EHBO-doos, dan zal ik kijken of ik het gutsende bloed kan stelpen.'

Terwijl hij in zijn eentje midden in het laboratorium staat, kijkt hij naar enkele leden van zijn team die in gesprek zijn. Ze stralen iets onbehaaglijks uit, een nadrukkelijk gebrek aan samenhang. Hij ziet Mina Ali, donker, knokig, met een scheve frons. Simon Jankowski, met een middenscheiding, een bril en een lawaaihemd dat het woord voor hem doet. Birgit Kasper, muisachtig, fors, bijna met opzet onopvallend van uiterlijk en in gesprekken. Hij denkt terug aan het kerstfeestje van een paar maanden geleden, toen hij naar een groep wetenschappers uit het laboratorium keek, dronken, lol makend, rondrennend als labratten die uit hun kooi zijn gelaten.

Reuben kijkt op zijn horloge, maakt het metalen bandje los en tuurt naar de platgedrukte haren op zijn pols. Het voelt alsof hij twee verschillende horloges heeft. Dat wat hij nu in zijn hand houdt lijkt langzaam en onvermijdelijk door te tellen. Het horloge dat hij de hele nacht heeft gedragen, was snel en grillig. Hij weet niet welk van de twee hij liever heeft. Reuben staart aandachtig naar de achterkant van zijn Dugena. Hij kan ternauwernood een reeks krasjes rondom het middelpunt onderscheiden. Hij likt langs zijn droge lippen en vecht tegen een plotseling opkomend verlangen.

'Zenuwachtig?' vraagt Simon Jankowski, die een witte labjas over zijn hawaïhemd aantrekt.

'Hè?'

'Voor het interview. Dat is toch nu?' Simon zet de radio aan en roept naar zijn collega's. 'Als iemand de chef nog wil horen op... Welke zender was het deze keer?'

'Radio twee.'

Enkele leden van Reubens groep laten liggen waar ze mee bezig zijn en wandelen naar hen toe terwijl Simon de zender opzoekt.

'...bij ons in de studio een van de grootste autoriteiten op het gebied van forensische detectie, en de wetenschapper aan wie wordt toegeschreven dat hij de moord op de gezusters Harrow, Bethany en Megan Gillick heeft opgelost, naast talloze andere. Hallo, dokter Maitland, dank u voor uw komst. Wat vindt ú van de recent door de overheid voorgestelde wetgeving voor het introduceren van genetische testen voor alle verdachten – niet alleen veroordeelden, maar verdáchten – van overtredingen en misdrijven?'

Reuben luistert half naar de stem die krakend uit de luidspreker klinkt, de woorden van gisteren die zijn opgenomen en weer worden opgegeven. 'Hier zitten heel duidelijk twee kanten aan. Ten eerste had u het over de gezusters Gillick. Nou, we zouden nooit het verband hebben gelegd met de moordenaar, Damian Soames, als zijn profiel niet in ons dossier had gezeten, afkomstig van een pilotonderzoek dat we halverwege de jaren negentig hebben uitgevoerd onder gevangenen van categorie B. Informatie op zich lijkt dus soms willekeurig of een schending van privacy, maar wanneer je het vermogen hebt om op enorme schaal kruisverwijzingen na te gaan, zoals we nu hebben, dan kan het plotseling een geheel eigen logica aannemen. Echter, en dat is de andere kant, de kwestie van persoonlijke vrijheid, vooral binnen een wettelijk kader dat bijna volledig stamt uit het tijdperk van voor de ontdekking van het DNA, is het belangrijkste.'

'Op welke manier? Het algemeen belang is toch zeker...'

'Luister, als ik een wasmachine koop, dan worden mijn persoonlijke gegevens – mijn adres, telefoonnummer, consumentengedrag enzovoort – ergens geregistreerd. Ze worden doorgegeven. Uiteindelijk belt iemand me op om te vragen of ik een verzekering wil afsluiten of van energieleverancier wil veranderen. Ik krijg stapels reclame in de brievenbus. Met informatie op wat voor niveau dan ook – of het nu koopgedrag is of DNA – moet voorzichtig worden omgesprongen.'

'Maar er is een enorm verschil tussen winkelen en DNA-testen.'

'Het is enkel een andere schaalgrootte van dezelfde kwestie. Het typeren van consumenten en het typeren van genetica...'

Reuben concentreert zich zwijgend op zijn eigen woorden; zijn stem klinkt rustig, zijn antwoorden zijn geoefend, zijn argumenten af en toe overdreven en opgeblazen voor publieke consumptie. Dit is er weer een in een lange rij van interviews voor radio en kranten in het afgelopen jaar, die hem hebben geleerd wat hij moet zeggen en hoe. Hij vraagt zich even af of hij te gelikt is gaan klinken, terwijl hij vraag na vraag zijn gebit tot op het tandvlees afslijt. Om hem heen luistert zijn groep aandachtig, glimlachend, af en toe kijkend van hem naar de radio en weer terug, alsof ze zich afvragen waarom zijn lippen niet bewegen. Hij voelt hun loyaliteit en respect, en even koestert hij zich in de warmte ervan. Het interview gaat door, wordt breder, en Reubens gezag als vooraanstaande autoriteit in de forensische detectie leidt het gesprek.

'...en zo doen we ons best om bij te blijven. Wetten zijn altijd reactief, misdaden zijn reactief, mensen zijn reactief, en toch is technologie proactief. Het potentieel is gigantisch. Maar potentieel fantastisch of potentieel rampzalig. Dat moeten wij beslissen.'

Reuben staart onbehaaglijk naar de vloer, blij dat dit kruisverhoor bijna ten einde is. Hij krijgt steeds meer het gevoel dat terwijl de forensische wetenschap verder tot het bewustzijn van het publiek doordringt, het vakgebied het misschien een tijdje zonder hem zou moeten stellen. Hij ziet veldslagen op zijn pad en beseft dat hij zich binnenkort voor alle afleiding zal moeten afsluiten.

Eindelijk is het interview afgelopen en zet Simon de radio uit. 'Dat was het, luitjes,' zegt hij.

'Je zou op tv moeten komen,' oppert Birgit Kasper, met een bleek gezicht onder haar opvallend rode bril. 'Heb je al aanbiedingen gehad?'

'Een paar.'

Run Zhang grijnst. 'Ik weet niet, chef.'

'Hoezo?'

'Je hebt eh, perfect gezicht voor radio.'

'Oké, oké.' Reuben glimlacht. 'Was iemand hier nog van plan om aan het werk te gaan? Die nieuwe komt zo. Laten we in ieder geval doen alsof we het druk hebben...'

'Ga je je kunstje doen?' vraagt Mina.

'Dat zou maar zo eens kunnen.' Hij knipoogt. 'Zo mensen, laten we nu maar eens wat boeven vangen.'

Reuben ziet zijn groep met enige tegenzin wegsmelten. Als hij opkijkt, ziet hij Judith aan de andere kant van het lab verschijnen met een lange man achter zich aan. Naar het papierdunne zelfvertrouwen van de man te oordelen is hij nerveus omdat hij bij GeneCrime komt werken. Reuben haalt zijn schouders op en doet zijn horloge weer om. Het is een gebouw dat overloopt van felle en scherpe dingen. De nieuweling is terecht op zijn hoede.

6

'Dokter Maitland, doe je kunstje,' smeekt Judith als Reuben de nieuwe rekruut een hand heeft gegeven.

'Judith...' antwoordt hij, terwijl een duizelingwekkend moment van vermoeidheid zijn weerstand uitput.

'O, kom op. Ik heb dokter Mackay er al alles over verteld.'

Reuben kan moeilijk verzet bieden tegen Judiths overredingskracht. 'Dokter Mackay?'

'Ik ben nieuwsgierig.'

'Als het dan moet.' Reuben geeuwt en schudt zijn hoofd. 'Oké, dokter Mackay, daar gaan we dan. We hebben elkaar pas één keer ontmoet, bij je sollicitatie naar deze baan. En destijds heb je me niets over je achtergrond verteld, behalve je kwalificaties en je sterk overdreven werkervaring. Dus laat me raden.' Reuben tuurt indringend naar de man die voor hem staat, laat zijn plotseling geopende ogen van links naar rechts en van beneden naar boven gaan alsof hij een afbeelding op een scherm bekijkt. Hij haalt diep adem. Dan begint hij. Zijn redevoering is energiek en direct, serieus maar luchtig, meespelend met het spel. 'Je hebt een oom aan moederskant met acute kaalhoofdigheid. Je vader is vroegtijdig grijs geworden. Je bent langer dan je moeder, maar niet dan je vader. Een van je ouders heeft blauwe ogen, de ander blauwe of groene. Het kuiltje in je kin komt van je vaders kant van de familie. Qua temperament vind je zelf dat je meer op je moeder lijkt, maar eigenlijk zit je er ergens tussenin. Beide ouders zijn slank, neigend naar een atletisch postuur. Er zitten Scandinavische voorouders ergens in je diepe, duistere verleden. Je hebt vrij weinig lichaamsbeharing, en je baardstoppels, als je je niet zo goed scheert om op je eerste werkdag een goede indruk te maken, hebben een rossige tint. Een van je ouders – ik weet niet zeker welke – heeft enigszins scheefstaande tanden. Je bent zeer intelligent en bovengemiddeld sportief. Te zien aan de relatieve lengte van je wijs- en ringvinger zou ik denken' – Reuben knipoogt naar Judith – 'dat je vrij groot geschapen bent. Hoe doe ik het tot nu toe?'

Dokter Paul Mackay haalt zijn schouders op. 'Best aardig.'

'Mooi. Dan gaan we wat verder. Je houdt onder andere van roeien en fietsen. En je volgt motorracen en leest Amerikaanse misdaadfictie, vooral Ellroy, Grisham en...'

'Hoe weet u wat mijn hobby's zijn?' vraagt dokter Mackay, overduidelijk van zijn stuk gebracht.

'Je cv.'

'Picasso!' roept Judith uit. 'Dat is vals spelen!'

'Oké. Nu weer serieus.' Reuben tuurt naar dokter Mackay, met zijn ogen half dicht en snel knipperend. 'Ondanks wat er op je cv staat, ben je in je tienertijd opstandig geweest. Het gezag uitdagen, dat soort dingen. Je ouders teleurgesteld. Je hebt iets ergs gedaan. Erger dan de gebruikelijke muiterij van pubers. Misschien ben je in de problemen geraakt?'

Dokter Mackay verplaatst onbehaaglijk zijn gewicht. Reubens telefoon laat hem weten dat de videobeelden zijn binnengekomen.

'Heeft hij gelijk?' vraagt Judith.

'Over bijna alles. Maar hoe...'

'Simpele mix van genetica en observatie. Sleutel: een vroeger gepiercete neus en oorlel, allebei goed geheeld. De andere lichaams- en gezichtskenmerken spreken voor zich, als je weet hoe die dingen worden overgeërfd. Het is eigenlijk alleen maar Mendeliaanse theorie met wat gokken en af en toe een generalisatie erdoorheen.'

'Eng, hè?' voegt Judith eraan toe.

'Waar komt dat "Picasso" vandaan, als ik vragen mag?'

'Hij schildert. Obsessief. Gezicht na gezicht na gezicht. En niet eens slecht.'

'Let maar niet op mij.' Reuben grijnst en loopt naar de andere kant van het lab, waar hij laden opent en er monsterzakjes en steriele buisjes uit pakt.

'En heeft hij jou wel eens geschilderd?' vraagt dokter Mackay.

'Ik geloof niet dat hij ooit goed genoeg heeft gekeken,' antwoordt Judith zachtjes als ze zeker weet dat Reuben haar niet kan horen. 'Maar er is nog iets wat je over hem moet weten.'

'Wat dan?'

'Hij is anders. Anders dan normale wetenschappers of politieagenten.'

'Hoe bedoel je?'

'Weet je nog dat er vorig jaar een rechter was die zijn schoonmaker had vermoord? De zaak-Jeffrey Beecher? Wat je vast niet hebt gehoord, is dat toen iedereen het al had opgegeven, naar huis was gegaan en de hele zaak was vergeten, Reuben op de plaats delict bleef. Hij werkte de hele nacht door, in zijn eentje. Hij bleef er de volgende dag ook nog uren, weigerde het op te geven. Phil Kemp en Sarah Hirst vroegen hem terug te komen naar het lab, maar hij zei nee. We hadden niets – geen monsters, geen lijk, niets. Het onderzoek leidde nergens toe. En toen, net toen we allemaal naar huis wilden gaan op de tweede dag, kregen we een telefoontje. Bloeddruppeltjes in het scharnier van een deur, die een stukje open moest hebben gestaan op het moment van de aanval. Een heel fijne mist van bloed die over het hoofd was gezien door rechter Beecher toen hij zijn appartement schrobde met de schoonmaakmiddelen van de schoonmaker zelf. Toen we daar aankwamen, had Reuben de voordeur al gedemonteerd. We hadden genoeg bloed om Beecher met de moord in verband te brengen. En hoewel er nooit een lijk was gevonden werd hij vervolgd en, zoals je misschien wel weet, bekende hij later. Allemaal omdat Reuben niet wilde stoppen terwijl alle anderen dat allang hadden gedaan.'

'Dus hij is grondig.'

'Hij is meer dan grondig,' antwoordt Judith, terwijl Reuben het lab weer in komt. 'Hij is zo ongeveer bezeten.'

Reuben stopt een kleine verzameling plastic artikelen in zijn koffertje en sluit het. 'Er is niks mis met mijn oren,' zegt hij, maar hij wordt onderbroken door een indringend gepiep van zijn telefoon. Hij loopt weg en richt zijn aandacht op de foto's van een moordslachtoffer, vanuit verschillende hoeken genomen, die op het schermpje verschijnen. Zijn stemming slaat meteen om en een koude, grijze depressie lekt zijn hoofd in.

De dode man ligt in een van de ongebruikelijkste houdingen die Reuben ooit bij een naakt lijk heeft gezien. Zijn benen zijn volledig gespreid, in rechte hoeken ten opzichte van zijn lichaam, als een gymnast die een split doet. Heupen ontwricht, mompelt Reuben in zichzelf, dijbotten uit de kom gerukt, pezen geknapt, spieren gescheurd. Reuben loopt het lab uit en komt langs een rij kantoren; onderweg kijkt hij naar het videobestand. De armen van het slachtoffer zijn parallel aan zijn benen zijwaarts gelegd, als bij een kruisiging, en zijn hoofd is op de meeste beelden amper zichtbaar doordat het over de zijkant van het bed hangt. Reuben knijpt zijn ogen tot spleetjes. De man ziet eruit als een reuzeletter H. Maar wat Reuben echt verontrust is wat er onder hem ligt. Daar, uitgerold, opgekruld en gekronkeld, schijnbaar pulserend, alsof hij zijn lunch nog aan het verteren is, liggen de dikke en dunne darm van de man. Hij is binnenstebuiten gekeerd, van zijn ingewanden ontdaan, te beginnen bij de endeldarm. Een grote metalen haak uit een slachthuis ligt voor het bed, in geronnen bloed op de vloerbedekking. Aan de kleur van zijn ingewanden te zien is de man al een paar dagen dood.

Terwijl hij een stel dubbele deuren openduwt, staart een close-up van het gezicht van het slachtoffer hem vanaf het schermpje aan. Reuben vermoedt dat hij Koreaans of Japans is. Hij kijkt weg, even verontrust door wat hij in dat gezicht ziet. Het zijn de opengesperde neusgaten, de opengesperde kaken, de verwijde pupillen: een gezicht dat een onvoorstelbaar kwaad heeft geroken, geproefd en gezien. Het adres waar de overledene zijn laatste adem heeft uitgeblazen verschijnt op het scherm. Reuben speelt het bestand nog een keer af, en mentale beelden van de oorzaak van het bloedbad flitsen in zijn bewustzijn op als dia's tijdens een lezing.

Reuben neemt de lift naar de begane grond en gaat de gemeenschappelijke toiletten vlak bij de beveiligingsbalie in, waar hij de deur achter zich op slot doet. Binnen kijkt hij in de spiegel. Zijn ogen zijn bloeddoorlopen, rode adertjes kruipen door het wit, gekronkeld als de draadjes in een gloeilamp. Hij ziet hoe bleek zijn gezicht afsteekt tegen de groezelige muren van de toiletruimte en zucht om de rudimentaire hygiënestandaard van een elite-eenheid.

Reuben doet zijn horloge af en legt het naast zijn mobieltje op de vieze wastafel. Hij is een paar seconden bezig om de metalen achterkant open te maken. Soms, houdt hij zich voor, is DNA een echte klootzak. We zijn organisch, gedreven door onze egoïstische genen, stukken steen met onze letters erin, onze kenmerken en eigenschappen naar het oppervlak geduwd waar iedereen ze kan zien. Maar die vier lettertjes kunnen meer kwaad aanrichten dan een alfabet van verraad. Uit zijn horloge haalt hij een verborgen plastic potje, zo groot als de batterij. Bevroren op het schermpje van zijn telefoon, zelfs ondanks de korrelige pixels, is het afgrijzen in de ogen van het slachtoffer duidelijk te zien. Reuben moet zich afsluiten en onwankelbaar zijn. Hij maakt het potje open en giet de inhoud in zijn hand, waarna hij zijn vinger bevochtigt en de drug in zijn tandvlees wrijft. Tegen de tijd dat hij op de plaats delict aankomt, zal Reuben een forensisch onderzoeker in de meest pure zin van het woord zijn: aandachtig, alert en gedachteloos. Maar tot die tijd zijn de smartelijkheden van zijn bestaan vrij om aan hem te knagen. Hij ruimt op, spoelt het toilet door en vertrekt. Terwijl hij langs de beveiliging loopt en naar buiten gaat, naar zijn auto, voelt hij de FenoFit in zijn borstzak langs de linkerkant van zijn borst wrijven. Eronder bonst zijn hart in een paniekerig ritme van onzekerheid en voorgevoel.

7

Davie was zich vagelijk bewust van een andere aanwezigheid. Groter, breder en zwaarder. Schouder aan schouder, in de pas. Met zijn blik recht vooruit. Davie probeerde zijn tempo te variëren. Toen hij vaart minderde, deed de man dat ook. Toen hij zijn pas versnelde, deed de man dat ook. Hij schraapte zijn keel. Keek op zijn horloge. Nog vijfendertig minuten te gaan.

Hij had ontzettend veel lessen geleerd in de afgelopen negen maanden. Nooit praten als je niets wordt gevraagd. Nooit iets zeggen wat als confronterend of agressief kan worden opgevat. Nooit iemand langer dan een halve seconde in de ogen kijken. Nooit vragen stellen. Nooit iemand vertrouwen die je iets gratis aanbiedt. Kortom, trek je terug in je schulp, met je hoofd net onder het oppervlak, kijk op naar de hemel en wacht terwijl de tijd verstrijkt.

De man schurkte met zijn schouder langs die van Davie. Davie mompelde een verontschuldiging. Nu was hij in paniek. Dat was opzettelijk contact geweest. Hij liep door, met zijn handen in zijn zakken, voorovergebogen en met zijn kaken op elkaar.

'Waarvoor zit je hier?' mompelde de man. De stem was nors en beschaafd, buitenlandse medeklinkers om Engelse klinkers gewikkeld.

Davie keek hem niet aan. 'Inbraak,' zei hij.

'Crack of heroïne?'

'Crack.'

'Hoe lang moet je nog?'

'Dertien maanden.'

Weer schurkte de man tegen zijn schouder, harder deze keer. Davie schuifelde weg, maar hij kon niet ver uitwijken zonder de tredmolen van het pad te verlaten. 'Ik kom straks naar je toe. Blok C, toch?'

Davie knikte zwijgend.

'Verdieping B? Cel tweehonderdachtentwintig?'

Weer knikte Davie, bang nu. De man wist waar hij zat. Dit was het dan. Dat wat hij meer dan bijna wat ook had gevreesd, stond op het punt te gebeuren. De man hield in en bleef achter. Het halfuur erna durfde Davie zich niet om te draaien. Hij had het onrustbarende gevoel dat de man één pas achter hem liep, hem opnam.

Na het luchten hield Davie zijn pas niet in. Hij liep gewoon verder, ging de poort door en de koele gang van blok C in, de gebarsten betonnen trap op, langs de buitenrand van verdieping B naar cel 228, en ijsbeerde van muur naar muur, van raam naar deur, de dunne vloerbedekking op de vloer verslijtend. 'Shit shit shit,' zei hij in zichzelf. Af en toe schokte hij lichtjes, misschien een restant van de ontwenning, misschien door neuronen die verdronken in koude adrenaline. Nog een lesje dat hij had geleerd in de negen maanden van zijn gevangenschap was dat wie je ook kende, je heel erg op jezelf was aangewezen. Een gestalte verscheen in de deuropening: fors, dreigend en intens. Davie bleef staan. 'Klop klop,' zei de man. Davie hield zijn mond, probeerde hem in te schatten zonder te staren. Hij was donker, en er lag iets van wreedheid in het zwart van zijn ogen en de dikte van zijn wenkbrauwen. Zijn lippen waren vol, zijn tanden toen hij grijnsde gevlekt en afgesleten. Hij zette een paar stappen Davies cel in en ging op het bed zitten. Davies celgenoot Griff wandelde naar binnen, wierp één blik op de gast en vertrok snel weer, waarbij hij de deur sloot. Door wat er tussen hen plaatsvond vermoedde Davie dat dit afgesproken was.

'Zo,' begon de gevangene. 'Zo zo zo, Davie Hethrington-Andrews. Dat klopt toch?'

Davie knikte.

'Grappige naam eigenlijk, hè?'

Davie haalde zijn schouders op, zo zenuwachtig als hij nog nooit van zijn leven was geweest.

'Er zijn er niet veel van hè? Hethrington-Andrewsen, bedoel ik?'

'Nee.'

'Hoeveel in Londen, denk je?'

'Geen idee.'

'Twee. En wat dacht je? Die zijn allebei familie van je.'

Davies ogen werden groot. Dit ging over zijn familie. 'Er is geen geld...'

'Stil,' droeg de man hem op. 'Ik heb geen belangstelling voor geld. Ik heb belangstelling voor jouw welzijn.'

'Hoezo?'

'Laten we maar zeggen dat ik macht heb over je toekomst.' De man loerde naar hem. 'Denk je niet?'

'Ja.' Hoewel hij de naam van de man niet kende, kende hij zijn gezicht beslist. Iedereen kende het. De man was onpeilbaar, onvoorspelbaar en volkomen sadistisch. De gevangene die door alle andere gevangenen werd gevreesd. Davies ongerustheid schakelde nog een tandje bij.

'En zou je zeggen dat ik iemand ben die invloed kan hebben op je welzijn?'

'Ja.'

'Maak je geen zorgen. Ik wil maar één ding van je, en het doet geen pijn.' De man stond op, keek Davie aan en sneed in hem met zijn ogen. 'Behalve natuurlijk als je me niet kunt helpen. In dat geval zal het zo veel pijn doen dat je dood wilt.'

Davie wilde het niet vragen, maar de vraag hing in de lucht, wachtte erop geplukt te worden. 'Wat wil je?' vroeg Davie zachtjes.

De man pakte een opgevouwen vel papier uit zijn broekzak. Hij streek het glad en gaf het aan hem. Het was de voorpagina van een wetenschappelijk artikel. 'Ik wil je broer spreken,' zei hij.

'Mijn broer?'

'Dit is hem toch?'

Het artikel heette 'Naar genomische uitdrukking: RNA-bewijs zal DNA overstijgen.' De derde naam tussen de auteurs was Jeremy Hethrington-Andrews. 'Ja.'

'Je belt Jeremy op.'

'Jez. Hij haat het als je hem Jeremy noemt.'

'Ik wil hem spreken als ik hieruit kom. Ik moet hem een paar dingen vragen.' De gek zette een stap naar voren. Davie voelde de enorme kracht die van hem afstraalde en alles in de buurt verschroeide. Hij scheen over te lopen van het geweld. Er veranderde iets in zijn gezicht en zijn neusgaten verwijdden zich. 'Dingen die invloed zouden kunnen hebben op jouw overleven hier.' Hij haalde plotseling uit naar Davies gezicht, stopte een paar millimeter voordat zijn neus werd geplet. Davie voelde de lucht voor zijn open ogen wervelen. De man bewoog zijn linkerarm snel, en Davie kromp ineen. Maar de man liet zijn stomp van richting veranderen en sloeg zijn sterke arm om Davies schouder. 'Je ziet het,' – hij glimlachte – 'het kan beide kanten op gaan. Niemand hierbinnen zal je aanraken zolang je vriendjes bent met mij. Zelfs als ik vrij kom, over een paar weken, zullen mijn mensen voor je zorgen. Dus kom op, breng het balletje aan het rollen, regel het, dan kunnen jij en ik vrienden zijn.'

De man liet Davie los en liep de cel uit. Davie liet zich op het bed zakken terwijl de opluchting door zijn aderen spoelde en zijn angst verdunde. Toen die wegtrok, begon hij te trillen, alsof zijn paniek het enige was wat hem op de been had gehouden. Zijn celgenoot kwam binnen en keek Davie aan.

'Wat wilde hij, verdomme?' vroeg Griff.

'Niet veel.'

'Luister, als zo iemand bij je langskomt gaat het nooit om "niet veel". Kom op, wat wil hij?'

'Hij wil mijn hulp ergens bij.'
'Wat dan?'
'Gewoon een gunst.'
Vanaf het moment dat Davie was opgesloten, had Griff hem geïntimideerd. Ze deelden een cel, maar Griff had duidelijk gemaakt dat het zijn territorium was en dat Davie volgens zijn regels moest spelen. Ze hadden één keer ruzie gehad, zowel geïnitieerd als gewonnen door Griff. Davie likte langs zijn gebroken voortand.
'Wat voor gunst?'
'Niks.'
'Neem me niet in de maling, Davie-Wavie. Kom op, vertel.'
Davie stond op en keek hem aan. Voor het eerst sinds hij in de gevangenis zat, staarde hij Griff recht in de ogen en hij duwde tegen zijn schouder. 'Vraag me dat nooit meer,' zei hij.
'Wát zeg je?' schreeuwde Griff.
'Ik zei, vraag me dat nooit meer. En blijf van nu af aan bij me uit de buurt, verdomme.'
Griffs gezicht verhardde. Hij balde en ontspande zijn vuisten. Davie bleef hem aanstaren. Griff werd rood, het conflict golfde door zijn gespierde lichaam. Davie gaf geen krimp. Ergens rinkelde een bel. En toen draaide Griff zich om en liep de cel weer uit.
Davie slaakte een lange, koele zucht. Het machtsevenwicht in cel 228 was plotseling verschoven.

8

Reuben bleef op de plaats delict totdat hij ervan overtuigd was dat alle voor de hand liggende monsters waren verzameld. De technische recherche van GeneCrime had vingerafdrukken, haren, speeksel, bloed en voetafdrukken verzameld. Degene die had genoten van de langdurige marteling en uiteindelijke dood van Kim Fu Sun had er geen probleem mee gehad zijn visitekaartje achter te laten.

Nadat hij verschillende monsters in een labvriezer had gestopt, reed hij naar de pub. De wijzers van de analoge autoklok zweefden rondom één uur 's nachts. Het was laat, maar een paar achterblijvers zouden er nog wel zijn. Hij wist dat hij naar huis zou moeten gaan, maar dat kon hij nog niet opbrengen.

Binnen was nog maar één persoon. Reuben was teleurgesteld, maar eigenlijk ook opgelucht dat hij niet de enige zou zijn. Phil Kemp zag eruit alsof hij zich nuchter had gedronken. Hij zat aan een tafeltje, omringd door de lege glazen van anderen, stram rechtop, en staarde voor zich uit. Reuben zag zijn halflege glas Guinness en bracht hem een volgend.

'Ik heb zeker alles gemist?' vroeg Reuben.

Phil kwam meteen tot leven. 'Nee hoor, kerel.' Hij grijnsde. 'Ik ben er nog.'

'Geweldig.'

'En Simon Jankowski is aan het kotsen op de plee.'

'Ach, ik ben wel naar slechtere feestjes geweest.' Reuben ging naast Phil zitten en ze proostten. 'Hoe was de opkomst?'

'Volle bak.'

'Het was een lange, taaie zaak.'

'Dat heb je goed. En we hebben die smeerlap gegrepen.' Phil hief zijn glas. 'Op Philip Anthony Godfrey en zijn drie keer levenslang.'

Reuben proostte mee, en de ijsklontjes rammelden in zijn wodka. Hij keek om zich heen naar het groezelige, benauwende interieur van de pub. De barman leek graag te willen afsluiten; er was nog maar één klant over, een dikke man die oncomfortabel ineengezakt op een kruk zat.

Phil zweeg even, in gedachten verzonken. Toen vroeg hij: 'Hoe gaat het met Lucy?'

'Goed.'

'Politie-intuïtie, maar je klinkt niet zo zeker.'
Reuben nam een slok voordat hij antwoordde. 'Nou...'
'Wat?'
'Nee, het gaat goed.'
'Lang geleden.'
'Ik weet het, Phil. We nodigen je binnenkort uit.'
'Weet je zeker dat alles goed is?'
Reuben sloot zijn ogen en mompelde: 'Ik hou van mijn vrouw, weet je. Ik hou van mijn vrouw.'
'Misschien moet je dat tegen háár zeggen.'
'Ja. Misschien wel.'
'En de kleine?'
'Fantastisch.' Reuben keek onwillekeurig op zijn horloge. 'Maar ik heb hem vandaag weer niet gezien voor hij naar bed ging.'
'De vloek van het vak, mijn vriend. Zoals zoveel dingen.'
Reuben voelde het vertrouwde branden van de wodka. Hij was stukje bij beetje aan het landen, maar de drank zou helpen. Hij keek naar Phil, die opging in zijn Guinness. Was het het allemaal waard, vroeg hij zich af. Het persoonlijke en beroepsmatige dat botste, alles ingewikkeld maakte, vriendschappen en relaties beschadigde.
'Ik kan maar beter eens bij Simon gaan kijken,' zei Phil, terwijl hij wankel opstond. Hij schoof achter de tafel vandaan en zwalkte naar de herentoiletten.
Reuben bleef peinzen, verscheurde een viltje, wetend dat het op een confrontatie zou aankomen. Lucy, Phil, Sarah Hirst en twee ongebruikelijk brute en sadistische moorden in even zoveel dagen knaagden aan de restanten van de speed. Vanuit zijn ooghoeken zag hij beweging, en hij draaide zich om naar de bar. De dikke man liep op zijn tafel af. Hij glimlachte naar Reuben en liet zich toen zwaar op Phils plek zakken.
'Ben jij Reuben Maitland?' vroeg de man bruusk.
'Wie ben jij?'
'Ik ben Moray Carnock, dokter Maitland.'
'Hoe weet je wie ik ben?'
'Dat is mijn werk.'
'En wat is dat dan wel?'
'Mensen vinden. Diensten aanbieden. Dingen beschermen.' Moray Carnock haalde een chocoladereep uit zijn jaszak en bood Reuben een stuk aan.
'Wat wil je?' vroeg Reuben hoofdschuddend.
'Ik heb informatie.'
'Dus je bent een verklikker?'

'O nee, dokter Maitland, ik ben geen verklikker.' De man lachte hartelijk en stak toen een stuk chocola in zijn mond. 'Ik ben al veel dingen genoemd, maar een verklikker, verdomme...'

'Nou, wat dan?'

'Luister, ik zal duidelijk zijn.' Hij keek om zich heen in de pub om zich ervan te overtuigen dat niemand hem kon horen. 'Er is een moord gepleegd.' Zijn Schotse accent rolde om het woord heen en rekte het uit. 'Laten we zeggen dat jouw mensen er onderzoek naar doen. Ik heb een heleboel contacten, zowel aardig als niet zo aardig. Ik schaduw al een tijdje iemand als onderdeel van een commerciële beveiligingsklus. Terwijl ik die persoon schaduwde, heb ik iets interessants over hem ontdekt waarvan ik betwijfel of jouw jongens het weten.'

'En dat is?'

'Dus wat ik voorstel is een ruil. Ik verleen jou een gunst, jij vult mijn zakken.'

'Zo werk ik niet.'

'Zeg je nee?'

Reuben werd kwaad. 'Ik zeg: laat me verdomme met rust en kom niet nog eens naar me toe.'

'Dat is je laatste woord?'

'Mijn laatste woord is aju,' antwoordde Reuben kortaf.

'Oké, vriend,' zei Moray Carnock, en hij stond op. 'Maar denk eraan. Principes zijn een luxe tijdens een moordonderzoek.' Hij smeet een visitekaartje op tafel, liep langs de bar en ging de deur uit. Voordat Reuben tijd had om na te denken, kwam Phil de toiletten uit met een heel bleke Simon Jankowski achter zich aan. Reuben stond op en pakte zijn autosleutel.

'Zo te zien kunnen we hem beter even thuisbrengen,' zei hij. 'Kom op, hoofdinspecteur Kemp. Als je het goed speelt, breng ik jou ook thuis.'

Phil grijnsde, dronk zijn glas leeg en liep achter Reuben en Simon aan de bar uit. De dankbare barman riep welterusten en begon de lampen uit te doen. In zijn auto, toen hij over de verlaten nachtelijke straten van Londen reed, merkte Reuben dat hij zich afvroeg wat die Schot hem eigenlijk had willen verkopen.

9

Reuben opende de voordeur van zijn huis. Hij was rusteloos en moe, en had een nerveus gevoel in zijn maag. Het was stil in huis, de lucht koel, de bewoners in slaap. Hij liep door naar zijn kleine werkkamer achterin. Het was een aanbouw met onafgewerkte bakstenen muren en een ruw betegelde vloer. Een groot bureau in de hoek ondersteunde het gewicht van een computer. Overal verspreid stonden potten waterverf, een pot met penselen en een aantal pennen en potloden. Op het bureau was met plakband een vierkant stuk doek bevestigd. Reuben liet zich in zijn stoel zakken en zette het ritueel in gang. Hij begon het gezicht van de dode te schetsen.

Reuben gebruikte eerst een zacht potlood, daarna ging hij verder met kleuren en tinten. Wanneer hij de slachtoffers schilderde, kwamen ze weer tot leven. Hij gaf ze waardigheid, reconstrueerde ze zoals ze eruit hadden gezien voordat de wereld hen vermaalde en uitspuugde. Belangrijker nog, het ritueel bracht hem na elke plaats delict bij zichzelf terug. Terwijl zijn geest zich losschudde van de laatste effecten van de amfetamine, zat hij in zijn eentje te herstellen en opnieuw te omlijnen, te toucheren en retoucheren, te renoveren en reanimeren, en liet de ziekte uit zijn lichaam sijpelen. De laden van zijn werkkamer zaten propvol met gezichten van doden, tweedimensionale beeltenissen van zielen die waren neergestoken, doodgeschoten, gewurgd en omvergemaaid in de bloei van hun leven. In deze kamer gebeurden alleen goede dingen. Dit was Reubens toevluchtsoord, schilderen was zijn methode om zich aan te passen. Behalve Lucy zag niemand deze schilderijen ooit. Ze waren puur voor zijn eigen gemoedsrust.

Reuben doopte trillend zijn penseel in een koffiepot vol water en besefte dat het werk hem zwaar viel, wat ongebruikelijk was. Hij liep vast op de pupillen van de dode, want alles wat hij zag waren pupillen die wijd verstijfd waren, terwijl ze een laatste reeks afgrijselijke beelden op het brein van het slachtoffer achterlieten toen zijn ingewanden uit zijn lichaam werden getrokken. En terwijl Reuben naar het doek staarde, werd hij geplaagd door een ander gezicht, dat door het oppervlak naar boven kwam. De ogen waren breder, de neus smaller, het haar lichter, de wangen roziger. Het gezicht van een baby. Glimlachend, onschuldig en onberoerd door onrechtvaardigheid. Plotseling stond Reuben wankel op, te overbelast om het afgrijzen van zich af te schilderen.

Hij ging de trap op en bleef voor zijn slaapkamer staan, voordat hij zich omdraaide en weer terugliep over de overloop. Reuben las de letters J-O-S-H-U-A op de deur van de kinderkamer en duwde hem open. De geur sijpelde zijn bewustzijn binnen: urine, uitwerpselen, zure melk en luieremmers. De geuren waren veel opvallender dan de vorige dag. Toen had hij op de forensische automatische piloot gewerkt om de klus te klaren, in te breken in zijn eigen huis. Hij ging op de vloer liggen en trok een paar dekens over zich heen, wikkelde ze dicht om zijn lichaam, bakerde zich in als een baby. Reuben luisterde naar zijn zoon, die wurmde, trappelde met zijn benen, snufte, draaide en woelde. Reuben richtte zijn blik op een stilhangende mobile boven het bedje en voelde de mieren weer rondzoemen in zijn hoofd, voelde hoe ze binnendrongen in hoekjes en gaatjes, hoe ze over neurale snelwegen marcheerden.

In zijn zak had hij nog steeds de FenoFit. Twee haren in zijn bed vertelden hem dat een man die hij nog nooit had ontmoet hier was geweest. Voor zover hij wist waren er geen werklui in zijn huis geweest, geen vrienden langsgekomen, nee... Hij besefte al snel dat er geen andere verklaring was. Dit was een onderzoek op basis van een hypothese. Zijn hypothese was dat Lucy een langlopende affaire had, en nu was hij bezig het te bewijzen. Reuben redeneerde dat hij de hele zaak wetenschappelijk moest benaderen. Als ik het wetenschappelijk aanpak, zo rationaliseerde hij, kan het me niet kwetsen. Alles is gewoon een vraag met een antwoord. Maar, dacht hij met samengeknepen ogen, gevoelens en redenen zijn heel andere dingen. En hoe logisch hij het ook bekeek, het deed verrekte veel pijn.

Maar wat moest hij doen? Hij pakte de afbeelding en tuurde ernaar in de schemer. Hij ging in gedachten langs de plaatsen delict van de afgelopen achtenveertig uur – de verdronken man die aan de muur van zijn huiskamer was gespijkerd, de man zonder ingewanden en met zijn benen uit de kom – en zijn gesprekken met Sarah Hirst en Phil Kemp. Hij overwoog het feit dat iemand 's nachts in het lab rommelde, het statistische bewijs dat tien procent van alle baby's het DNA van hun zogenaamde vader niet delen, de mogelijkheden, de onmogelijkheden. De paranoia die op de drugs volgde begon alle gebeurtenissen van de laatste paar dagen met elkaar te verbinden. Sarah Hirst trok aan de touwtjes, was het meesterbrein achter de gebeurtenissen. De verdronken man had 's nachts het lab gebruikt. Run Zhang was iets van plan met Judith. Lucy had een affaire met Phil Kemp. De dikke man in de bar had Simon vergiftigd. Alleen Joshua kende de waarheid... Reuben trok de deken nog dichter om zich heen. Hij herkende de tekenen van waandenkbeelden.

Om de paranoia te temperen ging hij door een mentale diavoorstelling van beelden van Lucy. Bijna hysterisch, twee avonden voor hun bruiloft. Hobbelend op een gebroken enkel. Tijdens een kampeervakantie in Noord-Frankrijk. Onbeschaamd op het toilet zittend terwijl hij in bad zat. Schreeuwend tegen hem tijdens de bevalling. Hem pijpend terwijl ze door Canada reden. Hem verzorgend toen hij lange tijd de griep had. Zwijgend met hem vrijend in het donker. Huilend toen hij haar ten huwelijk vroeg op Sedge Knoll, een natte heuvel in Somerset.

En toen ging hij naar het heden. De ruzies als Joshua in bed lag, het verstoorde vertrouwen, de gespannen sfeer die de norm was geworden. Een geweldig huwelijk dat langzaam, onhoudbaar afgleed, waarin de liefde en het respect verwaterden, de dingen die het zo sterk hadden gemaakt begonnen te ontrafelen. Hij dacht aan toen hij haar had leren kennen. Het was in een pub vlak bij haar kantoor geweest, en Reuben had meteen geweten dat hij iets met Lucy wilde, dat hij bij haar meer risico's zou nemen dan bij andere vrouwen, dat hij zich voor haar zou openstellen. Nu voelde hij zich gesloten, dichtgestopt en weggestopt.

Reuben zag in dat een deel van deze puinhoop zijn eigen schuld was. De lange uren, de persinterviews, de politiek van GeneCrime; hij was eerlijk genoeg om te erkennen dat niets daarvan had geholpen bij zijn rol als echtgenoot. Ik weet wat ik je heb aangedaan, liefste, verzuchtte hij in het donker. En nu ga ik uitzoeken wat jij mij hebt aangedaan.

Reuben reikte door de spijlen van het bedje en kneep zachtjes in Joshua's hand. Uiteindelijk zakte hij weg in een onbehaaglijke bewusteloosheid.

Bij het ontbijt bestudeerde Reuben al Lucy's handelingen, terwijl herinneringen aan de foto's op zolder met zijn stemming speelden. Hij was afgeleid en afwezig, en duizend gedachten schoten door zijn hoofd als hij sprak. In tegenstelling tot hem was Lucy gespannen, druk, gehaast, met een belangrijke dag voor de boeg.

'Wat zoek je?' vroeg hij.

'Heb jij geld?' vroeg ze, gravend in haar handtas. 'Ik moet de kinderopvang betalen.'

'Tuurlijk.' Reuben stond op en tilde Joshua uit zijn kinderstoel, waarna hij zijn gezicht afveegde met een vochtig doekje. 'Zal ik anders Josh vandaag naar de crèche brengen?'

'Prima.'

'Het is weer eens wat anders, dat is alles.' Hij voelde de warmte van zijn zoon, wang tegen wang, zijn stevige kleine lichaam vast in de omhelzing, terwijl hij met één hand aan Reubens oor trok. Als hij zijn zoon vasthield, was er geen kwaad in de wereld.

'Ik vind het echt niet erg. Waar zijn mijn sleutels?'

'In de gang.'

Ze keek naar hem en knikte snel, en haar sluike, donkere haar wiebelde mee. 'Vergeet zijn tas niet. Er zitten wat extra slabbetjes en een speen in.'

Reuben zag de rit naar de kinderopvang voor zich. Soms als hij Joshua afzette, kwam hij op zijn werk aan met een babygroot gat in zijn buik. Hoewel de dag hem snel afleidde, bleef dat er, net waarneembaar, een ruimte die klaar was om weer bezet te worden als hij hem 's avonds terugzag. Als de misdaden hem althans niet meesleepten.

Lucy wist flauwtjes te glimlachen. 'Zware nacht?' vroeg ze.

'Heel zwaar,' antwoordde Reuben. Hij sloot zijn ogen terwijl zijn vermoeide geest bleef drijven en verkennen, in en uit het gesprek bewoog, en in en uit zijn problemen. Hoe was het zo ver gekomen, vroeg hij zich af. Functioneel, praktisch, mechanisch. Waar was alle pret gebleven? Het lachen, de spelletjes, de gekkigheid? Uitgaan, dronken worden, met de slappe lach in bed belanden.

'En maak je vanavond je opwachting?' vroeg ze.

Misschien was dit gewoon wat er met relaties gebeurde. Ze gingen een paar jaar mee en vielen dan uit elkaar. Wat had Lucy in het begin tegen hem gezegd? *Ik ben tot nu toe bijna al mijn partners ontrouw geweest.* En Reuben zou geschokt zijn geweest als datzelfde niet ook voor hem had gegolden. Ze hadden elkaar beloofd dat het deze keer anders zou zijn, dat dit een echte relatie was, volwassen en serieus, jaren verwijderd van al dat kinderlijke gedoe met vorige partners. Dat hadden ze allemaal wel gehad, ze waren halverwege de dertig toen ze elkaar leerden kennen. Maar was dat echt zo? Reuben keek naar haar. Was dat überhaupt mogelijk? 'Zou geen probleem moeten zijn,' antwoordde hij.

Lucy boog zich naar voren en kuste hem op zijn wang. Ze rook lekker, schoon, fris en naturel, en hij vroeg zich nog eens af waarom ze hem bedroog. Ze was niet inherent flirterig, of behoeftig, of exhibitionistisch. 'Mooi,' zei ze. 'Wil je Chinees als Josh in bed ligt?'

Reuben knikte, terwijl hij nog steeds aandachtig naar haar keek. Er waren geen overduidelijke tekenen in haar gedrag geweest. Ze was gewoon anders: killer, afstandelijker. Maandenlang had Reuben tegen het overduidelijke gestreden. Het kwam door Joshua, doordat ze haar liefde verplaatste van de man naar het kind. Haar rol in het gezin veranderde. Bepaalde vrijheden waren opgeofferd. Hij had geprobeerd het op alle denkbare manieren te beredeneren. Tot die haren in bed. En toen, bijna meteen, was hij opgehouden te doen alsof. Hij was van ontkenning naar vastbeslotenheid gegaan. 'Ja, lekker,' antwoordde hij zachtjes.

Lucy draaide zich om en stapte de voordeur uit. Reuben liep met Joshua naar de huiskamer en leidde hem af met een knuffelbeest, terwijl hij zijn luier verschoonde. Joshua trappelde bijna onwillekeurig met zijn benen en armen, en genoot van het theatrale gebrul van zijn vader elke keer als hij in zijn gezicht werd geraakt. Reuben blies een lipscheetje op Joshua's wang, en toen nog een en nog een, terwijl het gillende lachen van zijn zoon elke keer luider werd. Toen tilde Reuben hem op en zweeg een tijdje. Hij staarde in Joshua's lachende blauwe ogen, plotseling geconcentreerd en ernstig, doelgericht.

'Vergeef me alsjeblieft voor wat ik ga doen,' fluisterde hij.

Hij droeg de kleine de gang in.

'Maar ik moet de waarheid weten.'

GCACGATAGCTTACGGG
TAATCTA**TWEE**GTATTCG
GCTAATCGTCATAACAT

1

Reuben Maitland beende het kleine, benauwde kantoortje op de eerste verdieping van GeneCrime in en sloot de deur. Binnen speelde Jez Hethrington-Andrews een computergame en deed een halfslachtige poging om dat te verbergen. Reuben keek streng op hem neer. 'Rustig maar, kerel,' zei hij met een glimlach.

Jez grijnsde terug. 'Wil je ook?' vroeg hij.

'Ik kan er niks van.'

'Kom op. Ik zal het tegen niemand zeggen.'

Reuben aarzelde, in het besef dat hij op het punt stond Jez te vragen risico's voor hem te nemen. 'Oké,' zei hij. 'Bereid je voor om getuige te zijn van verschrikkelijk slecht schietwerk.' Hij ging zitten en begon min of meer willekeurig te schieten op de digitale zombies die naar hem toe wankelden.

'Je meende het dus.'

Reubens ogen traanden toen hij geeuwde. Hij had al twee nachten amper geslapen. 'Luister,' zei hij, hard rammend op het toetsenbord, 'ik wil graag dat je iets voor me doet...'

'Zeg het maar.'

Reuben haalde de cd uit zijn borstzak en gaf die aan hem, met zijn ogen nog op het scherm gericht. 'Heb je toegang tot alle databases?'

'Ja.'

'Begrijp me goed, je hoeft dit niet te doen. Wat ik wil, is niet volgens protocol. Bij lange na niet. Je zult dit stil moeten houden.'

'Ik doe mee.'

'Oké. Op die cd staat een afbeelding van een verdachte. Ik besef dat dit niet door de gebruikelijke kanalen is gekomen, maar ik wil dat je het gezicht van die verdachte in de database van Zware en Seksuele Misdaden stopt. Geef hem prioriteit één.'

'Ik doe het meteen.'

'Kun je dat op een of andere manier anoniem doen?'

'Niks in de wereld van computers is anoniem.'

'Oké, nou, doe maar wat je moet doen.' Reuben begon in het spel te komen en de werking ervan te begrijpen. 'Nog één ding.'

'Ja?'

'Patroonherkenningssoftware. Ga naar het adres dat achter op de cd staat. Laat het in opdracht van mij installeren op het gesloten camerasysteem. Neem Run mee en test het.'

'Hoe?'

Reuben bleef nog een paar seconden zombies verminken en vernietigen voordat hij met tegenzin de besturing aan Jez teruggaf. 'Maak een digitale foto van Run en stop die in het zoekbestand van het camerasysteem. Laat hem dan heen en weer lopen voor een camera en kijk of die hem er uitpikt.'

'Door de beelden te vergelijken met de geüploade foto van Run.'

'Precies.'

'Weet je het zeker? Ik bedoel, dit klinkt allemaal een beetje...'

'Wat?'

'Niks. Het is weer eens wat anders dan op hem schieten in het park.'

'En Jez...'

'Ja?'

'Mondje dicht.'

Terwijl hij door glanzende gangen met de geur van ontsmettingsmiddel terugliep naar zijn eigen kantoor, belde Reuben het nummer van hoofdinspecteur Sarah Hirst. De zaken waren eindelijk in beweging gezet. Een nieuw gevoel van kalmte daalde neer over zijn zenuwen, als een kind dat in slaap valt in de auto, blij om waar dan ook naartoe te gaan. Hij had nog de mogelijkheid om te vertragen, eruit te stappen, de zaak te laten voor wat hij was, maar hij naderde het punt waarop hij niet meer terug kon.

'Ik dacht aan wat je laatst zei,' begon hij.

'En?' vroeg Sarah.

'De voorspellende fenotypering heeft zojuist zijn eerste uitje gehad.'

'Dat meen je niet.'

'Echt.'

'Mark Gelson? De Koreaanse moord?'

'Niet per se.'

'Wie dan?'

Reuben liep zijn kantoor in en sloot de deur. 'Laten we maar zeggen dat het een dubbelblinde proef is.'

'Wees eens wat duidelijker, dokter Maitland.'

'De ultieme filosofie van de wetenschap. Om iets goed te testen, moet je geen idee hebben van de verwachte uitkomst. Door te observeren, hinderen we.'

'Wat je wilt. Ik duim.'

'Ja,' antwoordde Reuben zonder enthousiasme terwijl hij zijn trouwring afdeed, 'we duimen.' Hij zag de deuk die de ring onder aan zijn vinger had gemaakt. Hij las de inscriptie aan de binnenkant van de smalle ring. Er stond alleen *Sedge Knoll*. Hij zette de ring op het bureau en gaf hem een draai, zag hem glanzen, glinsteren, vertragen, instabiel worden, omvallen, trillend op het bureaublad neerkomen, rondhobbelend in doodsstuipen. 'Weet je, Sarah,' zei hij terwijl hij de ring in de la stopte, 'ik zal een paar gunsten moeten verzilveren als we dit goed willen testen.'

De behoefte in Sarahs stem was tastbaar. 'Zeg het maar.'

'Kun je een proef met een gesloten camerasysteem goedkeuren voor patroonherkenning? En dat afstemmen met de gemeentepolitie?'

'Klinkt wel uitvoerbaar. Waarvoor?'

'Zoals ik al zei, een dubbelblinde proef. We gaan het veld in, en niemand mag weten wat ze moeten verwachten.'

'Kom op, Reuben, geef eens een hint.'

'Je ziet het wel,' antwoordde Reuben zuchtend, 'maar misschien zou je dan willen van niet.'

Hij hing op voordat Sarah de kans had iets te vragen waar ze spijt van zou krijgen.

2

'Oké, wat hebben we? Run, zullen we beginnen?' Reuben onderdrukte alweer een geeuw.

'Vervelen we je?'

Jez grijnsde. 'Misschien ben je uitgeput door al die zombies.'

'Er zijn maar twee zombies die me uitputten,' zei Reuben. 'En dat zijn allebei hoofdinspecteurs.' Hij keek om zich heen naar de acht forensische wetenschappers die in zijn kantoor waren gepropt voor hun wekelijkse vergadering. Dit waren de intelligente jongelingen, door GeneCrime gerekruteerd uit het zakenleven, van de universiteiten en de Forensische Wetenschappelijke Dienst. Allemaal, zelfs de technici, waren ze zo scherp als messen. Dat beviel Reuben wel – het hield hem ook scherp. 'Sorry. Schrap die laatste opmerking maar. Dus wat is er gaande, Run?'

'Ik denk dat mijn nek sceptisch is geworden.'

'Je bedoelt *septisch*,' corrigeerde Jez, waarop er werd gegiecheld in de groep.

'Kee. Nou, ik ben aan het monsteren uit Darmenman.'

'Een beetje waardigheid, alsjeblieft.' Reuben ging in gedachten terug naar de vorige avond. Hij rook de obsceniteit van de dood die in de lucht had gehangen. 'Hij heette Kim Fu Sun.'

'Denk je dat er een verband is, chef?' vroeg Simon Jankowski. 'Je weet wel, met die moord met de waterslang?'

'Ik weet niet... Het CID zit er niet bovenop. Pathologie denkt dat Kim is geëxecuteerd, een paar weken geleden. Waarschijnlijk was hij lid van een Zuidoost-Aziatische bende. Machicaran, echter, een bekende crackverslaafde en relatie van Mark Gelson, is gemarteld – vermoedelijk voor informatie over het een of ander. Misschien bestaat er niet meer verband dan tussen elk ander stel onplezierige sterfgevallen in Londen. Maar laten we ons bewijs op een rijtje zetten en kijken wat we hebben. Birgit?'

'Ik denk dat we nu een puur monster hebben uit de zaak Gelson-Machicaran.'

'Denk je dat?' Mina Ali opende haar felle ogen achter haar felle bril. 'Hoe bedoel je, dat dénk je?'

'Ik weet het over een paar dagen zeker.'

'Niets minder dan zekerheid,' preekte Mina. Reuben kon zich indenken dat ze de neiging onderdrukte om met een knokige vinger te priemen terwijl ze het zei.

Bernie Harrison, een begaafd biostatisticus die Reuben drie jaar eerder van een universiteit had weggekaapt, schaarde zich bij Birgit. 'Wetenschap is nooit honderd procent, of het nu forensisch is of iets anders.'

'Wat bedoel je?' wilde Mina weten.

'We zijn allemaal mensen, zelfs jij.' Bernie glimlachte. 'En...'

'Rot op.'

'En mensen maken fouten. Zo zitten we in elkaar. Als je zo zelfverzekerd bent, laten we dan eens je labboek bekijken, je sequentiëring, je profielschetsen, alles wat je hebt gedaan. Wil je beweren dat ik nergens een misrekening zal vinden?'

Mina liet het zitten. Ze was de wetenschappelijke rottweiler van de groep. Hoewel ze Reuben vaak op de zenuwen werkte, was ze niet dom. Hij dacht aan haar als zijn interne controle. Als het bewijs niet goed genoeg was voor Mina, dan was het niet goed genoeg voor justitie.

'Kom op,' vervolgde Bernie, 'zelfs een paar van onze eigen zaken waren twijfelachtig. Weet je nog, de bewijzen van GeneCrime bij de verkrachting van Edelstein? Inadequaat, en dat is mild gezegd. Of de moord op McNamara? En niet te vergeten een of twee recente veroordelingen. De Verkrachter van Brighton, de...' Bernie had geen voorbeelden meer.

'Best. Laten we doorgaan,' mompelde Reuben. 'De wetenschap is gebrekkig. De forensische tak is niet altijd perfect. Maar Mina heeft gelijk. We moeten honderd procent zijn, en als dat niet zo is, moeten we open zijn over wat we wel en niet weten.' Meestal verwelkomde hij discussies tussen scherpe geesten. Vandaag streed zijn eigen intellect tegen diverse afleidingen, en een overstelpende reeks onplezierige mogelijkheden ondermijnde zijn goede humeur. 'Judith, hoe is de stand van zaken bij jou?'

'Hetzelfde als altijd. Mensen worden vermoord, monsters komen binnen, buisjes worden gevuld, mensen worden gearresteerd.'

'Heb je een rotdag?'

'Ik bedoel maar. En nog steeds rommelt er iemand met onze spullen.'

Reuben ging met zijn knokkels langs de stoppels op zijn kin. Hij fronste zijn voorhoofd en sloot zijn ogen. Toen hij ze weer opende, keek hij indringend langs de acht gezichten voor hem. 'Wie heeft er nog meer vreemde dingen opgemerkt?' De meesten keken hem aan. Bernie staarde resoluut naar zijn A4-labboek en tekende een blauwe streep op de enigszins omgekrulde bladzijden. Mina, Simon en Run gaven aan dat ze argwanend waren. 'Zo, Simon, vertel eens wat jij hebt geconstateerd.'

'Het is niks duidelijks. Ik weet het niet bij de anderen' – Simon Jankowski keek ongerust om zich heen in de groep – 'maar misschien zie ik ze vliegen. Al twee keer ben ik 's morgens binnengekomen en heb ik apparatuur en reagentia op andere plekken gevonden dan waar ik ze had achtergelaten. Dat is alles.'

'Mina?'

'Hetzelfde.'

'Run?'

'Ik ben sceptisch.'

'Dat is een leuke.'

'Luister, ik weet het niet zeker,' zei Bernie uiteindelijk. 'Misschien zijn we alleen maar paranoïde. Ik bedoel, waarom zou iemand met onze reagentia willen spelen?'

'Dat is precies het punt.' Reuben keek naar zijn team, nam hun fronsende blikken en schouderophalens in zich op, hun gekras en geschuifel. 'Dus wat vinden we hiervan?'

Er viel een onbehaaglijke stilte. Birgit Kasper was de eerste die hem verbrak. Terwijl Reuben luisterde, bekeek hij haar onopvallende gezicht en merkloze kleding. Zelfs wetenschappers uit Scandinavië kleedden zich anders dan elke andere groep in de samenleving. 'Het maakt me zenuwachtig,' zei ze uiteindelijk. 'Ik vind het eng. Het brengt problemen met zich mee.'

'Zoals?'

'Zoals onvervangbaar bewijs dat wegraakt of gecompromitteerd wordt. We behandelen hier de belangrijkste zaken. Ik bedoel: de implicaties, áls iemand de beveiliging van het lab omzeilt, zijn verschrikkelijk.'

'Jullie ook?' Er werd links en rechts instemmend geknikt. Reuben tikte met de nagel van zijn wijsvinger tegen zijn ondertanden en dacht na. 'Wat dachten jullie hiervan?' vroeg hij. 'We zetten een valstrik.'

'Wat voor valstrik?'

'Dat is aan jullie,' antwoordde Reuben. Er viel een verwachtingsvolle stilte in de groep. 'Kom op, mensen, gebruik je fantasie. Daar betalen we jullie voor. Jullie zijn de slimmeriken met de dure diploma's, toppers van de elite-eenheid van GeneCrime. Ideeën?'

'Laten we onze spullen besmeren met isotoop,' stelde Mina voor.

'En wat dan? Het hele gebouw door met een Geiger?'

'We kunnen nog iets anders proberen,' opperde Simon.

'Zoals?'

'Alles vanavond afnemen met ethanol. En dan morgen monsters nemen.'

'Dus nu moeten we DNA-testen doen bij GeneCrime?'

'Hmm,' zei Mina hoofdschuddend. 'Simon heeft wel iets. De afdeling

Interne Monsters. Waar DNA-monsters worden bewaard van iedereen in het gebouw.'

'Wacht even,' zei Jez. 'Ik kan het even niet bijbenen. We nemen monsters en vergelijken die met de profielen die we in ons bestand hebben om bewijzen uit te sluiten. Hoe moeten we daar toegang toe krijgen? Wil je dat iemand er gewoon naar binnen loopt en om de hele zooi vraagt?'

'Zo te horen hebben we een vrijwilliger. Ik zal een autorisatiepasje voor je regelen. Dus iedereen neemt vanavond de hele boel af voordat jullie weggaan. En hou dit stil. Als het niemand van ons hier is, wil ik niet dat de dader er lucht van krijgt.' Reuben trok zijn wenkbrauwen op. 'Forensisch wetenschappers die op forensisch wetenschappers jagen. Dat bevalt me wel. Oké mensen, zijn we klaar?'

'Mijn nek doet nog steeds...'

Reuben glimlachte naar Run en smoorde zijn protesten in de kiem. 'Oké. Volgende week zelfde tijd. Laten we die monsters inschrijven en registreren. Bernie? Laten we nog even bijpraten voor de lunch. En Judith, kan ik jou nu meteen even spreken?'

Toen de zeven andere wetenschappers het kantoor uit waren gelopen, opgewonden kletsend over de valstrik, leunde Reuben naar achteren in zijn stoel. 'Weet je nog wat je me laatst vroeg?'

'Over de FenoFit die je me hebt laten zien...'

Reuben drukte zijn vinger tegen zijn lippen en maande haar tot stilte. 'Hou je gedeisd. Er gaan belangrijke dingen gebeuren.'

3

Toen hij zich in de zachte omhelzing van de sofa had laten zakken, liet Reuben zijn blik over de aftandse zithoek dwalen. Hij probeerde de kamer te bekijken als een agent op een plaats delict, rondlopend op zoek naar aanwijzingen. Er stond een handjevol ansichtkaarten op de schoorsteenmantel, een paar vazen met bloemen op het dressoir en een ongeopende trommel Quality Street op de salontafel. Het behang leek hem minstens twintig jaar oud, en de zware bruine gordijnen waren al even antiek. De vloerbedekking had een druk patroon en het meubilair was zwaar. De algemene indruk was die van tijd die in de stille lucht hangt, van een kamer die langzaam en opstandig ouder wordt, van een tevreden gebrek aan vooruitgang.

Reuben keek naar zijn moeder terwijl ze twee kopjes thee inschonk. Voor een vrouw op haar vijfenzestigste verjaardag was ze onmiskenbaar levendig, bijna in tegenspraak met de kamer en zijn zweem van ongehaast verval. Hij vroeg zich even af of hij net zo fit oud zou worden als zij, en concludeerde dat dat met het tempo waarop hij leefde waarschijnlijk niet het geval zou zijn.

'En hoe is het op je werk?' vroeg ze, terwijl ze hem een teer gevormde kop-en-schotel aangaf.

'Het is...' Reuben worstelde om het allemaal samen te vatten. De afgrijselijke misdaden, de stank van de onmenselijkheid. Het enorme potentieel van de technologie en de nog grotere valkuilen. 'We staan voor iets heel groots. Een doorbraak in de technieken die we gebruiken. Iets wat echt verschil zou kunnen maken.'

'Dat is mooi.'

'Dat zou het moeten zijn. Ik zou moeten springen van blijdschap, trots op mezelf moeten zijn, met je in de kamer moeten ronddansen.'

'Maar?'

'Maar niets is ooit simpel. Als je de ene reeks problemen hebt opgelost, zie je meteen weer een volgend stel opdoemen. Ik weet het niet, ma...'

'Wat?'

'Het is ingewikkeld,' mompelde Reuben. 'Ze hebben me zelfs een promotie aangeboden.'

'Heb je die afgeslagen?'

'Simpele keus tussen meer of minder papierwerk.'

'Doe wat je het beste lijkt. Hou het bij wat je belangstelling heeft. Zeg maar dat jij de wereldberoemde Reuben Maitland bent, en dat je voor niemand met papieren schuift.' Ze gaf hem een chocoladekoekje aan en woelde door zijn haar. Reuben deed speels alsof hij haar afweerde, alsof hij weer een jongen was, en ze lachten allebei. 'Maar weet je,' zei Ina Maitland, 'je vader zou trots op je zijn geweest.'

'Als hij me duidelijk had kunnen zien.'

'O, Reuben.'

Reuben nam een hap koek. 'Kom op. Hij was een zatlap. Hij keek amper recht genoeg uit zijn ogen om me te herkennen.'

'Nou, hij heeft het geprobeerd. Hij heeft er echt tegen gevochten. Maar het had gewoon een te sterke greep op hem, zei hij altijd.' Ina Maitland keek naar een foto op de schoorsteenmantel, van een man in de vijftig, een beetje mager, die naar haar glimlachte. 'Hij had iets van zichzelf kunnen maken, je vader. Iets goeds. In plaats van, je weet wel...'

'Tja.'

'Ben je er onlangs nog geweest?'

'Een paar dagen geleden.'

Ina Maitland draaide zich om naar haar zoon en liet haar blauwe ogen over hem heen gaan met de scherpzinnigheid van een moeder. 'Je lijkt een beetje gespannen, jongen. Niet zoals normaal.'

'Het gaat prima.'

'Ik zie het de laatste tijd steeds aan je. Het lijkt wel alsof je ergens mee zit.'

'Is dat een vraag?'

'Alleen maar een moederlijke constatering.' Ina Maitland nam een langzame, bedachtzame slok thee. 'Is alles goed thuis? Hoe gaat het met Lucy en Joshua?'

'Het gaat goed met ze,' antwoordde Reuben. Hij wilde ineens eerlijk tegen haar zijn, alles eruit gooien, maar hij kon de woorden niet uitspreken. Zijn eigen moeder, die altijd van hem had gehouden, wat er ook gebeurde. Maar als hij die woorden uitsprak, zou hij accepteren dat ze waar waren. Hij was, zo besefte hij, nog stevig in de greep van de laatste kans op ontkenning.

'Ik dacht dat je de kleine misschien wel mee zou brengen...'

'Ik ben alleen even een uurtje van mijn werk weg. Josh is op het kinderdagverblijf, en Lucy heeft een grote zaak onderhanden. Je weet wel hoe het gaat. Maar we komen binnenkort langs. Volgende week misschien?'

'Ik kijk ernaar uit.'

Reuben stond op en keek nadrukkelijk op zijn horloge. 'Sorry, ma, ik moet opschieten. Mijn lunchpauze is om en ik heb een drukke middag voor de boeg. Ik wilde je alleen even komen feliciteren. Als we langskomen nemen we je mee uit eten, vieren we het fatsoenlijk.' Hij grijnsde. 'Nu je een echte bejaarde bent.'

Ina glimlachte terug. 'Altijd zo druk,' zei ze, deels in zichzelf.

Reuben keek nog een laatste keer om zich heen in de huiskamer. Hij kuste zijn moeder op haar wang. Een groot deel van hem wilde in de zachte, omhullende sfeer van comfort en stilte blijven. Maar het werd tijd om veel hardere omgevingen binnen te gaan, plekken waar de tijd nooit stilstond.

4

Een vlezige bewaker drinkt thee uit een ernstig vervuilde mok. Op zijn naamkaartje staat TONY DOHERTY, ASSISTENT-BEVEILIGINGSAGENT. Het oor van de mok is gebroken en de vloeistof is heet, dus houdt hij hem voorzichtig vast, beweegt beurtelings zijn mollige vingers, blaast op de thee en neemt kleine slokjes. Om hem heen, als een enorm, psychedelisch erkervenster, staat een verzameling cameramonitoren. Mensen lopen over het ene scherm, springen naar het volgende, worden weergegeven op een andere monitor en verschijnen dan weer op een nieuwe plek, gezien vanuit een andere hoek. Tony Doherty volgt het gefacetteerde voorbijgaan van duizend mensen, scannend en zoomend, zijn roofvogelogen knipperen nauwelijks in zijn concentratie.

De thee koelt af en hij begint steeds grotere slokken te nemen, af en toe fronsend terwijl hij aantekeningen krabbelt op een vel papier. De straatnamen van enkele wegen zijn zichtbaar. Ze bevinden zich in het Westminster-gedeelte van Londen. Een deur gaat open en hij maakt zijn blik los van de schermen, waarbij hij met tegenzin vele levens tijdelijk ongeobserveerd laat.

'Is er wat gaande daarbuiten?' vraagt de man.

'Zelfde als altijd, Michael,' antwoordt Tony.

'Niks ernstigs?'

'Nog niet.'

'De politie heeft gevraagd of we een oogje willen houden op Kimberly Street, vooral op de kruising met Mossfield Road. Een jongensbende veroorzaakt daar de laatste tijd overlast, die gasten vallen mensen lastig en verkopen misschien drugs.'

'Op wat voor tijdstip zijn –' Tony wordt onderbroken door een indringend gezoem van zijn console. Hij kijkt op monitor 47, waarboven een kleine rode led knippert. Hij gaat met zijn vingers over de balbesturing en streelt de joystick. Een man die over het scherm wandelt, springt naar monitor 48 en de zoemer van dat scherm klinkt. Hij is gehaast, kijkt om zich heen en lijkt enigszins geagiteerd.

'Krijg nou de tering.'

'Wat?'

'Patroonherkenning. Het werkt echt.'

'Het lijkt erop.'

'Mooi, Tony, ik bel het bureau.'

Michael pakt de telefoon, zonder een nummer te draaien, en noemt zijn naam. 'Supervisor Michael Chambers hier, van Drury Lane CCTV. We hebben een doelwit dat zuidwaarts loopt over Newall Street, net voorbij de kruising met Old Road, linkerkant, op weg naar de voetgangersoversteekplaats bij Boots. Gezocht door het bureau in Euston. Speciaal verzoek.'

'Hij steekt over,' zegt Tony.

'Hij steekt net over. Blank, gemiddeld postuur, bruin haar, met een koffertje, donker pak, wit of geel overhemd. Nu blijft hij staan. Kijkt in een etalage. Bij een juwelier misschien. Ik kan de naam niet lezen. Hij kijkt op zijn horloge, kijkt om zich heen.'

'Matissers,' merkt Tony op.

'Die juwelier is Matissers. Zijn jullie onderweg? Ja, we blijven live. Ik zie de politieauto al.' Op een monitor helemaal links begint een politieauto vaart te maken op het scherm; hij springt snel van monitor naar monitor, op weg naar de man die voor de winkel staat. 'Hij is weer in beweging gekomen. Maar een paar meter. Gestopt bij wat eruitziet als een restaurant. Eigenlijk denk ik dat hij met iemand heeft afgesproken. Een blanke vrouw nadert en zwaait. Donker haar, slank, broekpak, ook met een koffertje.'

De twee bewakers kijken aandachtig toe, voorovergebogen naar de uitgestrekte rij schermen, terwijl de politieauto als een aanvallende kat het laatste scherm op springt. Het voertuig stopt abrupt en twee agenten springen eruit. Een van hen grijpt de man, de ander leidt de vrouw af. Er volgt een soort worsteling, en de vrouw protesteert. De bewakers zien haar mond open- en dichtgaan, spanning en ongeloof op haar gezicht. De politiemensen duwen de man op de achterbank van de auto. De vrouw staat alleen tussen voorbijgangers die zijn blijven kijken naar de actie. Ze kijkt het voertuig na, dan pakt ze haar mobiele telefoon en steekt over. Twee straten verderop, nog net opgepikt door de camera's, zien Michael en Tony dat de man achter in de politieauto een stomp in zijn gezicht krijgt.

'Hebbes,' zegt Michael.

Tony Doherty hoort hem amper. Hij staart weer naar het weidse panorama voor zich en gaat volledig op in het dreggen van de monitoren.

5

Reuben staarde zwijgend naar Lucy over de keukentafel. Ze probeerde een knoopchampignon te grijpen met een paar wegwerpeetstokjes, maar bracht er niet veel van terecht. Ze hadden geen van beiden veel gegeten van de afhaalchinees. Elke keer als hij een stukje vlees in zijn mond stopte kreeg hij de rillingen van het ruwe, droge hout van de eetstokjes. De woorden 'broeierige spanning' hingen in de lucht, wachtend, kijkend, klaar om ieder moment neer te dalen.

Hoewel hij onrustig was, argwanend en van slag, was Lucy's gedrag sinds ze van haar werk was thuisgekomen nog grilliger. Ze had een reeks gespannen telefoontjes gepleegd en beantwoord. Ze zag er bleek en kwetsbaar uit, en hoewel ze extra make-up had opgedaan om dat te compenseren, lekte haar onbehagen erdoorheen. Reuben wilde haar graag troosten, zijn arm om haar heen slaan en zeggen dat alles goed zou komen, zoals hij al duizend keer eerder had gedaan. In plaats daarvan bleef hij aan zijn kant van de tafel zitten, joeg groenten over zijn bord rond en klemde met zijn linkerhand zijn glas zo stevig vast dat hij vreesde het te zullen breken.

'Zware dag?' vroeg hij.

Lucy spietste een stukje rossig varkensvlees en hapte het van haar eetstokje af. 'Ja.'

Reuben was nieuwsgierig. Er was iets aan de hand. 'Wat is er dan?'

'Niks.'

'Er moet toch...'

'Niks,' herhaalde ze.

Reuben richtte zich op zijn eten. Hij had alle lekkere dingen al op. Alles wat over was, waren rijst, erwten en waterkastanjes. Hij stond op en schraapte de resten in de vuilnisbak voordat hij het bord in de vaatwasser zette. 'Ik bedoel alleen maar dat je gespannen lijkt. Is er iets aan de hand?'

'Niks om over te praten. Hou er nu alsjeblieft over op.'

Reuben liep weg. Het plafond in de keuken was laag en voelde alsof het op zijn hoofd drukte. Hij ging in zijn eentje op een van de twee haaks op elkaar staande banken in de woonkamer zitten en staarde naar de krant die hij had meegebracht van GeneCrime. Reuben las maar zelden de krant. Als hij bloedige details over serie-onmenselijkheid wilde weten, kon hij de dossiers op zijn werk inkijken. Dit exemplaar van *The Times* was echter in zijn postvakje achtergelaten, opgevouwen in een grote bruine envelop waarop alleen maar P. 8 had gestaan. Hij hoorde nog net dat Lucy in de keuken huilde. Reuben sloeg met bange gevoelens pagina acht open. Een artikel van een kwart pagina linksonder was gemarkeerd met een blauwe pen. De kop luidde: MISDADIGERS BLIJVEN POLITIE ONTLOPEN. Reuben las de tekst vluchtig door. Onder de feiten en zinnen die tot zijn gedeprimeerde bewustzijn doordrongen waren 'serieuze misdaad in de binnenstad sinds vorig jaar met 8% gestegen' ... 'drugsgerelateerde moorden, gewelddadige overvallen, verkrachtingen' ... 'politiewoordvoerster Sarah Hirst' ... 'openhartige en controversiële bekentenis' ... 'een nieuwe aanpak nodig' ... 'noemde als voorbeeld twee recente, brute moorden' ... 'tijd dat de misdaad de lange arm van de wetenschap voelt' ... Lucy liep naar binnen en ging met een plof op de andere leren bank zitten, waarna ze haar ogen bette. Het artikel was hapklaar, bedoeld om te worden geconsumeerd als bami, met stukjes vlees verstopt tussen de noedels. Reuben bekeek de envelop en vroeg zich afwezig af of hij de flap moest insturen om die op DNA te laten testen, of dat een handschriftexpert een identiteit kon bepalen aan de hand van de tweeletterige beschrifting. Niet dat het nodig was. Het was duidelijk het werk van Sarah. Reubens mobieltje ging en hij legde de krant neer. 'Hallo?' zei hij.

'Dokter Maitland?'

'Ja.'

'U spreekt met het politiebureau van Barton Street, Westminster. Het spijt me dat ik u zo laat nog stoor, maar we hebben een verdachte opgepakt, gelokaliseerd door Euston, en we kunnen niet terugvinden wat hem ten laste moet worden gelegd. We vroegen ons af of u dit kunt rechtzetten.'

'Ik denk dat jullie rechtstreeks contact moeten opnemen met Euston.'

'Dat hebben we al gedaan, maar zij wisten het ook niet. Uw naam was gekoppeld aan het arrestatiebevel.'

Lucy's mobiele telefoon ging en ze begon tegelijk met Reuben te praten. Hun afzonderlijke gesprekken bleven beperkt tot afzonderlijke banken.

'Hallo, met Lucy Maitland.'

'Dat klopt,' zei Reuben. 'Ik heb zijn details in de database ingevoerd.'

'Maar waarvoor wordt hij gearresteerd?'

'De surveillance is goedgekeurd door hoofdinspecteur Sarah Hirst. Of misschien kunt u contact opnemen met hoofdinspecteur Phil Kemp.'

'Seksmisdrijven? Wat betekent dat eigenlijk?'

'Zijn ze allebei weg? Oké. Hoe zei u dat hij heette? En zijn beroep?'

'Ik snap het. Maar wat hebben ze voor bewijzen?'

Reuben pakte een pen uit zijn zak en krabbelde *Shaun Graves, bedrijfsjurist* op de smalle witte marge van zijn krant. 'Juist ja. En vertel voor de zekerheid nog even precies hoe hij eruitziet. Nee, dat weet ik. Doe het nu maar gewoon.'

'Ik kan nog steeds niet geloven dat Shaun zoiets zou doen.'

'Oké. Heb ik. Gemiddelde lengte, slank postuur, blank.'

Lucy draaide een stukje naar haar man toe. 'Maar het klinkt allemaal zo belachelijk. Ik bedoel, wie denken ze verdomme wel dat ze zijn, dat ze hem arresteren waar ik bij sta, op klaarlichte dag, zonder bewijs?'

'En gewoon voor mijn gegevens, wat voor kleur ogen heeft hij?'

'Wordt hij verplaatst? Wat, nu? ... Maar waarheen dan?'

'Goed, ik ben onderweg. Laat me even navragen.' Reuben hield zijn telefoon opzij en onderbrak Lucy. 'Sorry. Werk. Ik moet weg. Red je je wel?'

Lucy beëindigde rustig haar gesprek. 'Kun je er niet onderuit?'

'Sorry. Ik moet dringend bij iemand langs. Alles goed met je?'

'Gewoon een van mijn cliënten. Hij is gearresteerd.'

Reuben stond op en pakte zijn jas. 'Maar je bent geen strafrechtelijk advocaat.'

'Weet ik. Hij vraagt of ik hem wil komen halen.'

'Wat? Ken je hem persoonlijk?'

'Niet echt...' Lucy's stem stierf weg.

'Ik weet niet wanneer ik terugkom – het zal wel een paar uur duren.'

Reuben kuste Lucy op haar voorhoofd. Hij rook haar haar en even werden zijn knieën slap. Er lag iets definitiefs in de kus. Hij kon zich er amper van weerhouden te schreeuwen. Hij verliet het huis en rende naar de auto. Dit was het. Het moment was daar.

6

Reuben reed de tien kronkelende kilometers door Londen naar GeneCrime. Terwijl hij door zijstraten reed en de trechters van eenrichtingswegen volgde, had hij het gevoel dat hij langzaam om zijn huis cirkelde, in steeds wijdere concentrische bochten. Zelfs het navigatiesysteem scheen er moeite mee te hebben de weg te vinden. Toen hij in de parkeergarage aankwam, stopte Reuben bij het ondergrondse beveiligingsloket en ondertekende een formulier dat hem toestemming gaf een bedrijfsauto mee te nemen. Hij stapte in een standaard blauwe Mondeo met subtiele politiekenmerken en reed met krijsende banden over het plakkerige asfalt van de parkeergarage.

Ongeveer twintig minuten later zette Reuben de motor af voor een politiebureau aan het haveloze uiteinde van Westminster. Het gebouw was sleets en grauw, een vermoeide getuige van jaren van onophoudelijke misdaad. Criminelen schenen als ratten uit een afvoer te lekken, waarna agenten hen weer terugbrachten, steeds maar weer, zonder dat een van beide partijen veel won bij die ervaring. De wachtsergeant controleerde Reubens identiteit en belde een intern nummer. Reuben bekeek de posters die aan de muren hingen. Ze riepen mensen op om Crimestoppers te bellen, of DrugAmnesty, of de Vandalismelijn. Alsjeblieft, leken ze te smeken, dóé iets.

De man die hem had gebeld verscheen. Hij was mager en oud, en het woord 'bureauzitter' straalde van de kreukels in zijn uniform af. Toen hij zijn mond opende om te praten, verschenen er dikke speekseldraden achter op zijn tong, alsof hij maar zelden zijn kaken bewoog.

'Ik zal hem naar boven halen.'

'Mooi. Maar laat hem niet weten wie hem ophaalt of waar hij naartoe gaat.'

'Ik zal de vrijgaveformulieren even tekenen.'

De man liep langzaam terug in de richting waaruit hij was gekomen en Reuben werd plotseling nerveus. Het moment van de waarheid. Twee hele jaren van onderzoek en experimenteren. Maanden van druk van bovenaf. Acht jaar relatie, drie jaar huwelijk. Een zoon van zes maanden. Seconden verwijderd van de kruising van alle belangrijke tijdslijnen in zijn leven. Een verschrikkelijke botsing van al zijn werelden. Hij hoopte fervent dat hij minder competent was dan hij had gedacht. Er was ongetwijfeld een grote kans dat hij alles had verprutst en dat hij naar huis kon gaan, naar Lucy en Joshua, schuldig aan niets meer dan argwaan en machtsmisbruik. Alsjeblieft, fluisterde hij in zichzelf, laat de voor de hand liggende logica het mis hebben. Laat er alsjeblieft een andere verklaring voor deze situatie zijn. Laat alle recente gebeurtenissen alsjeblieft een reeks ongelukkige toevallen zijn. Laat Lucy alsjeblieft trouw zijn en van me houden. Laat de haren in mijn bed alsjeblieft door de wind naar binnen zijn geblazen. Laat mijn kind alsjeblieft van mij zijn. Laat de arrestant alsjeblieft geen relatie hebben met Lucy. Laat de FenoFit niet kloppen. Laat de cameraherkenning het mis hebben. Laat de rusteloze mieren in mijn hersens stoppen. Laat alles teruggaan naar hoe het was. Laat me me omdraaien zonder erachter te komen. Laat me naar huis rijden in gezegende onwetendheid. Alsjeblieft.

Een man werd naar voren geleid, om zich heen turend, enigszins voorovergebogen, mooi gekleed maar met een onbehaaglijk air van recente doodsangst over zich. De magere politieman liep achter hem en knikte om aan te geven: hier is uw gevangene. De ogen, de huidskleur, de kin, de neus, de lengte, het postuur, alles beoordeeld en geassimileerd. Het haar. Reuben ziet twee geknikte haren in een buisje. Het begin van alles. In zijn instortende geest hoort hij de woorden: geef me het haar, en ik geef je de man.

De tijd gaat over in slow motion.

'Shaun Graves,' zegt de agent, die hoest en terugschuifelt naar waar hij vandaan is gekomen.

Reuben draait zich om en loopt naar de auto. Hij opent het achterportier. Shaun Graves kijkt hem aan, zijn gezicht vertrokken in fysieke shock. Hij is getergd en gebroken. Hier, bloedend voor hem, staat de echte macht van de technologie. Reuben voelt zich plotseling misselijk en zijn benen bibberen. Hij beseft dat hij te ver is gegaan, dit te ver heeft doorgezet. Deze vreemdeling had nooit slachtoffer mogen worden.

'Luister.' Shaun spuugt het woord uit. 'Ik weet niet wat hier verdomme speelt, maar ik eis...'

'Waarheen?' vraagt Reuben, terwijl zijn verdoving zich begint te vermengen met onrust.

'Bedoelt u dat ik niet langer onder arrest sta?'

'Waarheen? Stap in en geef me een adres.'

'Islington.'

Reuben rijdt weg, trillend, een veelheid aan onrustbarende ideeën flitst door zijn bewustzijn. Hij heeft een plotselinge behoefte aan drugs. Hij staart in de achteruitkijkspiegel, bestudeert de gezichtskenmerken opnieuw, registreert details – de breedte van de neusbrug, de deuk in de kin, de donkere kleur van de wenkbrauwen. Hij ziet de vervagende blauwe plekken, de schaafwond op het rechterjukbeen, het sneetje boven de linkerslaap. Shaun Graves pakt een mobiele telefoon en kiest een nummer. Bij het verkeerslicht kijkt Reuben naar hem en luistert aandachtig.

'Met mij. Kun je praten? Mooi. Luister, het was... een nachtmerrie. Die smeerlappen hebben me in elkaar geslagen. Jezus, ik ben onschuldig. Dit wordt de grootste rechtszaak die die klootzakken ooit hebben gezien. Ben je alleen? Is hij weg? Mooi. Ik kom eraan. Kan me niet schelen. Ik hoor twijfel in je stem. Ik wil je in de ogen kijken en je overtuigen. De kleine ligt in bed, toch? Ik ben onderweg. Tot zo.' Hij drukt op een toets op zijn telefoon en leunt achterover. 'Ik wil naar een andere plek. Kent u Euston? De A40, ja?'

'Welk adres?'

'Melby Road. Ik wijs de weg wel.'

'Hoeft niet,' antwoordt Reuben. 'Ik ken het daar.'

Hij rijdt van rotonde naar rotonde en zoekt zich een weg terug naar zijn huis. Een laagje zweet verschijnt op zijn huid. Het is zo koud dat het eerder als condens dan als transpiratie voelt. Door de gloed van koplampen ziet hij de gezichten van Lucy, Joshua, Shaun Graves en zichzelf. Reuben legt er aspecten en kenmerken overheen, en zijn hoofd tolt terwijl de auto hortend van het ene verkeerslicht naar het volgende rijdt. Hij stelt zichzelf de vraag die aan zijn hart vreet. Is Joshua mijn zoon? Hij bekijkt de reeks van gebeurtenissen die zijn verdenking hebben gewekt. De politie die een arrestant heeft geslagen; de vrouw die haar man bedriegt; de man die de fouten van anderen naspeurt terwijl hij die van zichzelf negeert. Hij verbindt de reeks van mislukkingen van Lucy, Shaun Graves, het CID, GeneCrime, van heel Londen met elkaar. Zijn visioenen zijn doorsneden met conflicten, herinneringen aan goed en fout, spijt over het in gang zetten van een keten van gebeurtenissen waarover hij weinig controle heeft, gedachten aan wat het beste is voor zijn zoon, aan wat het beste is voor zichzelf. Hij visualiseert de wetenschappelijke reis die is genomen, van DNA naar proteïne naar cel naar haar naar buisje naar RNA naar beeld op camerascherm naar arrestatie naar zitten in de auto met de verdachte. Hij beoordeelt de recente bewerkingen en verbeteringen in de voorspellende fenotypering, die met succes de verdachte in beeld hebben gebracht. Hij slikt de twijfels weg, de fouten, de potentiële beperkingen van de aanpak. Hij overweegt het gevaar dat de techniek in de verkeerde handen zal vallen: de politie die verdachten aanvalt met het botte instrument van de technologie.

In de spiegel kijkt Shaun Graves naar de buitenwereld die langstrekt, vechtend tegen zijn eigen demonen, terwijl het bloed in zijn dure pak trekt. Ze steken een drukke kruising over en Reuben ziet de naderende botsing van een aantal levens. Zijn gedachten concentreren zich tot actiebereidheid. Zijn ongemak gaat over in een rusteloze honger. Op de laatste kilometer voor hij thuis is begint hij sneller te ademen. Reuben is alert, klaar, opgewonden en bang.

Het moment van vele waarheden nadert snel.

GCACGATAGCTTACGGG

AATCTA**DRIE**GTATTC

GCTAATCGTCATAACAT

1

Wachten, wachten, een eeuwigheid van wachten, staren in de achteruitkijkspiegel, de ogen wild, de tanden op elkaar, wachten, ze genoeg touw geven, wachten, tellen, schatten, schuiven, zoemen, het moment kristalliseert, de motor afzetten, uit de auto springen, over de oprit benen, vuisten strak gebald, spieren gespannen, zwaar ademend, de voordeur opendoen, de gang door, stuiterend tegen muren, door de keuken, de woonkamer in, zij twee samen, de armen stevig om elkaar heen, hoofden rukken achteruit van de omhelzing, de angst in Lucy's ogen, het langzaam dagende begrip in Shaun Graves' gezicht, de zinloosheid van woorden, Shaun bij zijn kraag grijpen, een stomp uitdelen, het trillende contact tussen knokkels en neus, staren naar Lucy, haar onvermogen om te ontkennen of uit te leggen, bloed dat op de vloerbedekking druipt, erin trekt, doet alsof het thuis is, een binnendringende rode permanentie, naar boven rennen, Joshua's kamer in, zijn stilte en onschuld, een kus op zijn warme voorhoofd, hem verlaten, hem verlaten, een tas inpakken, dingen erin gooien, kleren en toiletspullen, zinloze gemaksartikelen, hem verlaten, kijken naar het bed, het opgemaakte bed, de gestofzuigde vloerbedekking, de voorzichtigheid, niet voorzichtig genoeg, het idee onderdrukken dat de forensische wetenschap levens verpest, de commotie beneden horen, naar beneden, twee treden tegelijk, tranen wellen op, mond die rare vormen maakt, proberen niet in te storten, zo hard proberen niet in te storten, Lucy die Shaun Graves troost, stompen tegen de muur, schreeuwen, knokkels die bloeden en opzwellen, weer tegen de muur slaan, alles om de pijn binnenin te onderdrukken, deuken in het pleisterwerk, afbladderende verf die omlaag dwarrelt, het woord 'scheiding' uitspreken, Lucy die weigert om vergiffenis te smeken, Lucy die weigert bij Shaun weg te lopen, Lucy die het rood op Shauns gezicht bet, een laatste keer rondkijken in de kamer, zicht vertroebeld door woede, de sleutels en bankpassen en dossiers pakken, door de keuken stormen, borden en champagneglazen van het huwelijk kapotgooien, de deur open smijten, die open laten staan, hoopvol, wanhopig hoopvol, naar buiten en weg, de straat op, de warme lucht in, de koele auto in, motor starten, gierende banden, in de achteruitkijkspiegel kijken, bidden om haar naar buiten te zien rennen, bidden om haar op straat te zien, bidden om haar te zien smeken om vergiffenis, steeds verder weg komen, opgeslokt door het verkeer in Londen, in een waas door de wanorde, snel en grillig, scheurend om hoeken, met de wens om tegen een muur te rijden, de hoofdweg af gaan, uitgespuugd worden bij een hotel, een goedkoop hotel vol goedkope mensen, inchecken en drinken, drinken, drinken, overgeven, bewusteloos raken, woelen en draaien, drinken, te warm en te koud, zweten en rillen tegelijk, eindeloos het woord 'nee' herhalen, het meedogenloze licht dat door de jaloezieën dringt, alleen wakker worden, 's morgens huilen, de verpletterende, verschrikkelijke kater, de opengespleten knokkels, het misselijkmakende besef, de knagende waarheden, de volkomen eenzaamheid, de zoon, de vrouw, het huis, het huwelijk, de baan, het eind van het ene leven, de leegte van het volgende.

De nieuwe dag bracht een paniekerige reeks telefoontjes. Van Phil Kemp: 'We hebben problemen, Reuben. Ernstige problemen.' Van Sarah Hirst: 'Wat heb je verdomme gedaan?' Van Judith Meadows, die loyale Judith: 'Zijn de geruchten waar?' Van Mina Ali: 'Het CID wil je bloed zien.' Lege flessen lagen op het bed, open verpakkingen van poeder verspreid over de gammele bruine tafel, en vuile kleren op de grond. En al die tijd bleef het rood door zijn verbonden knokkels sijpelen, weigerend korsten te vormen en te beginnen met genezen.

De volgende morgen begonnen de tegenbeschuldigingen pas echt. Lucy schold over de telefoon, het nieuws over Shaun Graves' plan om de gemeentepolitie aan te klagen kwam naar buiten en geruchten over misdragingen bij GeneCrime kwamen naar boven. Er volgden nog meer telefoontjes van Sarah Hirst en Phil Kemp, waarin werd gezinspeeld op een zich ontwikkelend beeld van misbruik en onjuistheden. Reuben bleef de hele dag in bed, drinkend, overgevend en reikend naar de klauwende geruststelling van gedwongen opname.

De derde en vierde dag versmolten in de vijfde, poeder vervaagde het verschil tussen nacht en dag. Reuben negeerde zijn telefoon, wiste berichten zonder ernaar te luisteren. Hij wist dat hogere CID-agenten belangstelling begonnen te krijgen en besloot weg te blijven van GeneCrime. En toen kwam Judith Meadows op bezoek. Reuben zag de schok in haar ogen en probeerde in een verlengde amfetamineroes de hele puinhoop aan haar uit te leggen. De misleidingen thuis, de misleidingen op het werk, de druk van boven, de honger van het CID naar een ongeteste technologie, de onophoudelijke zoektocht naar de waarheid, het gissen, de behoefte om te weten, de patroonherkenning, de haren in bed, de ontkenningen, de politie die Shaun Graves in elkaar sloeg, de stomp die zijn knokkels openhaalde, de onhoudbaarheid van alles.

De zesde nacht bleef Judith bij hem, ijsberend terwijl ze beschreef hoe zijn team had gereageerd op de gebeurtenissen. Ze vertelde hem dat hij hun loyaliteit grotendeels nog had en dat Run en Jez medeplichtig waren geweest en hun mond hielden. Judith zei dat veel van hen de druk die op hem lag herkenden, maar zijn acties niet begrepen. Uiteindelijk was Judith in slaap gevallen op het andere bed. Reuben lag wakker en luisterde naar haar ademhaling, was dankbaar voor haar bezorgdheid, woog ideeën en concepten af en nam zich voor de volgende dag uit bed te komen. Hij besloot op te houden zo veel te drinken en zwoer dat hij Run, Jez en Mina zou bellen, degenen die hij kon vertrouwen. In de schemer van de ochtend besefte hij dat hij alleen was. Judith was weg; alleen een deuk was nog in het bed te zien. Hij schoor zich en nam een douche voordat hij zijn kapotte knokkels opnieuw verbond. En toen keerde Judith terug met het ontbijt.

Op de zevende avond vertrok Judith eindelijk. Reuben wachtte zwijgend op het opsporingsbevel. Terwijl hij dat deed, zag hij de weken die voor hem lagen. Nacht na nacht in een andere kamer van eenzelfde hotel, slapen en dommelen op sponzige bedden, alleen en eenzaam. En terwijl hij dit overpeinsde, de somberheid van zijn onmiddellijke toekomst voor zich zag, trok het enige telefoontje dat hij al die tijd al had gevreesd hem terug naar het heden. Het had langer geduurd dan hij had verwacht, en dat kon alleen maar een slecht teken zijn. Ze waren grondig tot op het detail.

'Reuben,' blafte commandant Robert Abner door de telefoon, 'kom morgen bij me langs.'

2

Ondanks de alomtegenwoordige airconditioning zweette Reuben in zijn pak. Doorgaans droeg Reuben alleen pakken als het echt moest. Vandaag moest het.

Er was een element van automatisme toen hij het gebouw in ging en door de gangen liep. Reuben hield zijn hoofd omlaag en vermeed de starende blikken van zijn collega's. Zelfs toen hij langs Judith kwam, die rondhing bij de koffiemachine, richtte Reuben zich resoluut op de dunne vloerbedekking. Een soort schaamtegevoel vrat aan hem terwijl de ogen van het personeel bij GeneCrime hem intens volgden, beschuldigend in zijn rug brandden. Reuben besefte dat de geruchten waarschijnlijk een eigen leven waren gaan leiden.

Ze zaten al op hem te wachten in de vergaderkamer. Reuben zag voor zich dat ze vroeg waren gearriveerd, om een halfuur van tevoren bijeen te komen en hun verhaal gelijk te trekken, eventuele meningsverschillen glad te strijken. Hij liet zijn ogen van links naar rechts gaan: hoofdinspecteur Sarah Hirst, koel professioneel in een maatpak en standaard witte blouse; commandant Robert Abner, groot en grimmig, jasje uit, brede schouders die bijna uit zijn overhemd knapten; hoofdinspecteur Philip Kemp, die er enigszins sjofel uitzag maar duidelijk een poging had gedaan om zijn kraag te strijken en zijn das recht te hangen. De zorg die ze aan hun kleding hadden besteed, onthulde Reuben zijn lot.

Hij schoof de ene stoel die tegenover hen aan tafel stond naar achteren en ging zitten. Phil weigerde hem in de ogen te kijken. Sarah staarde dwars door hem heen. Commandant Abner trok kort een verwelkomende grimas.

'Zo, dokter Maitland, ik denk dat we allemaal weten waarom we hier zijn. Laten we ons geen illusies maken.' Robert Abner keek naar rechts. 'Sarah, als jij eens begint?'

'Ik zal het bot zeggen, dokter Maitland. De afgelopen week hebben we onderzoek gedaan naar je recente acties hier bij GeneCrime, en we hebben een reeks onbetamelijke activiteiten gevonden, waaronder' – Sarah keek op een vel getypt papier met een titel erboven – 'misbruik van FWD-gebruiksmiddelen en apparatuur; misbruik van FWD-monsters en specimens; misbruik van CID-tijd; aanzetten tot onrechtmatige arrestatie;

daaropvolgend geweld tegen een persoon onder toezicht van de politie... De lijst gaat door.'

'Phil?'

'Juist.' Phil Kemp staarde naar een gelijksoortig stuk voorbereid bewijs. 'Alles bij elkaar hebben we zestien punten van onbetamelijk gedrag, die GeneCrime ernstig in diskrediet hebben gebracht onder artikel twaalf van de gedragscode van de Forensische Wetenschapsdienst. Bovendien zijn er onbewezen aantijgingen waarvoor we nog geen tijd hebben gehad om die grondig te onderzoeken.' Hij verschoof in zijn stoel, zich conformerend aan de commandant.

Robert Abner draaide zijn enorme handen open. 'Wil je die aantijgingen aanvechten?'

'Nee,' antwoordde Reuben.

'Wat is er verdomme met je gebeurd?' vroeg hij.

Reuben zweeg en keek naar de tafel.

Er lag tastbare teleurstelling in commandant Abners gezicht en stem. 'Je hebt het afgeslagen, Reuben. Deze afdeling runnen. Je had een mooie functie kunnen hebben. En in plaats daarvan... Kijk nu toch eens naar jezelf.'

Reuben staarde terug. De tijd leek verloren te gaan in de stille lucht. 'Dus wat nu?'

'Je weet precies wat nu.'

'Het wordt stilgehouden. Uit de kranten gehouden. De waarheid wordt bedekt omwille van de divisie.'

'Die luxe hebben we misschien niet. Het is in niemands belang om dit van de daken te schreeuwen. Niet van jou, niet van ons, van niemand.'

'En het publieke belang?'

'Het publiek moet geloven in de forensische wetenschap, Reuben. Dat weet je. En dit is het vlaggenschip van de FWD, waar we de vooruitgang pionieren die ons op onze voorsprong houdt.' Reuben zag even voor zich hoe commandant Abner een congres toesprak van oudere CID-agenten. 'Het publiek wil niet horen dat een van de meest vooraanstaande wetenschappers in het land bewijzen heeft vervalst.'

'Ik heb niks vervalst.'

'Het gaat erom dat je rustig naar buiten loopt en geen woord zegt, verdomme.' Robert Abner keek kwaad over de tafel. 'En denk eraan dat je hier nog een pensioen hebt, dus ik verwacht je medewerking.'

'Is dat een dreigement?'

'Ik vertél het je, in je laatste paar minuten onder mijn bevel. We hebben één, mogelijk twee maniakken loslopen die mensen verdrinken en van hun ingewanden ontdoen. Shaun Graves wil de politie aanklagen voor onrechtmatige arrestatie. We hebben gehoord dat een van de kranten het verhaal wil plaatsen. We moeten in de ogen van de buitenwereld besluitvaardig handelen.'

Reuben schraapte zijn keel, die strak en droog aanvoelde. 'Er is hier nog iets anders aan de hand, hè?'

'Hoe bedoel je?'

'Ik heb het gemakkelijk voor jullie gemaakt om te doen wat de eenheid al tijden wil – van mij af komen.'

'Doe niet zo achterlijk. We hebben je een promotie aangeboden, in godsnaam.'

'Naar een plek waar ik geen kwaad kon aanrichten.'

'Genoeg, Reuben. Verman je, kerel. Met modder smijten zal je in dit stadium niet helpen.' Commandant Robert Abner keek zijdelings naar Sarah en Phil. 'Willen jullie nog iets toevoegen?' Zijn ondergeschikten schudden langzaam, bijna droevig hun hoofd. 'Oké. Dokter Maitland, ik heb hier een schriftelijke verklaring die ik je wil voorlezen.'

Reuben ontweek de blik van de commandant. Hij wist wat er zou komen, de woorden die er al een week aan zaten te komen. Eén keer, een paar jaar geleden, had hij gezeten waar Sarah nu zat, als onderdeel van een panel dat een vreselijk incompetente CID-agent zijn ontslag had voorgelezen. Terwijl Robert Abner de stappen van het ontslag doorliep, richtte Reuben zich op de donkere grijsheid van zijn pak. Hij besefte dat zijn tijd bij GeneCrime erop zat, hij wist dat Sarah Hirst en Phil Kemp snel zouden gaan wedijveren om de controle over deze afdeling, dat alles waar hij ooit voor had gewerkt hem nu voor altijd door de vingers glipte.

Reuben wachtte niet op het eind van de verklaring. Hij stond op en duwde de deur open. Een CID-agent begeleidde hem zwijgend het gebouw uit, langs zijn laboratoria, zijn kantoor, de kluisjes... De enige positieve gedachte die hij onderweg had, te midden van de drukkende nederlaag, was dat voorspellende fenotypering uitsluitend op zijn persoonlijke laptop bestond. Door hem te ontslaan, verloor GeneCrime nu juist de technologie waar ze om hadden geschreeuwd. Het kleine beetje speed dat hij eerder had genomen begon uitgewerkt te raken. Ze gingen richting de uitgang. Reuben haalde diep adem en nam nog een laatste vleug lucht van het gebouw mee. Hij stopte pas toen hij om de hoek was en liet de adem ontsnappen, het laatste restje van GeneCrime uit zijn lichaam sijpelde.

3

Na de formicaleegte van zijn hotelkamer vond Reuben de zitkamer van zijn moeder nog rommeliger en drukker dan normaal. Hij streek met zijn vingers over zijn nog verbonden knokkels, tastend naar de hechtingen die langzaam oplosten in zijn huid. In de twee weken sinds zijn ontslag bij de Forensische Wetenschapsdienst was hij zelden verder gekomen dan een reeks cafés. De twee weken hadden een eeuwigheid geduurd. Fragmenten van de waarheden ervan bleven bij hem, speelden zich af in eindeloze lussen van spijt, woede en gekwetstheid. Tussen de misselijkheid, de eenzaamheid en de naderende depressie door had hij een belangrijk besluit genomen. Maar het had hem ongelooflijk somber gemaakt, zozeer dat hij had verlangd naar de geruststelling van moederlijke bijstand.

Ondanks Reubens zwijgen bleef Ina Maitland praten, en hij probeerde uit alle macht de draad op te pakken, afgeleid door het tergende beeld van een geopende speedverpakking. Hij verstrakte zijn pijnlijke vuist. Reuben besefte dat niets in zijn leven echt beter kon worden totdat hijzelf beter werd. Dit was zijn eerste volle week van cold turkey. Hij wist dat amfetaminen niet overdreven verslavend waren, maar toch klauwden ze aan hem. Koude rillingen, jeukerige huid, misselijkheid, gevoelige tanden, onregelmatige hartslag... Reuben streed om gelijkmoedigheid in de bedompte zitkamer met het trage getik van de klok dat door de stille lucht drong.

'Dus je hebt er geen behoefte aan?'

'Aan wat?' vroeg Reuben, zich terugtrekkend van het verlangen.

'Om te drinken.'

'Niet speciaal.'

'Het kan je leven verpesten. Dat zei je vader altijd. Zelfs toen hij steeds naar het ziekenhuis moest.'

Het kwetsbare kopje in Reubens hand rammelde tegen het schoteltje en hij zette het op tafel. Zoals altijd glimlachte zijn vader stralend vanaf de foto op de schoorsteenmantel. Het was de glimlach van een dronkenlap, een verslaafde, droevig en wanhopig, de ogen elders op gericht. In het gezicht van zijn vader zag Reuben de wortel van zijn eigen zelfvernietiging.

'Luister mam, het wordt tijd dat ik eerlijk ben. Lucy en ik gaan uit elkaar.'

Ina Maitland bleef haar zoon in de ogen kijken. 'Ga door,' zei ze.

De klok tikte loom. 'Ze had een verhouding met een collega.'

'Dat kreng... O god. En Joshua dan? Wat gaat er met dat arme schaap gebeuren?'

'Lucy vraagt de voogdij aan. Ze zegt dat ze zal vechten om mij bij hem weg te houden. Een straatverbod als het kan.'

'Maar als zij degene was die de verhouding had, dan...'

'Het ligt veel ingewikkelder, verdomme,' snauwde Reuben. Het was niet zijn bedoeling geweest, maar zijn zenuwen lagen bloot en hij trilde. Hij had een acute behoefte aan pijnstilling, aan het bittere poeder dat hem immuun zou maken. 'Sorry,' mompelde hij.

'O, Reuben, en ik dacht dat je zo gelukkig was.'

'Ik ook.'

'Die arme Joshua. En wat ga je met het huis doen?'

'Ze gaat het te koop zetten.' Hij kon het amper verdragen haar naam te zeggen.

'En al je spullen?'

'In de opslag. Tot ik een andere plek heb.'

'Je weet dat je hier altijd welkom bent.'

'Het is een eenkamerflat, mam.'

'Maar toch...'

'Ik red me wel.'

De klok tikte lange, trage seconden weg. Reubens spieren trokken af en toe. Het zou zo gemakkelijk zijn om niet te denken, niet te voelen, geen pijn te hebben. Teruggaan naar het hotel, een dealer bellen, een paar pakjes kopen, zo onversneden mogelijk, een paar dagen weg laten smelten, niets merken van de ellende van geen vrouw, geen kind, geen baan, geen huis. Hij pakte het kopje en dwong zichzelf de lauwe thee te drinken, met zijn ogen dicht, en de controle terug te krijgen. Reuben bleef zo zitten tot zijn hartslag vertraagde en zijn spieren ophielden met trekken.

Ina Maitland schatte zijn onbehagen verkeerd in en besloot van onderwerp te veranderen. 'Je broer schijnt het goed te doen,' zei ze. 'Hij was hier laatst nog.' Ina glimlachte, een jeugdige grijns waarvan haar hele gezicht oplichtte.

Reuben keek naar zijn pijnlijke vuist.

'Hij zei dat jullie elkaar tegenwoordig niet meer zo veel zien.'

'Het zou leuk zijn geweest om hem te zien.'

'Je moet contact houden met je broer.'

'Dat zou ik ook wel willen. Maar Aaron...'

'Wat?'

'Niks. Ik zal contact houden.'
'Mooie kleren en alles. Hij bood me zelfs een lening aan.'
'Heeft hij je geld geleend?'
'Ik heb nee gezegd. Maar toch...'
Reuben opende zijn ogen. Eindelijk vonden zijn gedachten iets anders om zich op te richten. Hij beet op zijn toch al afgeknaagde duimnagel. Aaron die geld had, dat kon maar één ding betekenen.

4

Aaron stond onder een boom een sigaret te roken. Het was een dun shagje met een beetje cannabis erin. Een paar trekjes en het was al voorbij. Hij liet het peukje op het asfalt vallen en trok er snel zijn gymschoen overheen, waardoor het papier scheurde en de ingewanden van tabaksresten werden uitgesmeerd. Aan zijn voeten stond een kinderzitje voor in de auto. Daarin, stevig ingepakt in een wit dekentje, lag een pop met glazige blauwe ogen naar hem te staren, waar hij lichtelijk onbehaaglijk van werd.

Aaron keek aandachtig, wachtend op zijn kans. Een drukke kinderopvang in Londen, waar auto's aankwamen en wegreden van de ommuurde parkeerplaats. Gehaaste ouders die kinderen uit autozitjes haalden, ze naar de deur probeerden te krijgen. Blikken op horloges, gespannen aanmoedigingen, 'Kom op, Fabian, papa komt te laat', lichtjes trekken aan de pols.

Als camouflage droeg Aaron een net jasje en een schone spijkerbroek. Stads casual, hield hij zichzelf voor. Het soort kleren dat geen verdere aandacht trok van de ouders, een outfit die zei: 'Laten we het over zaken hebben, maar laten we dat doen in een coffeeshop.' Aaron snoof laatdunkend om de rigiditeit van indrukken van de middenklasse. De verbeten vasthoudendheid aan de uitspraak 'kleren maken de man'. Nog steeds. In de eenentwintigste eeuw. Advocaten in krijtstreep, bankiers in donkere pakken met zwarte schoenen. Alsof de laatste dertig jaar van veranderingen op de arbeidsmarkt nooit had plaatsgevonden. Uniformen voor de ongeüniformeerden. Hij schoof het autozitje een stukje naar voren zodat de ogen van de pop dichtgleden en niet langer in staat waren zijn bewustzijn te plagen met hun dode, starende blik.

Een zilverkleurige Mercedes stopte een paar meter verderop en Aaron boog zich naar achteren, uit het zicht, verhuld door begroeiing. De moeder die erin zat – knap, druk, goed gekleed – tilde een eenjarige uit de auto en droeg haar naar de voordeur. Aaron strekte zijn nek om goed zicht te krijgen op het interieur van de auto en vloekte binnensmonds. Hij pakte nog een shagje. Het regende, en het vocht leek de sigaret binnen te dringen, waardoor die moeilijk aan te steken was. Hij hield vol en keek op zijn horloge. Vijf voor halfnegen. Piektijd voor het dumpen van kinderen. Aaron balde en ontspande zijn vuisten, hield zich klaar.

Een paar trekjes later kwam er een grote Mitsubishi SUV de parkeerplaats op, en Aaron keek toe terwijl een vader probeerde alle drie zijn kinderen bij elkaar te krijgen en naar de deur te dirigeren. Dat viel niet mee. Aaron vroeg zich even af waarom iemand zich de waanzin van de voortplanting op de hals zou halen. De vader raakte gefrustreerd toen enkele kinderen in verschillende richtingen wegliepen terwijl hij worstelde met tassen, luiers en flessen. Aan zijn kleding te zien werkte hij in een financiële instelling. Geen enkel normaal mens zou er zo somber uitzien als hij daar niet voor werd betaald. Eindelijk wist hij zijn kudde weg te lokken van de smetteloze auto en het gebouw in te drijven.

Aaron smeet zijn peuk weg, pakte het kinderzitje op en wandelde naar het voertuig. Hij trok een achterportier open en zette het zitje erin. Toen stapte hij op de bestuurdersstoel. De sleutels hingen in het contact. Hij startte de dieselmotor en reed langzaam achteruit van de parkeerplek. Als je verstrooide mensen zocht, mensen die standaard kostbaarheden, koffertjes en af en toe zelfs de contactsleutel in de auto lieten zitten, moest je bij een kinderdagverblijf zijn. Gemakkelijke buit. En hoe exclusiever het kinderdagverblijf, had hij geleerd, hoe verstrooider de ouders en hoe beter de auto's. Aaron reed langzaam over de parkeerplaats, stopte zelfs nog om iemand voor te laten. Hij wist dat kinderen afzetten nooit snel ging. Aaron vermoedde ook dat het camerasysteem van de dagopvang geen opnamen op band maakte. Hoe dan ook, de truc was om je niet te haasten of aandacht te trekken. Niet op te vallen tussen de andere ouders. En op een kinderdagverblijf was er geen betere manier om onzichtbaar te blijven dan door een kind in een zitje mee te dragen en langzaam weg te rijden, doodsbang voor de mogelijkheid om over de koter van iemand anders heen te rijden.

Op de hoofdweg nam Aaron even de tijd om het interieur van de Mitsubishi te bekijken. Ongeveer een jaar oud, met minder dan tienduizend op de teller. Een veelgevraagde 4x4. Hij ging een zijstraat in en dook met het zware voertuig over een reeks verkeersdrempels, die weinig deden om de vaart ervan te minderen. Binnen enkele minuten was hij Chelsea uit, op weg naar bekender terrein. Aaron zag voor zich hoe de vader van de drie over de parkeerplaats heen en weer liep, met mild ongeloof naar de lege parkeerplek staarde, zijn hoofd schudde, het nog eens controleerde, terugrende naar de voordeur, aan de bel ging hangen, naar binnen beende en eiste dat iemand de politie belde, terwijl hij zich wanhopig probeerde voor te stellen welke klootzak zijn paradepaardje had gestolen...

Aaron glimlachte. Hij zou maar een paar uur eigenaar zijn van de auto, tot hij hem doorverkocht. Maar het zouden zoete uren van overwinning zijn. Eerst zou hij alles moeten afnemen om vingerafdrukken te verwijderen, zorgen dat hij geen forensische bewijzen achterliet van zijn tijd achter het stuur. En dan had hij genoeg geld voor een week of twee van uitspattingen.

5

Vanaf de bovenverdieping gezien maakte de bus onmogelijk wijde bochten, bijna alsof hij boven de stoepen en wegen beneden zweefde. Terwijl Judith Meadows praatte, keek Reuben omlaag op de hoofden van winkelend publiek dat voortdraafde, vechtend om ruimte, een klauwende kluwen van beweging, duwend in tegengestelde richtingen. De bus zwaaide woest over een kruising en Reuben greep de metalen stang voor zich vast. Zijn aandacht ging naar de knokkels van zijn rechterhand. Na zes weken waren de gebroken botten weer aan elkaar gegroeid, de wonden waren dichtgegaan, de zwelling was afgenomen en de zeurende blessure van het contact met de muur van zijn woonkamer werd een herinnering. Maar het was een traag proces geweest, een onophoudelijke pijn die aan hem knaagde, hem eraan bleef herinneren, met koppige tegenzin genas. Hij schudde zichzelf los van die avond en de daaropvolgende zes weken van een leven dat binnenstebuiten was gezogen. Terwijl de bus zwaaide en zwalkte als een dronkenman, probeerde Reuben zich te verliezen in Judiths woorden.

'Ik heb gezegd dat ik een paar van onze oude zaken aan het catalogiseren was, de vriezer opruimde en zo, en dat ik constateerde dat enkele inventarissen niet compleet waren.' Judith droeg een lichtblauwe blouse die Reuben nooit had gezien toen hij nog bij GeneCrime was. De kleur stond haar goed. Hij zag voor zich hoe ze door de menigte was gelopen om hem te kopen, onaangeraakt tussen zwaarder, potiger winkelpubliek door flitsend, lenig en snel. 'Dus vroeg Sarah welke zaken, en ik zei: de Liftermoordenaar, de Edelstein-verkrachting en een paar andere.'

'En daardoor gingen alarmbellen af?'

'Dat zou je denken. Ze zei alleen dat die zaken gesloten waren, dat de daders in de gevangenis zaten en dat een paar buisjes hier of daar niet veel zouden uitmaken.'

'En verder?'

'Ze vroeg me het stil te houden. Zei dat ze niet wilde dat de rest van het team zich druk maakte omdat er een paar buisjes waren kwijtgeraakt.' Judith draaide zich op haar stoel naar Reuben toe. 'Ik begin te geloven dat je niet zo paranoïde bent als ik dacht.'

'Bedankt.'

'Luister, dit is het belangrijkste forensische centrum in het land. Het is ofwel onvergeeflijk slordig, of...'

'Of wat?'

'Je weet wat ik bedoel. Je hebt het zelf ook al eens gezegd. Niet met zoveel woorden, maar toen onze reagentia opgebruikt werden was het in je ogen te zien, in wat je net niet helemaal zei.'

'Maar je vertrouwt het team?'

'De meesten. Maar GeneCrime is een grote eenheid. Heel veel mensen hebben toegang tot de labs, de monsters en de databases.' Judith speelde met haar trouwring, draaide hem rond aan haar vinger. 'Het is niet ondenkbaar, dat is alles wat ik wil zeggen.'

Reuben aarzelde gedurende wat lange minuten leken, afwegend of hij Judith hierin moest betrekken. In de weken sinds hij alles was kwijtgeraakt wat hij koesterde, was hij een nieuw doel gaan vormen. Een ontluikende, embryonale gedachte, die begon te trappelen en te draaien. Reubens rusteloze verlangen naar de waarheid dwong hem geleidelijk terug naar het leven. Dag na dag kwam hij weer tot zichzelf. Redde hij zich.

'Weet je, Jude, hoe meer ik erover nadenk, hoe meer ik vermoed dat ik ze alleen maar een excuus heb gegeven om te doen wat ze toch al wilden doen. Grote groeperingen binnen GeneCrime wilden van me af, al langere tijd.'

'Maar waarom?'

'Dat weet ik niet. Maar ik ben van plan erachter te komen.'

Judith staarde hem aan, met een kritische blik die kwam van jaren van wetenschappelijke grondigheid. 'Maar als je al niets kon bewijzen toen je daar nog werkte, wat heb je dan nu nog voor kans?'

'Ik bel je volgende week,' antwoordde Reuben, die zijn besluit nam. 'Ik wil je met iemand laten kennismaken.'

6

De week erna, op een bewolkte dag in juni, stapte Reuben met tegenzin een drukke wedwinkel in Waterloo binnen. Het eenzame woord 'loser' hing in de verschaalde sigarettenrook die van de punten van honderd shagjes omhoog kringelde. Alle mannen op één na keken dezelfde kant op, speurend langs de monitoren, met stille wanhoop in hun bloeddoorlopen ogen, oppervlakkige opwinding in hun getekende gezichten. Bij de balie stond een dikke, slordige man, die weinig belangstelling scheen te hebben voor de resultaten van paardenrennen, voetbalscores of uitslagen van windhondenraces die op de schermen oplichtten. Reuben liep naar hem toe en probeerde uit zijn lichaamstaal af te leiden wat zijn antwoord zou zijn.

'Hé, Moray,' zei hij toen hij hem de hand drukte. 'Een wedwinkel?'

Moray Carnock keek om zich heen alsof hij het etablissement nu pas opmerkte. 'Geloof me, daar is een goeie reden voor.'

'Dus je hebt een paar dagen de tijd gehad om te beslissen.'

'Het zal wel.'

'Nou, wat denk je?'

Moray kneep zijn ogen samen, tuurde naar Reuben van onder donkere, borstelige wenkbrauwen. 'Arme achtergrond. Goed onderwijs. Soms onzeker. Onbehaaglijk, alsof je geen recht hebt om te zijn wat je bent. Klassiek geval. Jongen uit de arbeidersklasse doet het beter dan zijn ouders maar worstelt met zijn identiteit.'

'Ik bedoel over het voorstel.'

'Wat mij betreft ben jíj het voorstel. Zeg eens, wat deed je vader?'

'Whisky, meestal.' Moray lachte en Reuben zag dat als een goed teken. 'En jij?'

'Nou, ik ben echt chique. Papa was architect, mama huisarts. Ik loop alleen voor de kick in achterbuurten rond.'

Reuben had moeite om zich Moray in te beelden als iets anders dan de sjofele slons die hij leek te zijn. 'Oké, maar nu serieus.'

'Serieus? Er zijn problemen. En ik ben bezorgd over je geestelijke toestand.'

'Het is een voorbijgaand iets. Een paar catastrofale weken.'

'Ja, ach. Dat hoop ik maar, want –'

'Wacht even,' onderbrak Reuben hem. 'Daar is ze. Laat mij het woord doen.'

Reuben trok Judith Meadows' aandacht toen ze de winkel binnenkwam. Judith ontweek de gehypnotiseerde klanten die naar de rijen monitoren staarden. Toen ze bij hem was, zei Reuben: 'Dit is Moray Carnock. Moray, dit is Judith Meadows. Ik denk dat we moeten praten.'

Judith drukte de man de hand. Die was zacht en week, danig in tegenspraak met zijn ruige uiterlijk.

'Moray is consultant in de bedrijfsbeveiliging.'

'Juist.'

'Hij kent een hoop mensen met heel specifieke problemen.'

'Hoe kennen jullie elkaar?'

'We hebben elkaar een paar maanden geleden in een bar ontmoet, toen ik aan een zaak werkte. Moray had wat informatie die van nut kon zijn. Voor het juiste bedrag, uiteraard. Ik heb hem weggestuurd.'

'En toen kwam je met hangende pootjes terug.'

'Ja, nou, dat was niet bepaald uit vrije keus. Judith, het idee is dat Moray optreedt als contactpersoon voor –'

'Luister,' onderbrak Moray hem. 'Kunnen we voortmaken? Ik heb een hekel aan wedwinkels.'

Terwijl ze praatten, liepen er klanten naar binnen en weer naar buiten. Niemand leek blij. Zelfs degenen die naar de balie liepen om hun winst te innen leken rusteloos en ontevreden, alsof dit maar een tijdelijke opleving was die al snel zou worden gevolgd door nog meer ellende.

'Dus wat vindt u al met al van Reubens idee, meneer Carnock?' vroeg Judith.

'Goed en slecht, afhankelijk van je perspectief.' Moray wendde zich tot Reuben, en hij moest moeite doen om zich verstaanbaar te maken over het achtergrondgeruis van de verslagenheid. 'Als je wilt doen wat jij voorstelt, zul je feitelijk moeten verdwijnen. Onderduiken. Geen huis, geen auto, geen verzekeringen, geen belasting, geen creditcards, niks. Anonieme hotels... Een lab dat ver uit het zicht ligt.'

Judith liet haar blik snel over de gezette Schot gaan. 'Waarom die voorzichtigheid?'

'We hebben het hier niet over testen voor kleurenblindheid. Als je achter het grote wild aan gaat, moet je een flink eind uit de buurt blijven.'

'Het is belangrijk dat wat ik doe niet illegaal is.'

'Ja, ach.' Moray tuurde om beurten naar Judith en Reuben. 'De droevige waarheid is dat er momenten zullen zijn dat jullie allebei over die smalle scheidslijn zullen moeten stappen, samen met de rest van ons.'

'En verder?' vroeg Reuben met gefronst voorhoofd.

'Ik maak me zorgen over het CID. Judith loopt het overduidelijke risico dat beide kanten achter haar aan komen.'

'Dus het echte gevaar ligt bij jou, Judith.'

Judith wendde zich tot Reuben, terwijl de welkomstlichtjes van een fruitmachine probeerden haar weg te lokken bij het gesprek. 'Waarom zeg je het niet gewoon, dokter Maitland?' zei ze.

'Jij bent het haasje.'

'Leuk beeld.'

'Je weet wel wat ik bedoel.'

Judith keek om zich heen. 'Dit voelt allemaal nog steeds niet goed.'

'Jouw keus...'

'Maar je hebt gelijk, Reuben. Er is iets niet in de haak. GeneCrime is niet in de haak.'

'Niemand hoeft te weten dat wij contact hebben. Helemaal niemand. Voor zover de buitenwereld aangaat, kennen wij elkaar niet meer.'

'Oké.'

'Als ze de stippeltjes verbinden van jou naar mij, is het met ons allebei afgelopen.'

'Juist.'

Moray Carnock keek naar de deur, amper luisterend. Reuben volgde zijn blik, maar zag niets ongewoons. Een slanke man in een onmodieuze spijkerbroek verliet de winkel. Moray was plotseling alert, bruisend van energie. 'Bel me later,' zei hij, en hij knikte vlug naar Judith en Reuben.

'Wat is er?'

Moray gaf geen antwoord. Hij drong zich al door de drukte heen, in de richting van de deur.

Reuben keek hem na, en besefte dat er nog veel was wat hij niet wist over de potige Schot, en veel waar hij waarschijnlijk nooit achter zou komen. Hij keek weer naar Judith en bedacht dat dit ook wel eens iets positiefs kon zijn. 'Dus doe je mee?'

Judith vervaagde in de lichtjes van de fruitmachine. Impulsief stapte ze plotseling naar voren en stopte een munt in de hongerige mond van de machine. De knoppen flitsten gehoorzaam, schreeuwend om te worden ingedrukt. Ze liet haar vinger boven de grootste knop hangen, waar START op stond.

'Nou, mevrouw Meadows?' vroeg Reuben. 'Ben je klaar om in de afgrond te stappen?'

Judith slikte een nerveuze zucht weg. Ze beet op de binnenkant van haar wang. Ze voelde hoe vochtig haar hand was. Haar vinger bewoog. Ze drukte op de knop. De lichtjes knipperden en de rollen begonnen te draaien.

GCACGATAGCTTACGGG
AATCTA**VIER**GTATTCC
GCTAATCGTCATAACAT

1

Twee maanden later

Hoofdinspecteur Phil Kemp bleef even staan en nam het bloedbad in het huis in zich op. Hij was hierheen gesneld met zwaailichten, en de sirene had de stilte voor zonsopgang verscheurd. Voor elke nooddienst golden dezelfde regels: als een collega in gevaar was, bewoog je hemel en aarde voor hem. Deze keer was hij echter te laat. Veel te laat.

Het rijtjeshuis was bedrieglijk langgerekt, zoals dat voor alle rijtjeshuizen geldt. Phil vroeg zich daarom af waarom hij verbaasd was geweest over de diepte van de woning toen hij er voor het eerst doorheen was gelopen, in alle kamers had gekeken, alle deuren had geopend. Misschien, gaf hij toe, kwam het doordat zijn eigen huis modern was, met een teleurstellend functionele indeling. Het was vierkant vanbuiten en vierkant vanbinnen. Wat je zag, was precies wat je kreeg. Hij dacht aan zijn slaapkamer, de warmte van zijn bed die langzaam weglekte, het licht dat zachtjes door de gordijnen drong. Phil Kemp zuchtte en liep terug naar het epicentrum van de activiteit.

Inmiddels zwermden er minstens vijftien andere agenten en technici door de lange smalle gang, als paniekerige insecten op het spoor van dieprode jam die langs de muren en de vloerbedekking gesmeerd lag. Hij merkte een paar leden van GeneCrime op. Run Zhang, die geduldig een monster van geronnen bloed van het koude glas van een raam schraapte. Jez Hethrington-Andrews, bleek en stil, bezig met het klaarzetten van een lange rij specimenbuisjes. Birgit Kasper, die een kleine thermische centrifuge opzette. Paul Mackay, die streepjescodes in een draagbare lezer scande. Bernie Harrison, die zijn handschoenen verving en tussendoor dankbaar aan zijn gezicht krabde. Mina Ali, die probeerde de leiding te nemen en jongere forensische wetenschappers bevelen gaf. Sarah Hirst, in spijkerbroek en T-shirt, geen make-up, haar gezicht gerimpeld, haar ogen dik, geïrriteerd bezig een stapel roze en gele formulieren te ondertekenen.

Te midden van de geordende drukte lag het slachtoffer stil en roerloos op het bed, haar vloeistoffen zorgvuldig opgezogen met pipetten en overgeheveld in plastic buisjes. Naast haar stond een klein reisbedje op een dressoir, nu leeg, opgevouwen lakentjes als herinnering aan de baby die er had gelegen, meeschreeuwend met zijn moeder, en toen nog lang alleen nadat zij was gestopt. Gelukkig had een moederlijke rechercheur de kleine opgetild en in haar armen gehouden totdat de kinderbescherming was gearriveerd om hem over te nemen. Phil Kemp voelde zich op de beste momenten al onbehaaglijk bij kinderen. Te midden van een plaats delict van een moord werden zijn zenuwen erdoor verscheurd.

Hoofdinspecteur Sarah Hirst had haar papieren ondertekend en liep naar Phil toe. Ze leek voor haar doen niet op haar gemak, en Phil stond zichzelf even pauze toe. Dit was niet gemakkelijk voor een politieagent.

'En, wat weten we tot nu toe?' vroeg Sarah.

Phil staarde naar het lijk terwijl hij vertelde. Zijn ogen bekeken de vastgebonden armen, de brandplekken van sigaretten op haar wangen, de snijwonden van een scheermes op haar blote benen, de donkere substantie die uit haar nek sijpelde, het gemangelde oor, de ontbrekende huid op het bovenbeen, het bot dat door haar opengespleten neus stak, het afgrijzen op haar gezicht. Hij keek naar de notities die hij had neergekrabbeld. 'Slachtoffer schijnt rond middernacht te zijn overleden. Het CID is gewaarschuwd nadat een buurman herhaaldelijk geschreeuw had gehoord, over een periode van wel vierentwintig uur. Aanvankelijk dacht hij dat ze "gewoon ruzie hadden". Achterlijke idioot. Het slachtoffer lijkt te zijn overleden door ernstig trauma en bloedverlies...'

'Kun je ophouden haar "het slachtoffer" te noemen? We weten allemaal hoe ze heet.'

'Hoe dan ook, we gaan uit van de theorie dat ze systematisch is gemarteld.'

'In plaats van alleen maar op sadistische wijze vermoord?'

'Subtiel onderscheid. Haar dood lijkt bijna incidenteel. Iemand probeerde haar zo lang mogelijk in leven te houden.'

'Maar waarvoor dan?'

'Waar de meeste mensen voor worden gemarteld. Informatie. Kennis. Toegang tot de waarheid. Waar wordt het geld bewaard? Wanneer komt die en die terug? Waar zijn de autosleutels? Je weet wel. Als iemand iets wil weten wat de ander liever niet wil vertellen.'

'Jezus.' Sarah riskeerde nog een blik op de vrouw op het bed. Het was een werkelijk schokkende aanblik, en ondanks haar training en ervaring kon ze er niet al te lang naar kijken. Alles wat ze zag was het leed, de pijn, het trage weglekken van een leven. Ze dacht aan het kind, liggend op zijn rug, vuil, hongerig, huilend en moederloos. 'En de baby?'

'Ongedeerd. Ik denk dat hij, op die leeftijd, zich er niets van zal herinneren.'

Phil en Sarahs moment van overpeinzing werd verstoord door een bekende stem.

'Inspecteur Hirst?' vroeg Run Zhang.

'*Hoofd*inspecteur.'

'Kee. Ik heb monster en wil mee terug nemen voor preëmptieve analyse.' Run hield een plastic bakje zo groot als een luciferdoosje omhoog. Hij zag er moe en afgemat uit, zijn normaal onberispelijke kleding gekreukt, zijn kaarsrechte haar nu piekend alle kanten op.

'Hoe bedoel je, preëmptieve analyse?'

'Reubens oude systeem. In ernstige misdaden met goede kans om puur monster te krijgen, preëmptieve analyse doen voor snelle detectie. Later vergelijken met eh, grondigere beoordeling. Bespaart op lange termijn tijd.'

'Je beseft vast wel dat het bijna vier maanden geleden is dat dokter Maitland ons heeft verlaten. En als hij niet bij ons is, zijn zijn systemen niet bij ons. En dat geldt ook voor andere procedures die hij misschien gaandeweg heeft ingesteld. Is dat helder?'

'Kerststal.'

Sarah Hirst staarde hem streng aan. De naam Reuben Maitland had een klein en kwaad wondje geïrriteerd dat zich als een maagzweer binnen in haar bevond. 'Je bedoelt kristal,' zei ze kortaf.

'Dus wat heb je precies weten te isoleren, Run?' vroeg Phil Kemp op de kalmerende toon waarmee hij door zijn hele doorwrochte carrière de gemoederen had weten te bedaren.

'We denken we hebben haren, en misschien speeksel.'

'Nog meer?'

'Waarschijnlijk. Maar al het andere duurt langer.'

'Oké, bedankt, Run.'

Phil keek naar Sarah toen Run weer aan het werk ging. Ze leek van streek en ontdaan, zo had hij haar al een tijd niet gezien. 'Denk jij wat ik denk?' vroeg hij zachtjes.

'Zeg jij het maar.'

'Dat als Reuben er nog was geweest en mee had gespeeld, we dit bloedbad in een paar dagen tijd hadden kunnen uitzoeken.'

'Dat dacht ik niet.'

'Wat dacht –'

'Het is waarschijnlijk beter als je dat niet weet,' zei Sarah kortaangebonden.

Phil vroeg zich af of hij het moest vragen, maar hij besloot het niet te doen. Hij liet hoofdinspecteur Hirsts ontwijkende woorden in de bedrukkende lucht van het huis hangen. Het noemen van de naam van haar vroegere collega had haar gedachten kennelijk ergens naartoe geleid waar ze niet heen wilde gaan. Phil liep enigszins wankel en spoorde zijn hersens aan om zich te verliezen in de routines van het onderzoek.

Overal om hem heen schuifelden wetenschappers als luiaards over de vloerbedekking, streken met gehandschoende handen over het oppervlak, tastten ongehaast naar bewijzen. Anderen openden deuren, bekeken raamkozijnen, trokken lades open. Het tempo was vertraagd. Detail was nu belangrijker, die ene essentiële haar, vezel of vlek die alle verschil zou maken. Tegen de achtergrond van hypnotisch geleidelijke activiteit klonk er een dringende kreet door de gang.

'Inspecteur. Inspecteur? Hier.'

Sarah en Phil kwamen onmiddellijk tot leven en beenden in de richting van het geroep.

'Dit ga je niet geloven,' zei Mina Ali toen ze bij de badkamer aankwamen.

Mina opende een dun deurtje van spaanplaat. Er stond een boiler in, met daarboven een paar lege planken. Aan de binnenkant van het deurtje stonden letters. Het was al snel duidelijk door de kleur van de tekens en de manier waarop ze uitliepen dat de inkt waarvoor was gekozen, bloed was. Phil Kemp telde de letters. Het waren er achtenzeventig in totaal, allemaal ofwel G, T, C of A.

'Wat moet dat nou weer betekenen?' vroeg hij luidkeels. Enkele wetenschappers verdrongen zich om hen heen en gingen langs de mogelijkheden.

'GGC. Dat is glycine.'

'Wát?'

'Een aminozuur.'

'Help me even herinneren.'

Mina haalde diep adem, en de lucht kwam weer naar buiten als een stroom van onverhuld wetenschappelijk ongeduld. 'DNA is in drieën verdeeld. Elk trio spelt een aminozuur, en die vormen gezamenlijk polipeptiden, die vervolgens proteïnen vormen.'

'En wat hebben wij daaraan?' vroeg Phil, wiens opwinding werd onderdrukt door zijn frustratie.

'Dit is een genetische code, en het kan een sequentie zijn van iets specifieks.'

'Zoals?'

'Weet ik niet. Het is geen gen dat ik zo één twee drie herken.'

Simon Jankowski, de jongste forensisch wetenschapper bij GeneCrime, schraapte zijn keel. 'Misschien is het geen gen,' opperde hij. 'Misschien gebruikt hij een éénlettercode. Het animozuur glycine wordt bijvoorbeeld weergegeven met een G.'

'GAG. Glutaminezuur. E,' voegde Birgit Kasper eraan toe. 'En ik geloof dat AAT asparagine is. En dat is, als ik het me goed herinner, N.'

'G, E en mogelijk N. En de rest?'

Er viel een onbehaaglijke stilte. Niemand wilde als eerste zijn onwetendheid opbiechten. Uiteindelijk viel die taak te beurt aan Bernie Harrison, senior biostatisticus. 'Zo gemakkelijk is het niet,' legde hij uit. 'Ik bedoel, een hoop mensen kunnen als ze naar een stuk code kijken er wel een paar aminozuren in herkennen. Maar er zijn vier verschillende bases – A, C, G en T – die in vierenzestig verschillende combinaties van drie letters voorkomen, zoals AAT of GAG of CCC. En, zoals Mina al zei, elke combinatie van drie is de code voor een aminozuur.'

'Maar er zijn toch maar een stuk of twintig aminozuren?'

'Precies. Dus er is veel overlapping en dubbeling. Drie of vier heel verschillende trio's kunnen allemaal bijvoorbeeld serine opleveren. Ik zie een hoop stopcodons, en hier en daar een isoleucine, mogelijk nog een glutaminezuur of zo, maar we kunnen er niet zeker van zijn tot we een boek of programma raadplegen. Niemand kent die dingen allemaal uit zijn hoofd.'

'Nou, bel dan iemand op het lab,' droeg Phil hem op. 'Ik stuur ze wel een foto. Vraag of ze ons terugbellen met het antwoord.'

Phil maakte met zijn mobiele telefoon een foto van de letters. Mina vroeg Judith Meadows, die nog in het lab was, om een boek te pakken en een berichtje tegemoet te zien. Phil toetste Judiths mobiele nummer in en ijsbeerde door de ruimte. Sarah Hirst stond niet-begrijpend naar de bloedcode te staren. Bernie, Simon en Birgit bekeken de letters ook, verkenden andere mogelijkheden, mompelden over het lezen van kaders en het gebruik van codons. Jez Hethrington-Andrews richtte zich op de dikke badmat. Mina Ali voerde iets in op het toetsenbord van haar mobieltje. Een politieradio knetterde onsamenhangend. De boiler gorgelde toen hij water begon op te warmen voor de komende dag. Er liep transpiratie over Run Zhangs ronde gezicht. Het CID schuifelde rusteloos, universeel zwart schoeisel versleet de vloerbedekking. Phils telefoon piepte.

'Jezus,' zei Phil, terwijl hij op het schermpje keek. Zijn asgrauwe huid leek nog witter te worden. 'Haal de rest van de Forensische Dienst en alle anderen. Jullie moeten dit lezen.' Hij gaf zijn telefoon door aan de groep. Alle gezichten veranderden enigszins toen hun ogen de informatie absorbeerden. Birgits mond viel open. Simon trok een grimas. Paul klemde zijn kiezen op elkaar. Run beet in zijn knokkel. Bernie slikte moeizaam. Jez kneep zijn ogen dicht. Mina tuitte haar lippen en fluisterde: 'Shit.' Er was een korte vertraging, en toen een geschokte stilte onder de wetenschappers en politiemensen terwijl de implicaties van de boodschap hen allemaal raakten.

2

Als je wilde vergeten, waren hotels daar niet de plek voor. Dat was het probleem met tijdelijke accommodatie. De tijd leek bij je te blijven, opgesloten zonder uitweg, terugkaatsend tegen het nietszeggende meubilair en de kale muren. Net wanneer je dacht dat je was begonnen met de wederopbouw van je leven, ving je een glimp op van je weerspiegelde gezicht, droevig en bleek, en vroeg je je af of je wel echt verderging.

Maar toen hij wegstapte van de spiegel en zijn adem langzaam verdampte van het oppervlak, hield Reuben zich voor dat het beter ging. Nu had hij iets om zich mee bezig te houden. Hij liep naar het zompige, zachte matras en ging erop zitten. Hij was ongeduldig, keek elke paar minuten op zijn horloge. Straks zou het beslissende moment komen. Nog een laatste blik op zijn horloge. Zes minuten nog. Hij stond op, wist een half overtuigende glimlach in de spiegel te werpen en verliet de kamer.

Tegenover het hotel hing Reuben rond in de ondiepe portiek van een winkel. De schemering ging langzaam over in de duisternis en straatlantaarns kwamen stotterend tot leven. Ze gingen aan als omvallende dominostenen, meebewegend met een taxi, alsof ze hem zijn eenzame weg door de schemering wezen. De meeste auto's hadden hun koplampen al aan. Toen ze over Reubens gezicht schenen, stapte hij achteruit de schaduwen in. Twee dagen zandkleurige stoppels maakten zijn kin ruw. Hij droeg een honkbalpet, een spijkerjack en een spijkerbroek. Reuben boog zich naar voren en keek in de gloed van een naderend busje op zijn horloge. Het was twee voor halfnegen. Nog twee minuten te gaan.

Hij tuurde naar het hotel dat zijn leeftijd begon te tonen; het had dringend behoefte aan renovatie. Het was vervaagd in de rij winkels die het op straatniveau omringden, en het ging bijna naadloos over in de drie verdiepingen flats erboven. De schilferigheid van de bakstenen was bijna een camouflagelaag. Hij keek nog eens op zijn Dugena. Zijn handlanger kon nu elke seconde bellen, en dan zou de valstrik worden gezet. Hoewel hij opgewonden en bang was, zoals vroeger altijd, was de laatste tijd het evenwicht verschoven. De verwachting was intenser, de angst echter. Zijn acties werden niet langer beschermd door de wet. Als hij het verkeerd aanpakte, zou er geen politie de hoek om komen scheuren om hem te redden. Dit was de prijs die hij betaalde. Hij was begonnen aan de afdaling naar een wereld van beperkte moraliteit.

De telefoon in zijn zak trilde twee keer en stopte toen. Reuben trok de honkbalpet diep over zijn ogen en stapte de stoep op. Hij maakte zijn horloge los en weer vast, maar nu over zijn mouw heen. Die was lang genoeg om zijn rechterhand deels te verbergen. Hij liep vastberaden door, met zijn hoofd omlaag en zijn gezicht verborgen voor de camera's die met glazige vastberadenheid de straten dregden. Er waren niet meer veel mensen buiten. De meesten waren na het werk naar huis gegaan. De straat ging over in een smal voetgangersgedeelte, aan beide zijden omgeven door restaurants en bars. De grond was geplaveid, en licht kwam alleen uit de vensters van eet- en drinkgelegenheden. Tweehonderd meter verderop, waar het pad breder werd en weer een echte straat werd, ontwaarde Reuben de corpulente gestalte van Moray Carnock. Moray droeg een donker pak en had een krant bij zich: een standaard stadsuniform. De twee mannen naderden elkaar pas voor pas. Tussen hen in, iets dichter bij Moray, had een goedgeklede man net een restaurant verlaten in het gezelschap van twee grotere metgezellen. Reuben vertraagde zijn pas. Dit stond niet in de strategie. Hij betastte onzeker het apparaatje in zijn zak. De opwinding werd overspoeld door angst. Hij kauwde hard op een stuk stervend kauwgum, zijn kaken brachten een restant van de smaak tot leven. Ze hadden deze manoeuvre tien keer geoefend. Het doelwit zou afgeleid en nietsvermoedend zijn. Maar niemand had hem verteld dat hij rekening moest houden met lijfwachten.

Reuben versnelde zijn pas. De volgende paar seconden waren essentieel. Als hij het verprutste, zou alles mislukken. Zijn ademhaling was hortend en snel. Hij zag de spanning in Morays mollige gezicht terwijl ze elkaar naderden. Ze hadden nog honderd meter om zich te bedenken. Hij knikte naar Moray. Moray krabde aan zijn achterhoofd. Omkeren kon niet. Vijfenzeventig meter. De lijfwachten waren groot en breed en bleven een stap achter hun cliënt. Een van hen was zwart, schijnbaar zonder nek, en de ander was blank en had zijn haar in een staart. Hij besefte dat het aan Moray was om de strategie te veranderen.

Reubens ademhaling stokte. Verderop, aan de rechterkant van de doorgang, verschenen twee politiemannen uit een steegje. Ze liepen langzaam, om zich heen kijkend, alles in zich opnemend. Verdomme. Reuben haalde het SkinPunch-pistool tevoorschijn en verborg het onder de verlengde rechtermouw van zijn jack. Het nauwe steegje voelde plotseling claustrofobisch, waardoor een simpele prik in een riskante onderneming veranderde. Moray was bijna bij de man en zijn lijfwachten. Veertig meter. De agenten wandelden recht op de operatie af. Hij zag Morays houding veranderen toen hij tot diezelfde conclusie kwam. Reuben was bang dat de politie van de bedoelde aanslag afwist, maar deed dat idee snel af als paranoia. Moray verstijfde en zijn loopje werd bijna mechanisch, toen hij merkte dat hij vanuit verschillende hoeken werd gadegeslagen. Maar het was nu te laat om om te keren. Ze moesten dit vanavond doen. Er zou nooit meer zo'n goede kans zijn. Reuben trok in gedachten strepen, beoordeelde de snelheid van de vier naderende partijen, berekende waar iedereen bij elkaar zou komen. Het zou erom spannen. Moray maakte het afgesproken afblaasteken, maar Reuben schudde zijn hoofd. Dit was zwemmen of verzuipen.

Moray pakte een stadsgids, keek erin en veinsde een gefrustreerde blik. Reuben keek nog een laatste keer om zich heen. Behalve de politie, de lijfwachten en de alomtegenwoordige camera's zouden er geen getuigen zijn. Twintig meter. Moray hield de zwarte lijfwacht aan. Hou het doelwit ook tegen, siste Reuben binnensmonds. De blanke lijfwacht en de man die hij beschermde kwamen met tegenzin tot stilstand. Reuben spande zich in om het gesprek te horen. Beide mannen staarden aandachtig naar Morays stadsgids. Zijn collega keek om zich heen in de steeg en schuifelde dichter naar het doelwit toe. Reuben was tien meter van hen verwijderd, en de politie naderde van de voorkant. Het doelwit en zijn mannen keken verder langs de straat, langs de agenten, wezen Moray de weg, met hun rug naar Reuben toe. Aan het uiteinde stond een verlengde zilverkleurige Mercedes, ongetwijfeld wachtend op de groep. Dit was de kneep van het plan geweest – wetend dat het doelwit in zijn eentje door het voetgangersgedeelte naar zijn auto zou moeten lopen.

Reuben hoorde de korte instructies: 'Rechtdoor langs de stoplichten.' Vijf meter verderop, en met een zo wijd mogelijke bocht om het doelwit heen, terwijl zijn jas langs de muur schraapte, keek Reuben op ooghoogte op zijn horloge. Terwijl hij dat deed, mikte hij en haalde de trekker over. De man krabde geërgerd aan zijn achterhoofd, net boven zijn kraag. De politiemensen staarden indringend naar hen allemaal. Ze waren op patrouille, snuffelend naar problemen, met een honger naar actie in hun ogen. Reuben liep langs en stak zijn rechterhand terug in zijn zak. Even waren Reuben, Moray, het doelwit, zijn lijfwachten en de twee agenten allemaal op gelijke hoogte in de steeg, bijna schouder aan schouder, en Reuben stelde zich voor dat één kogel het hele zevental had kunnen doorboren. En toen veranderde de formatie. Het doelwit zei iets onduidelijks. Uit ervaring wist Reuben dat de verbeterde SkinPunch geen pijn deed. In het ergste geval voelde het alsof er een haar werd uitgetrokken. De politie bleef staan om met een van de lijfwachten te praten. Reuben liep verder langs de Mercedes naar een vooraf afgesproken plek om de hoek, terwijl de adrenaline nog door zijn aderen pompte.

Hij wachtte en wachtte, terwijl de roes afnam, er een licht gevoel in zijn aderen druppelde en zijn lichaam werd overspoeld door opluchting. Hij vroeg zich af of Moray zich net zo voelde. Reuben zag de Mercedes wegrijden; de politie was nu uit het zicht. Hij bukte en maakte zijn schoenveter los. Toen zijn telefoon weer trilde, draaide hij zich om en liep terug naar de plek. Moray had die gemarkeerd door een stuk roze kauwgom te laten vallen. Reuben kwam dichterbij en hield wat in, keek naar zijn schoenen. Hij bukte zich om de veter vast te maken en speurde met zijn ogen de stoep af. De sonde lag naast een sigarettenpeuk. Hij was zo groot als een luciferkop en had dezelfde kleur. Reuben stopte hem in zijn zak en rechtte zijn rug, toen liep hij door. Terug op de hoofdweg hield hij een taxi aan en reed weg. Waar een mens toch allemaal toe in staat is, zei hij in zichzelf, terwijl hij uit het achterste raampje staarde. De taxi passeerde de twee politieagenten. Waar een mens toch allemaal toe in staat is.

3

Nog steeds friemelend aan de kleine ronde sonde droeg Reuben de taxichauffeur op om te stoppen bij de ingang van een somber industrieterrein. Deze plek, merkte Reuben op terwijl hij erdoorheen liep, straalde uit dat hij ieder moment ten onder kon gaan. Het asfalt werd weggevreten door onkruid, het gevlekte ijzer geconsumeerd door roest, het beton gekoloniseerd door mos. Aan drie kanten streden opdoemende glazen en stalen kantoorblokken om ruimte. Aan de vierde kant rammelde een trein langzaam langs op een verhoogd spoor, zwalkend over de ongelijke rails. Onder het spoor bevond zich een reeks dichtgetimmerde bogen. Ongebruikte pakhuizen met systematisch ingegooide ruiten stonden overal verspreid. Hoewel dit kleine deel van de stad niet langer nodig leek te zijn, een productieterrein in het tijdperk van de dienstverleningsbranche, had Reuben het gevoel dat de tijd ervoor weer zou komen. Londen zou ongebruikte ruimte niet lang tolereren.

Hij ging een gebouw van drie verdiepingen in, zijn voeten braken kleine stukjes glas die hun val uit de ruiten erboven hadden overleefd. Reuben keek om zich heen voordat hij een deur opende die toegang gaf tot een keldertrap. Toen hij die afdaalde kwam hij bij een tweede deur, die niet op slot was. Reuben ging verder en kwam in een smalle, slecht verlichte gang die uitmondde in een grote ondergrondse ruimte. Hij bevond zich recht onder het spoor, in een koepelvormige ruimte die vroeger, vermoedde hij, voor opslag werd gebruikt. Dit was een boog onder de bogen. Een gestalte stapte uit de schaduwen.

'Heb je hem?' vroeg Moray.

'Ja.'

'Laten we maar eens kijken.'

Reuben haalde de kleine plastic sonde uit het kleingeldzakje van zijn spijkerbroek en liet hem heen en weer rollen in zijn hand.

'Dat zou ik niet gauw nog eens willen doen,' knarste Moray in zijn verlopen Aberdeense accent. Reuben bekeek hem eens; hij had een ingedrukt, slordig aanzien, als een boterham waar de inhoud uit puilde. Via zijn contactpersonen in de wereld van de financiën, het zakenleven en zijn detectiewerk had Moray de afgelopen twee maanden het nieuws over Reubens diensten verspreid. Zonder hem, besefte Reuben terwijl hij langs Moray naar de apparatuur om zich heen keek, zou er geen laboratorium zijn geweest. En zonder dat laboratorium, gaf hij toe, kon er geen zoektocht plaatsvinden naar de grotere waarheden die in de kleine uurtjes nog altijd zijn dromen plaagden.

Een tweede gestalte stapte uit een opening aan de linkerkant van de kamer. Het was Judith Meadows. Hij bespeurde vermoeidheid, droefheid en onrust in haar gezicht. Hij vermoedde dat ze afgelopen nacht niet zo goed had geslapen.

'Judith,' zei Reuben, 'is alles goed?'

Ze gaf geen antwoord.

'Hoe was het op je werk?'

Judith schuifelde naar voren en streek een losse haarlok weg van haar gezwollen ogen. 'Ik denk dat ik dit niet anders kan brengen dan het maar gewoon te zeggen.'

'Wat?'

'Sandra Bantam.'

'Sandra?'

'Ze is dood.'

Reubens pupillen verwijdden zich in de schemering. 'Je neemt me in de maling.' Judith schudde haar hoofd snel, bijna agressief. 'Ongeluk?'

'Integendeel.'

'Verdomme.' Reuben verslapte. 'Verdomme. Wanneer is dat gebeurd?'

'Gisteren. Half GeneCrime heeft de hele dag haar huis onderzocht.'

'Is ze thuis vermoord?'

'Erger nog. Haar dood ging niet snel.'

'En dat betekent?'

'Ze is gemarteld.'

'Maar ze was weggegaan omdat ze zwanger was,' zei Reuben, terugdenkend aan de laatste keer dat hij haar had gezien. 'En het kind?'

'Naast haar gevonden. Gezond en wel.'

'Ze is gemarteld?' vroeg Moray.

'Vastgebonden. Geslagen en mishandeld. In leven gehouden. Verminkt...' Judiths ogen traanden. 'En toen ik gisteren haar gemangelde lichaam zag...' Judith begon te snikken. Reuben en Moray keken elkaar snel aan, alsof ze besloten wie van hen haar zou troosten.

Na een korte aarzeling sloeg Reuben zijn arm om Judith heen. Hij voelde de gespannen knokigheid van haar lichaam door haar T-shirt heen, de verborgen kracht in haar slanke armen toen ze hem ook omhelsde. Haar geur was een mengeling van parfum uit een flesje en frisheid uit de wasmachine. Zijn geest dreef af naar Sandra Bantam. Hij herinnerde zich dat ze had geposeerd voor een portret, dat ze bijna constant praatte, amper stil kon zitten, op de grens van hyperactief, zoals altijd. Tot ze het voltooide schilderij had gezien. Hij haalde zich de exacte uitdrukking van teleurstelling op haar gezicht voor de geest en herinnerde zich dat hij zichzelf had vervloekt om zijn natuurgetrouwheid en gebrek aan tact. Reuben probeerde voor zich te zien dat Sandra daar volkomen roerloos lag, haar uitbundigheid weggesijpeld, haar leven geëindigd in misselijkmakende pijn. Hij vermande zich, voelde een dichte en inktzwarte depressie zijn voorste hersens binnen lekken.

Judith schraapte haar keel. Ze huilde niet meer. Reuben keek op van de vloer en liet haar los, koud, verdoofd, en probeerde terug te komen naar het nu. Judiths armen hielden nog even vast en lieten toen ook los. Reuben voelde iets van tegenzin toen ze hem losliet.

Moray verbrak de stilte. 'Ik kan maar beter gaan.'

'Ik bel je wel.'

'Ik heb tegen de cliënt gezegd dat we het antwoord aan het eind van de week hebben.'

'Misschien.' Reuben masseerde zijn pijnlijke voorhoofd terwijl de schok zich verdiepte.

Moray vertrok en deed de deur naar de gang achter zich op slot. De stilte zette Reuben en Judith ertoe aan aan het werk te gaan, omdat ze veelvuldig geoefende handelingen nodig hadden om hun respectievelijke gedachten mee te verbergen. Reuben schudde zijn hoofd. Als een vroegere kennis sterft, heb je plotseling de behoefte om bij diegene te zijn, ook al was je uit elkaar gegroeid toen hij of zij nog leefde. Hij liep naar een lange roomwitte werkbank, gered uit een ziekenhuislaboratorium dat was gesloten. De apparatuur die op de vloer en de andere oppervlakken stond, gekocht, geleased of geleend, bestond uit visueel niet bijzonder indrukwekkende machines met onaantrekkelijke namen – een ABI 7500 hier, een PE 377 daar, een Centaur 2010 in de hoek. Reuben en Judith werkten in stilte, openden af en toe monsterdeurtjes, spoelden plastic membranen uit, staarden in microtiterplaten, zogen heldere vloeistoffen in pipetten. Terwijl ze pauze hielden en wachtten tot een kleine microfuge zou stoppen met draaien, dacht Judith ergens aan. Uit haar werktas haalde ze een exemplaar van de *Daily Mail* dat ze aan Reuben gaf. 'Kijk,' zei ze. 'Sandra staat op pagina vier.'

Reuben bladerde naar de grimmige kop en las vluchtig het artikel. 'Hebben ze aanknopingspunten?' vroeg hij.

'Een paar.' Judith opende het deksel van de centrifuge en haalde er twee glazen preparaten uit. 'Run is er vrij zeker van dat hij goed DNA heeft. En er was...'

'Heb je trouwens die monsters nog te pakken kunnen krijgen?'

'Ik heb fracties genomen van alle verdachten in het Lifter-onderzoek, en ik heb DNA geleend uit de Edelstein-verkrachting, de Lamb and Flag-moord en de McNamara-moord. Ze zitten in de vriezer.'

'En de recente gevallen?'

'Daar werk ik nog aan. Maar luister, Reuben, we kunnen dit niet overhaasten.'

'Nee, dat is zo.'

'Mensen zullen argwaan krijgen. Ik word ontslagen als ik zo doorga.'

'Dan neem ik je fulltime aan in plaats van alleen 's avonds.'

'En dan ben je je contactpersoon binnen GeneCrime kwijt.' Judith probeerde te grijnzen, maar haar ogen bleven afwezig staan. Reuben dacht even na, kauwend op zijn onderlip. Met een pipet liet hij een paar druppels xyleen op Judiths preparaten vallen, en een stroom gedachten vermengde zich met de dampen. De moord op Sandra Bantam. Hoe de dood de overlevenden verandert. De verschrikking van marteling. De ziekte van pijn. Een zoemende hoofdpijn begon door zijn hersenpan te zweven.

'Wat hebben ze nog meer voor aanwijzingen?' vroeg hij.

'Voor Sandra? Niks, behalve bloed en speeksel.'

'Geen motief, geen verdachten?'

'Niks.'

'Hmm.' Reuben schoof de preparaten over de werkbank naar Judith toe, die ze op de metalen standaard van een microscoop legde. 'Ik bedoel, wat kan de dader in vredesnaam hebben gewild?'

Judith zweeg, in beslag genomen door herinneringen. Reuben druppelde een kleine hoeveelheid giftige vloeistof in de SkinPunch-sonde en doorzocht zijn geheugen. Sandra Bantam leek bijna de kamer binnen te komen en naast hen te komen staan. Samen begonnen de drie zwijgend de man uit de steeg te verwerken.

4

Het is een schaduwrijk stadspark, waar een baby zijn eerste wankele stapjes zet. Dit volgt op enkele weken van voorbereidende acties. De kleine kruipt al drie maanden, en sinds kort trekt hij zich op tegen banken en stoelen, schuifelt langs de leuning, altijd in contact met iets stevigs. Dit is de eerste keer dat de baby daadwerkelijk zonder steun de ene voet voor de andere zet. Zonder dat hij het weet markeren zijn inspanningen de overgang van baby naar peuter.

De peuter bevindt zich tussen een man en een vrouw in, die allebei op hun hurken zitten en hun armen uitsteken om hem een *van* en *naar* te bieden. Hij struikelt en valt in de armen van de vrouw, die lacht van blijdschap omdat ze haar zoon ziet lopen. De man komt naar hen toe en omhelst hen allebei. Ze gaan weer een stukje uit elkaar, moedigen de jongen aan om zijn kunstje te herhalen, alsof ze bang zijn dat hij vergeet hoe het moet. De man wijst hem in de richting van de vrouw en met een beetje aanmoediging duikelt hij naar voren, neemt één, twee, drie, vier stappen. De volwassenen glimlachen over zijn hoofd naar elkaar. In hun ogen is ongegeneerde trots te zien.

Achter hen kijkt en wacht een vlezige man. Hij heeft zich verborgen en is niet opgemerkt. Hij zit ineengedoken in een bloembed, aan het oog onttrokken door twee dichte rododendrons. Hij strijkt met zijn dikke vingers over de wasachtige bladeren van een van de struiken en voelt de soepele flexibiliteit ervan.

De vrouw fluistert tegen de man, die het kind vervolgens optilt en aan zijn armen ronddraait. De kleine gilt van pret. Daarna houdt hij hem bij een arm en een been vast en herhaalt het proces. De vrouw kijkt aandachtig toe, afkeurend, overduidelijk in de verwachting dat haar kind iets zal overkomen. Na een paar minuten verliezen ze allebei hun belangstelling voor het spelletje; de man wordt duizelig en de jongen gilt niet meer. Ze gaan op een bankje zitten en eten boterhammen. Te zien aan hoe de man is gekleed, heeft hij die ochtend gewerkt. Hij plukt een paar kruimels uit de vouwen van zijn broek. De baby, die op de knie van zijn moeder zit, krijgt de eerste van een reeks overvolle lepels babyvoeding uit een potje. Een beperkte hoeveelheid daarvan blijft in zijn mond, terwijl de rest eruit druipt en op zijn slabbetje belandt.

De man in de struiken voelt een verlangen om dichterbij te komen. Hij verlaat zijn positie en loopt om een heg heen tot hij amper vijf meter bij hen vandaan is. Hij kan van hieraf bijna hun gesprek verstaan. Maar dat is niet waar hij op uit is. Met de begroeiing als dekking zet hij een cameraatje voor zijn oog en maakt een paar foto's. Zijn belangstelling is gericht op het kind. Hij zoomt in op het mollige jongetje, het onschuldige gezicht en de pure blik. Hij heeft al vele keren eerder zulke steelse foto's gemaakt. Nadat hij de beelden op het camerascherm heeft bekeken, glimlacht hij in zichzelf, blij met zijn opnamen. Dan pakt hij een compacte digitale camcorder en maakt wat videobeelden. Hij concentreert zich op het kind dat eet, de lepel die in en uit zijn mond gaat, en zoomt dan uit naar het gehele plaatje. Zijn mobiele telefoon speelt een wijsje en hij reikt ernaar terwijl hij blijft filmen. Het stel kijkt om zich heen, er half van overtuigd dat ze iets hebben gehoord. Hij zit echter goed verborgen en ze zien hem niet. Ze halen hun schouders op en richten zich weer op hun lunch. De man kijkt op het schermpje van zijn toestel, fronst zijn voorhoofd en drukt op een toets.

'Ja?' zegt hij hees. 'Ik ben even... ergens mee bezig. Je zou het een hobby van me kunnen noemen.' Hij zet de camcorder uit. 'Duitsland? Ja, dat kan ik wel regelen... Frankfurt... Hoe heet hij? En waar moet ik hem ontmoeten? ... Oké... Oké... Stuur me de details maar.' Hij beëindigt het gesprek. Op het scherm van de camcorder speelt hij de opname af die hij net heeft gemaakt. Een beetje wazig en iets te veel van de volwassenen, maar het is goed genoeg. Hij komt langzaam uit zijn schuilplaats, terwijl takken en twijgen naar hem klauwen om hem tegen te houden. Hij kijkt om zich heen om zich ervan te vergewissen dat niemand zijn activiteiten heeft gezien, stopt de camcorder in zijn zak en loopt weg.

5

Reuben ging met een knagende onrust de pub in. Het was er slecht verlicht en verlaten, op een tafeltje achterin na, waar een hechte groep drinkers op elkaar gepakt zat. Reuben liep naar hen toe, zijn leren schoenen tikkend op de houten vloer, en stuurde een kleine echo voor zich uit om zich aan te kondigen. Hij bleef een meter van de tafel staan en bekeek de halve kring van gezichten die naar hem opkeken.

'Zo,' zei hij, 'wie wil er wat drinken?'

Het bleef even stil, en Reuben was zich ervan bewust dat hij vanuit meerdere gezichtspunten tegelijkertijd werd gadegeslagen. Toen schudde Sarah Hirst snel haar hoofd. Run Zhang keek fronsend naar zijn volle glas. Jez Hethrington-Andrews haalde zijn schouders op. Mina Ali bleef aan haar rietje zuigen. Bernie Harrison streek over zijn baard. Judith weigerde hem aan te kijken. Reuben tastte in zijn zak naar een paar munten en greep ze stevig vast. Hij had niet verwacht dat dit gemakkelijk zou gaan. Hij probeerde het nog eens.

'Niemand?'

In de aanhoudende stilte besefte Reuben dat vier maanden een lange tijd was, maar niet lang genoeg om rauwe wonden zonder enig spoortje te laten genezen. Hij zag dat er, te midden van de antipathie en onverschilligheid, strikte protocollen werden gevolgd. Jongere leden van het forensisch team pasten hun reacties aan die van hun superieuren aan. Reuben overwoog even om weg te lopen, hen hier achter te laten, zich terug te trekken. Maar een herinnering aan Sandra Bantam hield hem tegen. Ze waren hier om haar te gedenken, een politiewake in een politiepub. Hij zou zich er hoe dan ook doorheen slaan. Reuben draaide zich om en liep langzaam naar de bar.

'Ik drink er wel eentje met je mee.'

Reuben bleef staan. Hij draaide zich om.

Phil Kemp stak een halfleeg bierglas op. 'Guinness.'

Phil glimlachte half, en Reuben bedankte hem met een blik. Hij schraapte zijn keel. 'Verder nog iemand?'

'Kleine witte,' mompelde Mina Ali.

'Run?'

'Rum. Puur.'

Reuben staarde Sarah aan. 'Hoofdinspecteur Hirst?'

Sarah staarde terug. 'Niks.'

Reuben besloot zijn winst te pakken. Hij beende naar de bar en bestelde de drankjes. Terwijl Phil Kemps Guinness stroperig en gestaag in het glas stroomde, kwam Jez Hethrington-Andrews bij hem staan, zwaar leunend op de bar.

'Sorry voor wat er is gebeurd,' mompelde hij.

'Ja, sorry dat ik je erbij heb betrokken.'

'Geen punt. Ik vond het wel wat hebben. Goed om je te zien, Reuben.'

'Insgelijks, Jez. Insgelijks.'

Jez zocht in de zakken van zijn donkere maatpak naar een sigaret. 'Waar woon je tegenwoordig?'

'Overal en nergens.'

Achter hen schraapte Judith Meadows haar keel. 'Grote witte, graag,' droeg ze de barman op. Jez en Reuben draaiden zich naar haar om.

'Judith,' zei Reuben met een glimlach, 'lang niet gezien.'

'Je weet hoe het gaat.' Judith simuleerde een beleefde onbehaaglijkheid door snel aan haar gezicht te krabben en haar haar naar achteren te gooien. 'Wat doe je tegenwoordig?'

'Niet veel.'

Judith pakte haar glas aan en snoof de zoete dampen op. 'Nou, het beste.'

Reuben gaf de barman geld. 'Je kunt niet altijd winnen, Jez,' zei hij schouderophalend. 'Hier, pak even wat mee.'

Jez hielp Reuben de drankjes te dragen. Phil Kemp schoof zijn stoel opzij zodat Reuben een plekje aan tafel kreeg. Mina was net een anekdote over Sandra aan het afronden. Hij keek om zich heen. Tegenover hem streek Sarah Hirst met haar vingers door haar haar. Ze ving zijn blik en keek weg. Run glimlachte naar hem, en een rukkerig optrekken van zijn wenkbrauwen verstoorde even zijn uitgestreken gelaat. Mina vroeg: 'Wat is jouw favoriete verhaal over Sandra, dokter Maitland?'

Reuben zweeg. Hij was in de loop der jaren op een aantal politiewakes geweest, en ze raakten hem nog altijd. Het idee was simpel. Verschrikkelijk dronken worden en alle goede herinneringen ophalen aan een collega die ter aarde was besteld. Geen gelegenheid voor rouw of somberheid – dat werd bewaard voor de begrafenis – maar voor het vieren van een leven. Alleen was het niet altijd zo gemakkelijk. Sandra's dood was nog steeds nieuw en pijnlijk voor hem, en het kostte hem moeite iets zinnigs te zeggen.

'Ik weet nog toen ze pas begon...' zei Reuben.

'Ja.' Mina nam het stokje over en rende ermee weg. 'Ze was zo verrekte onrustig dat ik vroeg of ze ergens mee zat. Dat meisje kon geen seconde stilzitten. Ik dacht: die is aan de drugs. Aangesloten op het elektriciteitsnet...'

Reuben draaide zich om. Phil sloeg even een vaderlijke arm om zijn schouder. 'Zo,' zei hij zachtjes. 'Hou je je goed?'

Het was grappig om Phil in een pak te zien, een echt, mooi zwart pak. Het verleende hem een ernst die niet aanwezig was in zijn haveloze en beschadigde werkkleren. 'Het gaat wel.'

'Sorry van dat tribunaal. Bevel van hogerhand.'

'Geeft niet. Het werkte ook voor de nazipartij.'

'Trouwens, weet je dat Sarah nu hoofd is van het CID?'

'Heb ik gehoord.'

'En dat ik je oude afdeling onder mijn hoede heb?'

'Ja. Hebben ze al besloten wie van jullie ze gaan aanstellen?'

'Nee, maar dat duurt niet lang meer. Ze zeggen dat we vrij snel uitsluitsel krijgen.'

'Hoe bevalt de forensische dienst?'

'Best. We hebben eindelijk een doorbraak behaald in die zaak met de uitgetrokken ingewanden. Een profiel gekoppeld aan een Koreaanse gangster, die al dan niet nog in het land is. Mark Gelson is echter nog op vrije voeten en angstaanjagend stil.' Phil keek omhoog. 'Maar vertel eens, Reuben, wat is dat toch met wetenschappers?'

'Wat?'

'Nou, niet lullig bedoeld of zo, maar waar zijn alle normale?'

Reuben lachte. 'Datzelfde kan ik ook over politieagenten zeggen.'

'Hé! Je hoeft niet gek te zijn om hier te werken...'

'Maar het kan je wel een promotie opleveren.'

Phil nam een slok van de dikke zwarte vloeistof, waarbij Reuben zich voorstelde hoe het bier via de binnenkant van zijn zwarte pak omlaagliep. 'Is dat hoe jij aan de top bent gekomen?'

'Dat, en slapen met mijn superieuren.'

'Juist...' Phil en Reuben namen allebei de kans waar om stiekem in de richting van Sarah Hirst te kijken en te grijnzen. Phil stond op, wankel op zijn korte benen.

'Sorry, kerel, ik ga even m'n maat een hand geven.'

Reuben keek hoe Phil naar de herentoiletten zwalkte en richtte toen zijn aandacht op zijn vroegere forensische team. Aan de buitenkant was er in de afgelopen vier maanden weinig veranderd. Simon droeg een overhemd uit zijn collectie lawaaihemden. Mina droeg een zwarte hoofddoek en Judith was terughoudend als altijd. Run had zich in een pak geperst dat slankere tijden had gekend. Bernie had een dichtere baard, en Birgit leek zo mogelijk nog onopvallender. Maar dit was nog steeds de enigszins onbehaaglijke groep van toppresteerders die het altijd was geweest, hun sociale onwelsprekendheid benadrukt door hun uiterlijk en hun gedragingen. Hij voelde dat de alcohol de puntjes begon te verbinden, hun gescheidenheid vervaagde, hen samenbracht. Sarah Hirst boog zich een minuscuul stukje naar voren in zijn blikveld.

'En wat doe jij tegenwoordig?'

Reuben speurde haar gezicht af naar warmte, maar zag alleen een kille nieuwsgierigheid. 'Van alles.'

'Van alles en voorspellende fenotypering?'

'Misschien.'

'We hadden je systeem goed kunnen gebruiken.'

'Je weet waarom ik het heb meegenomen.'

'Help me eens herinneren.'

'Er waren rare dingen gaande bij GeneCrime toen ik wegging.'

Sarah draaide met haar ogen in het schemerlicht. 'Dat zei je al tijdens je exitgesprek.'

'Mensen doorzochten 's nachts onze vriezers. Monsters raakten kwijt. Veroordelingen werden zekergesteld met twijfelachtig bewijs.'

'Interessant.' Sarah glimlachte en Reuben verwachtte moeilijkheden. 'En dat van een man die de forensische wetenschap heeft misbruikt en iemand illegaal heeft laten arresteren.'

Reuben zuchtte hoorbaar. 'Oké, en ik boet ervoor. Maar je weet wat ik bedoel. Te veel verborgen motieven in één gebouw. Te veel concurrerende ego's.'

'Als ik de leiding heb, ben ik van plan de afdelingen te overbruggen en de kloof te dichten.'

'Zo te horen heb je je toespraak geoefend.'

'Voorbereiding is alles, dokter Maitland.'

'Maar het gaat dieper. Wat er gaande was bij GeneCrime laat de fundamentele gebrekkigheid van de wetenschap zien.'

'En die is?'

'Forensische wetenschap is enkel zo onfeilbaar als de mensen die het toepassen. En mensen zijn altijd feilbaar.'

'Misschien is het tegenwoordig beter.'

'Hoe bedoel je?'

'Ik bedoel, nu onze extreem feilbare senior forensisch wetenschapper is vertrokken.'

Reuben glimlachte. Sarah was aan het graven, provoceren en plagen, zoals ze altijd deed. Even besefte hij dat hij dat sparren met hoofdinspecteur Hirst miste.

'Weet je wat ik zo leuk vind aan jou?' vroeg hij.

'Nee.'

Phil Kemp keerde terug van het toilet en perste zich tussen Reuben en Sarah. 'Wat heb ik gemist?' vroeg hij.

'Reuben wilde net iets zeggen,' antwoordde Sarah. Ze schoof een stukje naar voren zodat ze hem kon zien.

Reuben grijnsde naar Sarah. 'Ik wilde helemaal niks zeggen.' In weerwil van zichzelf glimlachte Sarah bijna terug. 'Zo. Ik ga de volgende halen.' Hij stond op en liep naar de bar. Kinderachtig en sneu, zei hij tegen zichzelf. Maar eventjes voelde het lekker.

Terwijl de drankjes werden ingeschonken, keek Reuben om naar Sarah en Phil, beoordeelde hen snel, de twee hoofdinspecteurs, ambitieus en heel verschillend, die zich automatisch van elkaar afwendden, zich terugtrokken en hun territoria afbakenden. De een vertrouwde hij, de ander niet. De een was ouderwets, de ander boog nieuwe methoden om om haar doelen te bereiken. Maar allebei met een onverzadigbare honger naar macht en invloed, en op het punt het grootse gevecht van hun leven aan te gaan.

6

Reuben knipperde langzaam, met langdurige, trage bewegingen van zijn oogleden, en zijn hoofd knikte naar voren toen de alcohol hem omlaagtrok, hem knarsend tot stilstand bracht. Iedereen was vertrokken behalve Run, die horizontaal op een houten bank lag. Reuben dronk zijn glas leeg en stond op, met een volle blaas en op onvoorspelbare benen. Met de neus van zijn schoen gaf hij Run een por. Run mompelde binnensmonds iets in het Kantonees.

'Kom op. Ze gaan sluiten.'

Run mompelde luider, zijn ronde gestalte verschoof op de bank, zoekend naar comfort.

'We moeten weg.'

'Ik slaap.'

'We moeten eten.'

Dokter Zhang ging langzaam zitten en wreef over zijn nek. 'Eten, zei je?'

'Ja.'

'Nu spreek je mijn taal.'

'Run, niemand spreekt jouw taal.' Reuben hielp zijn vriend aan zijn arm omhoog. 'Ken je hier in de buurt iets?'

'Niet zomaar iets. Beste tent in Londen.'

'Dat is nogal een uitspraak.'

'Het is nogal een restaurant.'

Reuben en Run verlieten de bar en hielden een taxi aan. Weldra zaten ze in het schemerig verlichte Rainbow Restaurant, met wolkachtige tropische vissen en gelamineerde menukaarten. Reubens bloeddoorlopen ogen hadden zich amper hoeven aanpassen tijdens de overgang van de pub naar de donkere straat en vervolgens naar het interieur van de Rainbow. Run trok de aandacht van een ober en begon een snelle uitwisseling in het Kantonees.

'Wat was dat?' vroeg Reuben toen de ober was vertrokken.

'Ik heb voor je besteld.'

'Moet ik bang zijn?'

'Be afraid, dokter Maitland, *be very afraid.'*

'Vertel eens, Run.' Reuben veegde het fijne laagje kruimels van de garnalenkoekjes van de vorige eters van het tafelkleed. 'Achter wie zitten jullie op het moment aan, behalve de moordenaar van Sandra?'

'We doen eh, wat bendezaken.'
'Iemand in het bijzonder?'
'Drugsbaas Mark Gelson, een paar onopgeloste moorden, Kieran Hobbs...'
'Kieran Hobbs?'
'We denken we kunnen hem in verband brengen met eh, serie aanvallen. Maar ons bewijs nog niet watervast.'
'Waterdicht.'
'Ken je hem?'
'Ik heb van hem gehoord.' Reuben fronste kortstondig. 'Maar goed... wat is er gaande bij GeneCrime?'
'Gebruikelijke. Phil en Sarah strijden om suprematie. Phil runt forensische afdeling als kwade wesp, Sarah runt CID-afdeling met stalen vuist...'
'IJzeren vuist...'
'Je weet wel. En jij?'
'Zwaar.' Reuben speelde met zijn eetstokjes. 'Maar het wordt beter.'
'Ja?'
'Ik weet niet... Alles was een tijdje een puinhoop. Ik ben Joshua en Lucy kwijt, mijn gezin...'
'Heb je niemand anders?'
'Behalve mijn moeder niet. Mijn vader is overleden toen ik negentien was, en mijn broer is een paar jaar geleden zo ongeveer uit mijn leven verdwenen.' Hij rechtte zijn rug toen de ober een ambitieuze hoeveelheid schalen tussen hen in begon te zetten. 'Maar je past je aan, je overleeft, je raapt jezelf weer bij elkaar...'
'Ik weet het. Toen ik mijn familie in China achterlaat... je voelt eh, dat je alles kwijtraakt. Hoewel ze allemaal nog levend, naar me schrijven, naar me bellen. Je weet je kunt bij ze zijn, maar gelijkertijd je weet dat kan niet.'
Reuben zweeg een tijdje peinzend, speelde met zijn eten, prikte erin met de versierde eetstokjes. Hij dacht terug aan toen hij een paar maanden eerder in de keuken zat, tegenover Lucy, toen de storm zich samenpakte, toen hij zijn bami in de vuilnisbak had gegooid. 'Maar het doet nog steeds verrekte zeer. Het komt en gaat, de ene keer gaat het beter, de andere keer gaat het slechter.'
Run boog zich naar voren en Reuben merkte op dat hij zijn eetstokjes aan de kant had gelegd en had verruild voor een vork. 'Weet je?' Run keek om zich heen. 'Ik heb doorbraak bij Sandra Bantam. Niemand weet het nog.'
'O ja? Wat dan?'

'Ik moet eerst feiten controleren.' Run tikte met de steel van zijn vork tegen de zijkant van zijn neus. 'Maar ik denk ik heb al genoeg puur monster voor een vergelijkingsanalyse. Ik moet het alleen opschonen.'

'Dat is snel.'

'Ik eh, heb kortere weg ontwikkeld. Kan ik je morgen bellen, als we niet bezopen zijn, om je advies?'

'Tuurlijk. Luister, Run, het is echt fijn om je te zien. Ik weet dat de situatie ingewikkeld is, maar laten we contact houden. Het zou leuk zijn om af en toe af te spreken, de roddels te horen, te weten of Sarah en Phil daadwerkelijk op de vuist gaan.'

'Kee.'

'En de volgende keer kies ik het restaurant.'

'Als je Rainbow beledigt, beledig je mij.'

Reuben liet zijn eten staan, te dronken om ervan te genieten. Hij keek toe terwijl Run kunstig volgeladen vorken met voedsel naar binnen schoof. Hij voelde de zoem weer. Een dag omgeven door het CID en de forensische wetenschap. Het teamwork, de relaties, de wrijving, de politiek. Naar elkaar toe en van elkaar af te midden van meerdere onderzoeken. Weten dat ze zich op Kieran Hobbs richtten. Hij besefte dat de laatste vier maanden leeg waren geweest. Hij miste die mensen, zelfs degenen die hij niet vertrouwde. Sarah Hirsts blik gloeide nog na op zijn huid. Hij stond op, gaf Run een hand en liep terug naar een anoniem hotel en zijn gebroken leven.

7

Reuben wreef over zijn katergezicht. Het land lag te verwelken onder een laatzomerse hittegolf. Het zweet dat zich op zijn voorhoofd had verzameld gleed over zijn neusbrug en belemmerde zijn zicht. Er was geen lucht en geen bevrijding. De zomer was ook warm begonnen. Mei was verschrikkelijk geweest. Toen, net als in de voorgaande jaren, waren juni en juli een teleurstelling en had augustus tevergeefs overgecompenseerd. Hij nam een slok bier, dat snel opwarmde, en zag dat de man terugkeerde van het toilet. Reuben had hem onverwacht nerveus gevonden. Het wantrouwen was logisch, maar hij had niet verwacht dat iemand als Kieran Hobbs zich ook maar een beetje onbehaaglijk zou voelen.

Reuben voelde een plotselinge tinteling van ongerustheid. Volgens Run was Kieran Hobbs een van de huidige prioriteiten van GeneCrime. Als belangrijk lid van een bende met gok- en witwasoperaties in het westen van Londen werd hij al twee jaar gezocht in verband met een aantal brute aanvallen. En hier zat hij, naast hem, op klaarlichte dag in een weekend. Reuben keek langs de bar en hoopte vurig dat er geen surveillance was, geen CID-camerasluiters die stilletjes knipperden, geen korrelige camerabeelden die werden gemaakt, geen microfoons die hun woorden uit de omringende kakofonie plukten.

Reuben was gefascineerd door Hobbs. Tot voor kort was zijn contact met criminelen beperkt geweest tot de microscopische vloeistoffen en cellen die ze achterlieten op de plaats van hun misdaden. Een echte misdadiger in levenden lijve zien was nogal wat. Hij had zenuwtrekjes, knipperde met zijn ogen, fronste en glimlachte, net als normale mensen. Reuben besefte dat de nasleep van een misdaad uitsluitend informatie gaf over besluitvaardige actie en gewelddadige bedoelingen, waarbij alle besluiteloosheid, aarzeling en onzekerheid verloren gingen in het bevroren beeld.

Kieran had er voordat ze gingen zitten op aangedrongen dat Reuben met hem mee liep naar het toilet, waar hij hem had gefouilleerd op opnameapparatuur en wapens. Hij had snel gepraat, terwijl hij het café afspeurde met wilde, wantrouwige ogen. 'Zo,' zei hij om aan te geven dat hij eindelijk bereid was ter zake te komen, 'wat kun je voor me doen?'

'Mijn partner Moray Carnock zou je een paar dagen geleden al bijpraten.'

'Ik wil het van jou horen.'

'Het hangt er helemaal van af wat je nodig hebt. Moray had het over een aanval?'

'Joey Salvason. Mijn tweede man. Doodgeslagen.'

'En waar is hij nu?'

'Ik vermoed in het mortuarium van het ziekenhuis.'

'Heb je geen idee wie het heeft gedaan?'

'Denk je dat ik tijd zou verspillen aan praten met jou als ik wist wie ik te grazen moest nemen?'

'Ik bedoel alleen maar, Hobbs, dat er twee manieren zijn om dit aan te pakken. Als je een specifieke persoon verdenkt, kan ik ja of nee zeggen. Als het iedereen kan zijn, zal ik je een foto van zijn gezicht laten zien. Maar die aanpak zal een hoop meer geld kosten.'

Kieran dronk zwijgend van zijn zwarte koffie, bijna zonder iets te merken van de warmte. 'Er is een bende. Een stel Ieren, geleid door iemand die Maclyn Margulis heet. Heeft dit jaar problemen voor ons veroorzaakt. Maar ik wil er niet naar binnen denderen als zij het niet zijn geweest. Het is een grote club, en ik kan niet hebben dat dit uit de hand loopt. Joey had veel problemen. Je weet wel, persoonlijke dingen. Ik wil zekerheid voordat we schietend naar binnen gaan.'

'Dus wat jij zegt, is dat er meerdere mensen zijn die Joey kunnen hebben vermoord.'

'Ik denk het wel.'

'Ik reken achtduizend pond. Contant. Vier vooruit, en vier als ik je een foto van de dader laat zien. En je zult mijn hotelrekening moeten betalen terwijl ik voor je werk.'

De woorden bleven in Reubens keel steken terwijl hij zijn opwarmende bier dronk. Voor jou werken. Iemand helpen op wie hij vroeger had gejaagd, iemand naar wie zijn vroegere eenheid nu actief onderzoek deed. Hij nam nog een slok bier, alsof hij daarmee de nare smaak kon wegspoelen. Een misdadiger helpen stond gelijk aan misdadiger zijn. Maar hij zat klem, en dat wist hij. Het was een onbehaaglijk dilemma dat hij had uitgezweet terwijl hij sliep, met de late Chinese maaltijd zwaar op zijn maag. Om diep in de illegale activiteiten van GeneCrime te duiken had hij geld nodig, geld dat hij met vaderschaps- en overspelzaken langzamerhand begon binnen te halen. Chemicaliën, apparatuur en verbruiksgoederen waren duur. Moray had van het begin af aan gelijk gehad: om de waarheid te vinden zou Reuben af en toe over de scheidslijn moeten gaan. De beslissing was grimmig en onontkoombaar en knaagde aan hem, ondanks de overduidelijke logica ervan. En dus moest Reuben de bittere smaak van het verraad wegslikken, twee kwaden vergelijken en besluiten wat echt goed was en wat echt slecht. Maar toch bleef het stinken.

'Die foto. Moray zei dat het een soort fotofit is of zoiets?'

'Nee. Het is net een gewone foto.'

Reuben bekeek de crimineel die tegenover hem zat nog eens. Op het eerste gezicht was hij volkomen onopvallend. Hij had geen littekens, tatoeages of gebroken gelaatsbotten die zonder medisch ingrijpen langzaam genazen. Hij kleedde zich nonchalant, als een manager in het middenkader, droeg nette schoenen en geen sieraden. Toch was dit een man die had gemoord, mishandeld en afgeperst alsof het de normaalste zaak van de wereld was. In levenden lijve was er iets anders aan hem, iets wat Reuben niet had opgepikt uit de vele surveillancefoto's die hij had gezien. Het lag, concludeerde hij, in de ogen. Hobbs' blonde wimpers waren dik en lang, en ze bleven verstrengeld, hoe ver hij zijn ogen ook opende. Daarachter waren zijn irissen matgroen, zo mat dat ze geen licht uitstraalden, zelfs niet als de zon door de poort van wimpers drong. Het waren net stompe voorwerpen, die hem aanstootten en wegduwden, oculaire honkbalknuppels, onmogelijk te lezen en nog moeilijker om recht in te kijken.

'Ik wil je vijfduizend betalen, in totaal,' zei Kieran uiteindelijk. 'Je kunt er drie nu krijgen...'

De late middagzon weigerde minder warm te worden. 'Het is acht of niks.'

'Voor een foto?' De ogen ramden op hem in.

'Voor honderd procent zekerheid over de moordenaar van je vriend. En voor een extra bedrag geef ik je zelfs zijn naam en adres. Niemand ter wereld kan je deze dienst bieden.'

'Typische smeris, die me naait.'

'Luister, ik heb het geld nodig.'

'Gelul. Je loopt met me te sollen, Maitland.'

'Ik meen het.'

'O ja? Waar heb je het voor nodig?'

Er knapte iets. 'Dat gaat je geen flikker aan, Hobbs.' Plotseling voelde het niet goed. Omgaan met een gangster, een moordenaar, een monster. Tegen alles ingaan wat rechtvaardig was. Reuben stond op en wilde weglopen, hij had een misselijk gevoel in zijn maag.

Kieran stond ook op. 'Oké, oké,' zei hij, met zijn handen naar voren en de handpalmen richting de grond. 'Rustig maar. Laten we opnieuw beginnen.'

Reuben bleef waar hij was, verstijfd en in conflict met zichzelf, terwijl hij tevergeefs probeerde die ogen te vangen. Hij had deze klus nodig, had het geld nodig, moest Hobbs ervan overtuigen dat hij niet langer aan de kant van de wet stond, dat hij tegen dezelfde vijand streed. Reuben ging langzaam zitten en zijn weerzin ebde weg. Na een paar seconden stilte zei hij: 'Ik ga een paar zaken na waarvan ik denk dat de politie ze niet eerlijk heeft aangepakt, waar het bewijs nooit echt scheen te kloppen, waarbij dingen uit de hand begonnen te lopen.' Reuben dronk zijn bier op, dat dood en warm was en waarvan de scherpte nu zuur was geworden. 'In een ideale wereld, Hobbs, zou ik me niet met je zaak inlaten. Maar zoals jij en ik allebei weten, is dit geen ideale wereld. Wil je mijn diensten nog of niet?'

Kieran Hobbs wreef snel en geërgerd over zijn gezicht. Reuben wist dat het bedrag naar zijn maatstaven niet exorbitant was. Hij vroeg zich af of die man gewoon geen zaken wilde doen met voormalige politiemensen. Kieran stond op. 'Wacht even,' zei hij. Hij liep de straat op, naar een grote auto met drie mannen erin. Reuben had niet opgemerkt dat hun overleg onder een heel ander soort surveillance stond. Kieran keerde terug met een opgerolde krant, die hij over de tafel schoof. 'Het zit erin,' zei hij. Zijn gezicht was verhit, en Reuben kon door zijn blonde haar heen zien dat zelfs zijn hoofdhuid rood was. 'Hoe lang?'

'Zeven dagen.' Reuben pakte een notitieblokje. 'Welk ziekenhuis was het?' vroeg hij. 'En wanneer is hij opgenomen? Heeft hij een doopnaam? Wat voor kleur ogen en haar heeft hij?' Hij krabbelde de gegevens neer. 'Oké. Moray zal contact met je opnemen.' Reuben gaf Kieran een hand, een vochtige handdruk die weerzinwekkend aanvoelde. Terwijl hij de gangster nakeek bleef hij nog een tijdje zitten, met zijn vingers trommelend op de hete aluminium tafel. 'Het doel,' fluisterde hij in zichzelf, 'en de middelen.' Maar zelden, dacht hij, hadden ze zo tegenovergesteld geleken. Boeven helpen om boeven te vangen. Maar dat was het probleem met zoeken naar de waarheid. Meestal moest je jezelf onderdompelen in oneerlijkheid.

8

Reuben verliet het café en liep sloom de hoek om, met Kieran Hobbs' krant onder zijn arm. Hij voelde de strakke bundel geldbriefjes door het papier tegen zijn ribben drukken, terwijl hij een hotel binnenging. Bij de receptie haalde hij een rood doosje uit zijn koffertje en zette het zorgvuldig op de balie.

'Zoals gebruikelijk?' vroeg de vrouw, met een warm Frans accent dat door haar woorden zong.

'Alstublieft.'

Ze draaide zich om en bracht het doosje naar de kluis. 'Kamer tweehonderdzeventien,' zei de receptioniste toen ze terugkeerde. Reuben hoorde die nummers als noten op een ladder, met twee en zeven rond de eengestreepte C en de één een zwierige G-kruis. 'En dit is voor u gekomen.' Ze gaf hem een dikke bruine envelop met zijn naam erop. In zijn kleine, moderne kamer begon hij het ritueel dat hij altijd volgde na het inchecken. Hij ijsbeerde rond, bekeek de badkamer, het dressoir, het bed, de kast. Hij wist niet precies waar hij naar zocht, maar op een dag hoopte Reuben iets anders te vinden.

Hij ging op het bed zitten, pakte de envelop en maakte hem open. Reuben had dit moment uitgesteld, maar nu kon dat niet meer. Er zat een stapeltje foto's in. Hij bladerde erdoor, met trillende vingers. Het waren beelden van zijn zoon in een park. Joshua leek voor het eerst te lopen. Reuben ademde diep in, gebroken. De kleine werd groot. Hij bekeek de foto's aandachtig, nieuwsgierig, glimlachend, fronsend, met trots, schuldgevoel, woede en bedroefdheid. Lucy was op verschillende kiekjes te zien, grijnzend, een en al tanden en ogen, en met af en toe een ongeruste blik. En hij was er ook. Reuben voelde plotseling de behoefte om de telefoon te grijpen. 'Hallo, receptie? Kamer tweehonderdzeventien. Ik wilde alleen even zeker weten –'

Een Franse stem viel hem in de rede. 'Het ligt in de kluis, dokter Maitland. U hebt me het erin zien stoppen, nietwaar? En, voordat u het vraagt: ja, ik heb het nog een keer extra gecontroleerd.'

Reuben sloot zijn ogen. Het enige wat hij koesterde lag in de kluis van een zielloos Londens hotel. Hij haalde zijn vinger van de telefoonhoorn en drukte snel een reeks cijfers in. Toen er werd opgenomen, zei hij alleen: 'Twee één zeven.' Terwijl hij wachtte begon hij de reeksen getallen samen te stellen die langzamerhand een onderwereldbaas zouden verbinden met een huurmoordenaar.

Een uur later werd er zachtjes aangeklopt. Door het spionnetje leek Moray Carnock een paar kilo te zijn aangekomen en wat kleiner te zijn geworden. Net als de rest van de hoofdstad zweette hij, hoewel Moray daar beter in was dan de meeste mensen. Hij liet zich zwaar op het bed zakken.

'Ik heb maar tien minuten,' zei hij terwijl hij zijn slaphangende kraag wegtrok van zijn klamme nek. 'Dan moet ik naar Heathrow. Heeft Kieran Hobbs gehapt?'

'Hij wil de volledige dienstverlening.'

'We moeten niet rotzooien met grote jongens zoals Hobbs. Weet je zeker dat je hem kunt helpen?'

'Ben bang van wel. Ik heb het ziekenhuis gevonden. Het mortuarium staat onder leiding van Derek O'Shea. Hier is het nummer. Hij kent me en wil ons voor tweehonderd toegang geven tot het lijk. Wanneer kunnen we gaan?'

'Ik ben tot morgenavond in Frankfurt.'

'Wat is er in Frankfurt?'

'Partner in een elektronicabedrijf, verdacht van het verhandelen van bedrijfsgeheimen. Misschien hou jij er ook iets aan over – ze willen forensisch onderzoek op papieren en onderdelen die ik ga onderscheppen.'

'Stop ze in plastic, zo koud als je kunt. Bedankt voor de foto's, trouwens.'

'Geen punt, kerel. Ik heb ook videobeelden. Hier, kijk maar even snel voordat ik ga.'

Moray gaf Reuben zijn camcorder en drukte op START. Reuben zag Joshua, Lucy en Shaun Graves vadertje en moedertje spelen. Hij keek steeds weer van Joshua naar Shaun, met een wanhopige behoefte om te weten. Joshua was tien maanden oud. Zijn gezicht vormde zich duidelijker en permanenter. Zijn oogkleur veranderde, zijn haar werd donkerder. Reuben dacht aan het rode doosje in de hotelkluis. Er was een simpele manier om erachter te komen, maar hij kon zich er niet toe zetten. Nog niet.

'En hoe zit het met meneer Steenrijk?' vroeg Moray. 'Die we in het steegje hebben gedaan?'

Reubens ogen bleven aan het schermpje geplakt. 'Het DNA-monster van de vrouw was niet doorslaggevend, dus we moesten naar haar terug. Maar ik heb geen idee hoe ze zal reageren op het resultaat.'

'Nee?'

'Er kan een enorm conflict van komen.'
'Jezus.' Moray gebruikte de mouw van zijn groezelige pak om de transpiratie die zich op zijn voorhoofd verzamelde weg te vegen. 'DNA is nog erger dan drugs. Een klein beetje kan je al in een heleboel problemen brengen.'

Reuben deed zijn horloge af en bekeek de achterkant. 'Daar weet ik alles van,' zei hij zachtjes. Hij liep naar de kast en keerde terug met een stapel bankbiljetten. 'Hier,' zei hij, 'je aandeel. Ik geef Judith haar deel later nog.'

Moray likte langs zijn lippen, ging met de punt van zijn tong over de scherpe stoppels van een embryonale snor. 'Oké. Waar ben jij mee bezig?'

'Ik ga vroeg naar het lab, met een paar dingen verder.'

'Slaap jij nooit?'

'Vroeger wel, Moray. In een comfortabel bed met mijn vrouw, en mijn zoon in de kamer ernaast. En toen, zoals je weet, kwam ik erachter dat iemand anders daar ook had geslapen...' Reuben onderbrak zichzelf. Moray was niet het soort man bij wie je je hart uitstortte; hij was meer gewend aan afluisteren dan aan persoonlijke gesprekken. Nu al stond hij op, met een onbehaaglijk gezicht.

'Maar goed, tijd om een taxi aan te houden,' zei hij, terwijl hij zijn camcorder pakte en naar de deur liep.

'Overmorgen, dan.'

'Ik denk van niet.' Hij stopte het geld in zijn zak en schudde zijn hoofd. 'Maandag is een feestdag. Laatste van de zomer. En ik heb iets belangrijks te regelen.' Moray knipoogde samenzweerderig, trok de deur open en verliet de kamer.

Reuben friemelde gewoontegetrouw aan de achterkant van zijn horloge. Toen opende hij twee miniflesjes wodka en een blikje cola en goot ze in een plastic bekertje. Hij wierp nog een laatste gekwelde blik op de foto's. Vervolgens opende hij zijn koffertje en haalde er een dik dossier uit dat Judith eerder die dag van haar werk had meegesmokkeld. Het was getiteld *GeneCrime, Euston: bewijs- en monsterinventaris: Liftermoordenaar; mei 2002 –* ... Hij bekeek het dossier over de moord op drie lifters, een man en twee vrouwen, in Gloucestershire aan het eind van de jaren tachtig. Hun lijken waren op drie verschillende dagen langs dezelfde weg gedumpt; mishandeld, verscheurd, hun hals open. Zonder getuigen en zonder verdachte, en gezien de landelijke locatie was besloten om de hele mannelijke bevolking van twee naburige dorpen te testen.

Reuben kende het Lifter-onderzoek goed. Tijdens de zaak hadden ze gebruikgemaakt van een vroege voorloper van het DNA-vingerafdrukkensysteem dat werd aangepast terwijl ze werkten. De Forensische Wetenschapsdienst had diverse personeelsleden erop uitgestuurd om zelf ervaring op te doen, en hij had hen als CID-agent voor de forensische dienst bijgestaan. Bij meer dan vierduizend mannen werd bloed afgenomen, maar er werden geen overeenkomsten gevonden. De techniek had gefaald en het enthousiasme ervoor verpieterde. Reuben keerde na drie maanden van vruchteloos onderzoek naar Londen terug. Maar de ervaring had een paradoxaal effect op hem. In plaats van ontmoedigd te raken, opende hij zijn ogen voor de mogelijkheden. Hij ging verder met zijn universiteitsstudie, voltooide een PhD in moleculaire biologie en ging terug naar de forensische dienst, popelend om geavanceerde genetische methodologieën te pionieren in de zoektocht naar de waarheid. De Lifter-zaak had hem getoond dat de blunders van forensische testen dezelfde waren als bij elk ander detectieproces. Wat ze nodig hadden, waren methoden die de overduidelijke beperkingen van retrospectieve analyse overstegen.

En toen, elf jaar nadat de zaak uit het publieke bewustzijn was geglipt, werd de moordenaar gepakt. Een willekeurige vergelijking met de oorspronkelijke database leidde naar een gevangene die was gearresteerd voor een niet-gerelateerde zaak. De verdachte werd verhoord, aangeklaagd en veroordeeld. Reuben werkte ten tijde van de doorbraak aan een andere opdracht. Hij nam een slok en krabde op zijn hoofd toen hij zich herinnerde dat hij nooit overtuigd was geweest. Niemand deed ooit willekeurige vergelijkingen. De forensische dienst had er eenvoudigweg de tijd niet voor.

Hij bleef drinken en lezen, absorbeerde gefascineerd de details. Zijn concentratie groeide met de minuten en uren als een sneeuwbal, zijn ogen gingen open, zijn pen krabbelde als een bezetene, zijn brein racete door de feiten, impulsen schoten langs neurale netwerken, springende synapsen, legden nieuwe verbindingen langs de wand des doods rondom de binnenkant van zijn schedel, die eeuwig zijn vrouw en zoon op een plek hield waar ze hem niet konden verscheuren. Al die tijd probeerde hij wanhopig te vergeten dat vandaag, precies vijf jaar geleden, op de laatste feestdag van de zomer, op een heuvel in Somerset, hij Lucy ten huwelijk had gevraagd.

9

Sarah Hirst zit achter haar computer en bekijkt schermen vol gegevens en afbeeldingen. Ze is afgeleid, haar concentratie verslapt. Licht stroomt naar binnen door het raam van haar werkkamer, weerkaatst op het scherm zodat ze haar ogen tot spleetjes moet knijpen. Ze hoort het verkeer van de ontsnapping buiten, auto's die knarsend de stad verlaten en naar de kust rijden, een dag weg van verantwoordelijkheid en verplichtingen. Een groot deel van haar verlangt ernaar om bij hen te zijn, bumper aan bumper, steeds dichter naar de rusteloze watervlakte die naar vrijheid ruikt. Moordenaars nemen geen vrije dagen op, houdt ze zich voor. En hoofdinspecteurs ook niet. Af en toe schakelt ze van foto's van Sarah Bantams gefolterde lichaam over naar een ander scherm, waarop een ander soort foto te zien is. Sarah heeft haar arm om een lange, slanke man. Ze glimlachen, dragen vrijetijdskleding, samen in een bos. Hoofdinspecteur Hirst zucht en klikt geïrriteerd terug naar Sandra's lijk.

Phil Kemp zit aan een tafel in een achterkamertje van een uitgebluste pub. In zijn handen heeft hij vijf speelkaarten. Zes andere mensen zitten in een kring om de tafel. Het staat blauw van de rook. Een vermoeide vrouw van halverwege de veertig biedt een fles whisky aan. Alle spelers behalve Phil nemen de kans waar om hun glas bij te vullen. De gesprekken zijn snel en gespannen. Munten en bankbiljetten worden naar het midden geduwd, terwijl het pokerspel vordert. Phil aarzelt en gooit dan twee briefjes van tien pond op de stapel. Naast hem legt een magere man met een honkbalpet verslagen zijn kaarten neer. Een zongebruinde vrouw tegenover hem gaat mee met Phils inleg en verhoogt die. Nog drie spelers vallen af. Als de aandacht terugkeert naar Phil, is hij snel en besluitvaardig. Veertig pond in de pot. De vrouw tegenover hem aarzelt en neemt een slokje van haar drankje. Ze staart indringend naar Phil en dan weer naar haar eigen kaarten. Phil houdt haar blik vast en maakt de twee bovenste knoopjes van zijn geruite overhemd open. Dan legt ze haar kaarten plat neer en reikt abrupt naar haar sigaretten. Geleidelijk en voorzichtig draait Phil zijn kaarten om en spreidt ze uit. Hij heeft niets. Hij buigt zich naar voren en harkt de pot naar zich toe.

Mina Ali, Simon Jankowski, Paul Mackay en Jez Hethrington-Andrews omklemmen hun sturen, volkomen in beslag genomen, aan het scherm gekluisterd. Simon ligt op kop, gevolgd door Mina en Jez. Ze scheuren door een reeks krappe digitale bochten, rakelings langs toeschouwers, glijden door scherp afgebeelde krommingen in de weg. Mina begint een inhaalmanoeuvre maar raakt van de baan, waarbij ze Simon meeneemt, net als de tijd om is. Jez steekt als onwaarschijnlijke winnaar zijn vuist in de lucht. Het viertal staat met tegenzin op en loopt de speelhal uit, knipperend in de zonneschijn aan het uiteinde van de pier. Ondanks de zon op deze feestdag woelt er een vastberaden zeebries door hun haar en wappert hun kleding. Ze leunen over de balustrade en kijken naar de golven die beneden over het strand tuimelen. Jez glimlacht triomfantelijk, en dan ziet hij de ijscokar verderop. Hij wijst ernaar en de vier wetenschappers wandelen ernaartoe, elk zoekend in hun zakken naar kleingeld, verloren in hun eigen gedachten, terwijl ze tot leven komen in de zon van Brighton.

Twee mannelijke CID-officieren staan voor een lichtblauwe deur. De langste belt aan en schraapt zijn keel. Zijn partner zucht en kijkt op zijn horloge. De late augustuszon straalt neer op hun zwarte uniformen en warmt het materiaal op, wat ze voelen door hun witte katoenen overhemd. De deur gaat open en ze stellen zich voor, hun veelgebruikte identiteitsbadges nog maar eens ter inspectie uitgestoken op een lange dag van inspecties. Een gekreukte foto van Sandra Bantam wordt omhooggehouden door de kleinere agent. De bewoonster, een vrouw van in de zeventig of tachtig, schudt haar hoofd en haalt met een verward gezicht haar schouders op. De lange agent draait zich om en wijst naar een huis een paar deuren verderop, vertelt wat er is gebeurd en vraagt of de vrouw iets ongewoons heeft opgemerkt. De medewerkers van GeneCrime krabbelen allebei een paar aantekeningen op een notitieblokje. Achter hen gaan twee andere agenten de smalle oprit van een huis aan de overkant op. De kleinere agent bedankt de vrouw en ze lopen terug naar de straat, grimmig en vastberaden, vochtig van het zweet, om de volgende woning langs de straat te proberen.

Moray Carnock steekt als in een beschuldigend gebaar zijn wijsvinger uit, een stomp uitsteeksel met een grondig afgekloven nagel. Hij wacht geduldig op zijn moment. Dan springt er een klein kleurrijk vogeltje op de vlezige zitplaats. Moray buigt zijn hoofd er langzaam naartoe en geeft het een kusje. Dan biedt hij het dier een zaadje aan, tussen de wijsvinger en duim van zijn andere hand geklemd. De kanarie pikt ernaar, grijpt het in zijn snavel en vliegt weg met de beloning. Moray laat zijn blik rondgaan in de inloopvolière en maakt met getuite lippen een kussend geluid. Zijn vinger is al snel de zitplaats van een volgende kleine vogel, deze keer een schitterende blauwgroene. Moray streelt hem teder over de rug terwijl hij hem afleidt met iets lekkers. De kanarie fladdert snel met zijn vleugels en ontsnapt om de lekkernij in alle rust op te peuzelen. Moray kijkt naar de deur van de kooi, die hij aan de binnenkant op slot heeft gedaan. Hij steekt zijn vinger weer uit en wacht op de volgende bezoeker.

Judith Meadows gaat geheel op in haar doe-het-zelfwerk. Ze doopt haar kwast in een blik matte verf, veegt het teveel aan de rand af en strijkt de haren soepel omhoog en omlaag, vermengend en uitsmerend, een nieuwe laag over de oude. Achter haar is haar man Charlie bezig de aangrenzende muur te schilderen. Ze werken in stilte, geconcentreerd, naar elkaar toe schilderend, op weg naar de hoek die hen scheidt. Judith ziet de oorspronkelijke kleur verdwijnen onder haar kwast, en even vindt ze het jammer omdat het levendige rood verdwijnt onder een neutrale roomwitte kleur, opgeslokt, onderdrukt, naar de achtergrond gedrongen. Ze doopt haar kwast weer in de verf en nadert de hoek. Charlies kwast werkt naast die van haar, hun handen vlak bij elkaar terwijl ze elkaar naderen. En dan stopt Charlie en zet een stap achteruit. Tevreden zet hij zijn kwast in een plastic pot vol troebel water. Judith draait zich van hem af en begint langzaam en methodisch in haar eentje de kloof te vullen.

10

Hoofdinspecteur Sarah Hirst stak met het vertrouwen van de vroege ochtend een driebaansweg over. Over een uur zou dit een hachelijke onderneming zijn. Nu echter, even voor zevenen, was het nog te doen. De zon begon het asfalt al op te warmen, een on-Britse stoom rees op van het wegdek. In de metro was het gelukkig koel geweest, maar het beloofde ook daar weer snikheet te worden. De gebakken lucht die over de sporen en door de tunnels blies was anders dan alle andere in het land. Die lucht inademen was het ademhalingstechnische equivalent van suikerspinnen eten. Hij was ijl en leeg, zonder voeding of waarde, een heet niets dat je naar huis duwde als de opwinding was weggestorven.

Sarah probeerde te eten en drinken onder het lopen. In de ene hand droeg ze een grote beker koffie, in de andere een koffiebroodje. Ze had een plat leren koffertje bij zich, dat ze elke keer naar haar gezicht moest tillen als ze een slok nam. Ze had een drukke dag voor de boeg, en elke seconde die ze kon besparen betekende een extra beetje avondrust in de koele privacy van haar flat.

Sarah nam een slok koffie, en het koffertje belemmerde haar zicht weer. Even zag ze de verschillende schaalgrootten voor zich van een aanval op een dode persoon. Na de penetratie van stompe kogels of het steken van scherpe messen kwam de autopsie. Sandra Bantams schedel zou worden opengesneden met een cirkelzaag, haar hersens eruit getrokken, haar borstholte ingesneden met scalpels en zagen, haar borstbeen gebroken, ribben gekraakt, haken zouden het vlees scheuren... moord leek daarbij vergeleken maar tam. In dokter Bantams geval was de aanval echter niet gepleegd met een onmiddellijke kogel of een snel mes. Sarah huiverde ondanks de toenemende warmte. De autopsie had bevestigd dat ze langzaam en wanhopig was overleden, geen enkele afzonderlijke wond voldoende om haar leven te beëindigen.

Verderop, in een steeg tegenover de garage-ingang van GeneCrime, lag een zwerver onderuit op straat. Sarah nam een hap van haar broodje en bedacht dat de aanval op Sandra nog altijd niet voorbij was. Kleine stukjes van dokter Bantam, die een paar maanden eerder had besloten GeneCrime te verlaten, waren nu teruggekeerd naar haar vroegere lab. Ze zaten in koude buisjes, in strenge vriezers, op de werkbank waar zij vroeger haar ellebogen op zette. Haar lichaam was mishandeld en gebroken door zowel aanvaller als patholoog, en nu was het tijd om de forensische wetenschap een poging te laten wagen. Huid- en haarcellen zouden worden verdronken in fenolische vloeistoffen, geplet in homogeniseerders, gebroken met ultrasone apparaten, opengeknaagd door enzymen. De moleculen die haar in leven hadden gehouden zouden eruit worden gescheurd en met starende lasers worden bekeken. Op een minuscuul niveau werd dokter Sandra Bantam atoom voor atoom ontleed.

Vandaag stonden er diverse vergaderingen op de agenda met de forensische afdeling, Pathologie en het CID. Omdat ze een oud-collega was, zou Sandra's dood extra grondig worden onderzocht. Het verhaal had de meeste kranten gehaald, en dat leidde er vaak toe dat er meer fondsen beschikbaar kwamen voor het onderzoek, alsof de politie door de media werd gefinancierd en elk stukje krantenpagina een extra manuur aan het onderzoek doneerde. Sarah Hirst fronste haar voorhoofd en probeerde nog een fatsoenlijke hap van haar broodje te nemen. Ze was nog maar een paar meter van de zwerver verwijderd. Ze merkte nu voor het eerst op dat er iets niet klopte. De man lag op zijn buik, en er zat bloed in zijn pikzwarte haar. Sarah bleef staan en keek om zich heen. De straat was verlaten. Even raakte ze in paniek. Het ging tegen haar intuïtie in om versterking op te roepen zonder haar politieradio. In plaats daarvan pakte ze haar mobiele telefoon en belde het alarmnummer. Zelfs van deze afstand zag ze dat hij dood was.

'Politie,' zei ze in haar mobieltje. 'Met hoofdinspecteur Sarah Hirst, Euston CID. Ik heb een man op straat gevonden, kennelijk dood. Ik verzoek om een ambulance en versterking.' Ondanks de burgercontext vond Sarah het moeilijk om de situatie in normale burgertaal uit te leggen. 'Ja, ik blijf ter plaatse. Begrepen.' Ze tuurde in kille agitatie heen en weer door de straat en stapte bij het lijk weg. Een veegwagentje kwam de hoek om, de borstels sloegen vuil op uit de goot en het afzuigsysteem slokte het puin van het passerende leven op. Ze verbrak de verbinding en keek naar het voertuig terwijl het argeloos passeerde, het lijk maar een paar meter buiten het bereik van de vastberaden schoonmaakborstels.

Sarah keek naar haar telefoon en vloekte. Dit zou tijd kosten. Haar dag zou nu nog voller zijn. Ze spitste haar oren, maar ze hoorde geen sirenes. Ze zeggen dat je de ambulance die jou komt halen nooit hoort. Een paar auto's reden GeneCrime in, bijna achter elkaar aan. Een ervan werd bestuurd door Phil Kemp, en Sarah voelde een korte vlaag van irritatie. Ze zag hem in bijna alle opzichten als een inferieure agent, en toch scheen hij bij alle gelegenheden te proberen haar te passeren. Sarah hield zich voor dat ze harder moest zijn dan hij, killer dan hij, meedogenlozer dan hij als ze uiteindelijk de baas wilde worden bij GeneCrime.

Ze troostte zich er even mee dat haar tegenstander zwaktes had die ze kon gebruiken. Een ambulance reed de straat in en ze zag een politie-auto naderen op de kruising erachter. Ze zuchtte van verlichting. Nog vijf minuten en dan kon ze hier weg.

De eerste die haar aansprak was een vrouwelijke ambulanceverpleegkundige, die kalm naar het lijk liep en de neiging weerstond het aan te raken. Toen keerde ze naar de ambulance terug om een deken te halen. Ze drapeerde het glanzende zwarte materiaal over het lijk heen en zei tegen Sarah: 'Een paar uur te laat.'

Sarah knikte, niet wetend wat ze moest zeggen.

'U hebt hem gevonden?'

'Ja.'

'Oké. Ga je gang, jongens.' De verpleegkundige wenkte twee politiemannen die uit de auto stapten.

'Oké mevrouw,' begon de eerste. 'Het kan een beetje een schok zijn om een lijk te vinden. Neem maar gerust de tijd en vertel me wat hier precies is gebeurd.'

Sarah zweeg even. Er was niets gebeurd. Ze had gewoon een dode man op straat gevonden.

'Als u even wilt zitten...'

'Het gaat wel. Echt.' Sarah weerstond de neiging om op haar strepen te gaan staan. Ze wist dat ze zou genieten van de goedkope spanning, en een groot deel van haar wilde zeggen: 'Ik ben hoofdinspecteur, schat. Ik heb mensen gezien die verminkt waren op manieren die jij je met je drieëntwintig jaar oude brein niet eens kunt voorstellen. Dus sodemieter op met al die gevoelige-vrouwonzin.' In plaats daarvan zei ze: 'Luister, ik werk bij de politie, net als jullie. Ik kwam hier een kwartier geleden aan en die vent lag op straat.'

Er voltrok zich een onmiddellijke verandering in lichaamstaal. De twee agenten glimlachten, stopten hun notitieblokjes weg en begonnen te kletsen. Sarah vertelde hun alles wat ze wist, en ze gaven die informatie over de radio door aan het bureau. Uiteindelijk gaf ze hun haar telefoonnummer op kantoor en liet hen achter, met op de een of andere manier een goed gevoel over zichzelf. Er was eens een liedje van Morissey geweest dat ze leuk vond. 'I Keep Mine Hidden'. Ze floot het terwijl ze via de parkeergarage GeneCrime binnenging.

Even na de lunch kwam het telefoontje dat het leven van Sarah Hirst voor altijd zou veranderen.

Het was een hectische, drukke, moeizame, tweedracht zaaiende ochtend geweest. Vergaderingen tussen het CID, Pathologie, Plaatsen-Delict en de forensische afdeling hadden meer problemen aan het licht gebracht dan opgelost. Sarah zat met een gevoel van verslagenheid in haar kantoor en dubbelklikte op de bestanden die naar haar waren doorgestuurd. Degene waarbij ze stopte toonde de binnenkant van het badkamerkastje in Sandra Bantams huis. Terwijl ze digitale afbeeldingen van de code bekeek, vergroot en verscherpt, in normaal licht en onder UV, drongen de implicaties weer tot haar door en maakten haar aan het zweten. De boodschap was gecontroleerd en nog eens gecontroleerd op dubbelzinnigheden en fouten. De uiteindelijke taak die dokter Bantams bloed had uitgevoerd, terwijl haar leven weglekte, was het spellen van de woorden: GENE.CRIMES.WORDT.TERUGBETAALD. Sarah veegde met de rug van haar hand wat stof van het scherm. De letters straalden haar met hernieuwde ijver tegemoet. De rode letters van de code, de zwarte letters van de vertaling. Sinds acht uur waren er ideeën en theorieën over de vergadertafel bij GeneCrime gefluisterd en geschreeuwd. Ze dacht aan de verschillende effecten die de moord op het personeel in het gebouw hadden gehad: het CID opgewonden, gretig, snuffelend als bloedhonden; forensische wetenschappers somber, ruziënd, zorgend dat elke invalshoek werd bekeken voordat conclusies werden getrokken. De telefoon ging en ze griste de hoorn al van de haak voordat hij twee keer was overgegaan.

'Hallo,' antwoordde ze. 'Hoofdinspecteur Hirst.'

Het bleef even stil. 'Agent Davies hier, van de politie van Euston. Het spijt me, mevrouw, ik besefte niet dat u hoofdinspecteur was toen we elkaar vanochtend spraken.'

'Geen punt. Is alles in orde?'

'Ik wilde alleen even navraag doen naar het lijk dat u vanochtend op straat vond.'

'Ja?'

Er viel weer een korte stilte. 'Nou, het lijkt erop dat het geen zwerver was. Hij had legitimatie bij zich.'

Sarah staarde naar haar scherm, geërgerd dat deze toestand nog steeds haar dag verstoorde. Ze vermande zich, schudde langzaam haar hoofd, en het telefoonsnoer ratelde tegen haar toetsenbord. Iemand was overleden. Het was een tragedie, geen ongemak. Maar dat was een nevenverschijnsel van het jagen op moordenaars – de dood van een vreemdeling was een normale gebeurtenis geworden, eerder een irritatie dan iets om over van streek te raken. 'Juist,' mompelde ze, niet zeker wat er van haar werd verwacht.

'Het punt is dat we iets in zijn portefeuille hebben gevonden.'

'Wat dan?'

'Een pasje van de forensische eenheid van GeneCrime.'

'Wat voor pasje?' vroeg Sarah kortaf. 'Personeel of bezoeker?'

'Personeel. We denken dat hij misschien een collega van u was.'

De letters op haar computerscherm werden beurtelings onscherp en weer scherp, dansten rond en genoten van hun boodschap. 'Wat...' vroeg Sarah, terwijl een scherpe ademteug tot diep in haar maag doortrok, 'wat is de naam op het pasje?'

'Ik weet niet zeker in welke volgorde het moet. Het zal ofwel Zhang Run ofwel Run Zhang zijn.'

'Run Zhang,' herhaalde ze. Ineens was de naam schokkend en staken de abrupte lettergrepen haar ergens in haar borst. 'O god.'

'U kende de overledene?' vroeg agent Davies.

'Luister goed naar wat ik zeg. Raak het lichaam niet aan. Laat hem waar hij is. Stuur iedereen weg uit de kamer waar hij ligt. Noteer de naam van iedereen die hem heeft aangeraakt. We komen eraan. Waar zitten jullie precies?' Ze schreef het adres op een knalgeel Post It-briefje en gooide de hoorn op de haak.

Terwijl politieprocedures zich rondom rigide gedachtepaden schaarden, racete de rest van haar geest rond, omhoog en omlaag schietend, duikend en verkennend. Ze stond op en haastte zich door de gang naar het kantoor van Phil Kemp, terwijl ideeën en beelden voor haar uit suisden, tegen muren stuiterden en door zware dubbele deuren schopten. Dit moest snel en delicaat worden aangepakt, en terwijl Sarah bij Phil aanklopte, besefte ze wederom dat dat geen sterke punten van hoofdinspecteur Kemp waren. Phil was een ouderwetse diender, recht door zee en direct, maar zich meestal niet bewust van de subtiliteiten van de forensische wetenschap. Toch moesten ze snel zijn. Ze smeet de deur open. Het personeel moest op de hoogte worden gebracht, en bijna tegelijkertijd moest hun worden gevraagd Runs lichaam te onderzoeken, zijn naakte lijk grondig te bekijken, kleine stukjes van hem te verwijderen, stukjes in buisjes en zakjes te schrapen. Net zoals ze bij Sandra hadden gedaan.

Phil keek op van een dikke stapel formulieren, met ogen die vroegen waar het tumult om ging. Sarah zette zich schrap en vertelde hem wat ze wist. Dat ze een ernstig mishandelde man op straat had zien liggen. Dat ze niet verder naar hem had gekeken. Dat de politie hem had geïdentificeerd als Run Zhang. Dat zijn lijk met opzet dicht bij zijn werkplek was gedumpt. Dat dit de tweede moord op een personeelslid van haar was binnen vijf dagen. Dat hoe meer ze erover nadacht, hoe meer het haar onthutste. Iemand vermoordde de forensische wetenschappers van GeneCrime.

GCACGATAGCTTACGGG
AAATCTA**VIJF**GTATTCG
GCTAATCGTCATAACAT

1

Het was stil in het lab. Een drietal machines dat de hele nacht had doorgewerkt ging verder met hun geprogrammeerde taken. Het forensische team van GeneCrime zat op tafels en banken, bedrukt en stil. Toen de personeelsleden binnen waren gekomen, hadden ze het stuk voor stuk gehoord. Het nieuws verspreidde zich snel. Een beladen stilte slokte de shock op en scheen die strak om de groep heen te houden. Niemand keek een ander aan, bang om hun eigen verdriet te zien terugstaren. Birgit begon zachtjes te huilen en Judith legde een arm om haar heen. Pauls ogen waren vochtig, net als die van Jez. Mina had stevig haar hand voor haar open mond geslagen. Simon fluisterde steeds 'shit shit shit' in zichzelf. Er was een lege plek waar Runs gedeelte van de werkbank was geweest, een gedeelte dat was gemarkeerd met een stuk tape met zijn naam erop. Drie pipetjes van hem lagen verloren op hun kant. Mina pakte ze op en schoof ze in een la.

'Je zult je wel afvragen waar je in godsnaam aan begonnen bent,' zei Bernie tegen Paul Mackay, waarmee hij de stilte verbrak. 'Je bent hier pas vier maanden, en al twee van ons zijn pijp uit.'

'Een beetje,' antwoordde dokter Mackay onzeker.

'Luister, als ik de volgende ben, beloof dan dat jullie voorzichtig met me zijn. Gebruik iets zonder fenol erin. Een Qiagen-kolom, misschien. En een paar van die lekkere staafjes met zachte toppen.'

'Bernie?' zei Mina.

'Ja?'

'Hou je kop.'

'Ik probeer alleen de stemming wat te verlichten.'

'Flikker op. Run is dood. En Sandra ook. Ik weet niet hoe het met jullie zit, maar ik vind dit doodeng.'

'Kom op, mensen gaan zo vaak dood. Raken we van streek als er een jong meisje wordt verminkt en wij er met onze groezelige handschoenen aanzitten?'

'Ik ga niet eens uitleggen waarom dat iets anders is. Als je dat niet begrijpt, wil ik echt niet meer met je samenwerken.'

Bernie keek om zich heen naar de groep en berekende zijn reactie aan de hand van hun lichaamstaal. Mina loerde, Judith wreef over haar gezicht, Jez was bleek, Simon somber, Paul krabde op zijn hoofd, Birgits ogen liepen weer vol tranen. 'Sorry,' mompelde hij. De waarheid was dat niemand wist hoe ze moesten reageren. Dit was anders. Dit zat onder hun huid, een splinter die door de opperhuid drong, te diep om vast te grijpen. Iemand van hen had het lab verlaten, was naar huis gegaan, was verminkt en gefolterd, en was toen bij hen teruggekomen in een zak. Erger nog, tot zijn dood had hij kleine stukjes onderzocht van een vroegere collega. Nu zou hij worden opgeslokt door het lab van GeneCrime en zelf uit elkaar worden geplukt. Niemand wilde hem aanraken. De onuitgesproken vraag lekte door de groep heen. Was Run vermoord omdat hij de wetenschapper was geweest die het meest aan Sandra Bantam had gewerkt? En zou een onderzoek op Run volgens die gedachte leiden tot een gelijksoortig risico? Als dat zo was, dan wierp dat nog onrustbarender vragen op. 'Luister, we begrijpen allemaal de aard van het toeval, toch?' vroeg Bernie, wanhopig pogend zijn verontschuldiging achter zich te laten, die in de lucht hing als de geur van formaline.

Een paar schouders werden opgehaald en hier en daar klonk 'tuurlijk'.

'Een collega van ons die is... vermoord, dat kunnen we uitrekenen. Jez, hoeveel moorden in Londen vorig jaar?'

'Tweehonderd, min of meer,' antwoordde Jez zachtjes.

'Juist. En de bevolking?'

'Zeg acht miljoen.'

'Dus de kans dat een van ons – Reubens oude team van tien, plus of minus – sterft door geweld is... iemand?'

Simon, die de afgelopen paar tellen somber op de toetsen van een rekenmachine had zitten drukken, antwoordde: 'Eén op de vierduizend.'

'Oké, dan nu het voor de hand liggende. De kans dat twéé van ons sterven.'

'Eén op zestien miljoen,' antwoordde Judith.

Er viel een stilte. Op de achtergrond zoemde een TaqMan 7500 zich een weg door een monsterscan. Simon, Mina, Paul, Jez, Birgit, Judith en Bernie vonden redenen om elkaar niet aan te kijken. Binnen enkele minuten na het nieuws over Run hadden ze allemaal in stilte de berekeningen gemaakt. Toch was de boodschap helder. Die hardop horen was een bevestiging. Cijfers logen niet. De machine voltooide zijn taak en viel nadrukkelijk stil. Birgit verbrak de stilte.

'We hebben geen statistieken nodig. Ik denk dat we het gewoon wetenschappelijk moeten aanpakken. Volgens de enige manier die we kennen.' Ze depte haar ogen met een tissue. 'Maar we zien allemaal in dat Run en Sandra hetzelfde patroon vertonen. Een vent van het CID zei dat hij niet dacht dat Run snel was gedood.'

'Waarom zeg je het niet gewoon, Birgit?'
'Dat zou niet nodig moeten zijn.'
'Je bedoelt –' Mina werd in de rede gevallen door de blaffende stem van Phil Kemp, die geruisloos het lab binnen was gekomen.
'Vergaderkamer. Nu. Jullie allemaal,' droeg hij op. Hij bekeek de groep en zijn houding verzachtte. 'We hebben jullie imposante hersens nodig,' legde hij uit, terwijl hij zich omdraaide en weer wegliep. Ze liepen in een rij achter hem aan en wisselden vragende blikken uit.
De vergaderkamer was lang en smal, en als er een tweede deur in had gezeten, had hij bijna kunnen doorgaan voor een gang. Een glanzend gewreven tafel liep van het ene uiteinde bijna tot het andere, waardoor er weinig bewegingsruimte overbleef. Vergaderingen in deze kamer voelden intens en claustrofobisch, zelfs als ze informeel waren. De ruimte moedigde eerder aan tot ruzie dan tot discussie, confrontatie in plaats van samenwerking. De leden van het forensisch team schuifelden langs een kant van de kamer en gingen zitten. Tegenover hen zat het CID, onbewogen, poppetjes tekenend, kletsend. Aan de uiteinden van de tafel zaten hoofdinspecteur Sarah Hirst en hoofdinspecteur Phil Kemp.
Phil begon. 'Oké, laten we dit doorspreken. Sarah, wat hebben we?'
Sarah werd gegrepen door een kortstondige ergernis. Eigenlijk zou zij de vergaderingen moeten voorzitten, de bevelen moeten geven. Terwijl de irritatie haar langzaam losliet, haalde ze de relevante informatie tevoorschijn op haar laptop, haar vingers gleden over de trackball. Twintig gezichten sloegen haar aandachtig gade, hongerend naar informatie, bang voor wat ze mogelijk zouden ontdekken. 'Zo,' begon ze. 'Aangezien Runs lichaam vanmorgen vroeg is gevonden, hebben we alleen tijd gehad om ruwe testen te runnen... te verwerken.' Sarah keek op en tuurde rond in de kamer, haar gezicht kil en ongeëmotioneerd. 'Ik denk dat we allemaal het recht hebben om van slag te zijn over de recente gebeurtenissen. Maar we moeten die overwegingen aan de kant zetten. Ik neem aan dat ik dat niet hoef uit te leggen. We moeten snel werken. Dit zal hard klinken, maar er is later tijd om te rouwen.'
'Dat klopt,' voegde Phil eraan toe, om haar te steunen vanaf het andere uiteinde van de tafel. 'We zijn in contact met Slachtofferhulp. En we praten over vierentwintiguursbescherming voor jullie allemaal. Maar voordat het hoofdbureau dat goedkeurt, hebben we zekerheid nodig. Dus moeten we elkaar steunen. Wetenschappers worden waar mogelijk begeleid door CID-personeel. We hebben antwoorden nodig, en snel. Want als we die niet vinden, nou...' Hij keek naar de afgekloven nagels, de verwijde pupillen, de opeengeklemde kaken, en besefte dat hij de gevolgen niet hoefde te benoemen.

'Laten we eens kijken naar wat we weten.' Sarah opende een bestand op haar computer. 'Het lijkt erop dat Run thuis is vermoord en toen op straat voor GeneCrime is gedumpt. Er zijn ook bewijzen, zoals veel van jullie misschien al hebben gehoord, van foltering. Het is nog vroeg – er zijn technisch rechercheurs ter plaatse, en sommigen van jullie zal worden gevraagd er ook nog heen te gaan – maar een tijdspanne zoals die bij Sandra Bantam lijkt mogelijk. We denken dat we wel DNA kunnen vinden op het lichaam. En er is nog iets anders...' Sarah liet de woorden in de lucht hangen en het smerige werk voor haar doen, de aanwezigen voorbereiden op het nieuws.

'Wat dan?' vroeg Jez Hethrington-Andrews.

'Nog meer code.'

'Wat staat er?'

Sarah stak een USB-kabel in haar laptop. 'Sommigen van jullie willen deze beelden misschien liever niet zien.'

De meeste aanwezigen in de kamer keken langs Sarah naar het scherm achter haar. Er was een afbeelding op geprojecteerd van een bovenlichaam, met de armen, benen en het hoofd buiten beeld. 'De patholoog heeft heel snel gekeken. Ze is er min of meer zeker van dat de letters in hem zijn gesneden met een scalpel of modelleermes.'

'En?'

'Hij leefde nog toen dat gebeurde. Het bloed is later weggeveegd.'

Zelfs de leden van het forensisch team die niet naar het scherm hadden gekeken, richtten er onmiddellijk hun blik op. Sarah bladerde door een reeks kleurenfoto's, waarop het lichaam horizontaal, verticaal en vanaf de zijkant te zien was. Verschillende aanwezigen slaakten kreten, niet voorbereid op de gruwelijke beelden. De foto's kwamen tot stilstand bij een rechtopstaand beeld, alsof Run vergroot voor in de vergaderkamer stond. Het was duidelijk wat voor soort code hij precies droeg.

'Wat staat er?' vroeg een van de onaangeslagen CID-leden, starend over de tafel.

De leden van het forensisch team zwegen. Simon rende de kamer uit, op de hielen gevolgd door Jez. Phil keek aandachtig toe en merkte voor de tweede keer in een week tijd de kloof op tussen de persoonlijkheden van de twee kanten van GeneCrime. De deur ging weer open, en Simon verscheen met een dik theorieboek. Hij ging zitten en begon afwisselend naar het scherm te turen en op een vel papier te krabbelen.

Phil zei: 'Oké, terwijl dokter Jankowski daaraan werkt, hebben we een strategie nodig. Sarah en ik hebben het erover gehad, en we hebben een idee. Voel je vrij om commentaar te leveren.' Alle ogen waren op Simon gericht, wiens hoofd draaide tussen de scalpelwonden op Runs bleke lichaam en de opengeslagen witte bladzijde van zijn boek. Phils onbewogen stem ging toch verder. 'Ten eerste moeten we vaststellen of Run en Sandra door dezelfde persoon zijn vermoord. Over een paar minuten gaat de helft van het team naar Runs huis voor een grondige doorzoeking, terwijl de andere helft hier blijft en zijn lichaam onderzoekt.' Simon krabbelde woest, kraste dingen door en krabbelde weer verder. 'Dan hergroeperen we en splitsen we ons op in twee groepen, het forensisch team onder mijn leiding en het CID onder die van Sarah. De forensische dienst, met ondersteuning van het CID, gaat vroegere veroordelingen door GeneCrime bekijken.' Dokter Jankowski bewoog zijn potlood snel over de bladzijde, alsof hij een berekening deed. Zijn gezichtsuitdrukking was een mengeling van intense concentratie en verwondering. 'Het CID zal, met gebruikmaking van de DNA-bewijzen die we dan hebben, werken vanuit het standpunt dat de moordenaar iemand is die we niet kennen.' Phil keek op. De twintig leden van GeneCrime keken allemaal naar Simon. Hij volgde hun blik. Simon zat stram rechtop. Hij was bleek en straalde een plotselinge geschokte vermoeidheid uit. 'Wat is er?' vroeg hij.

Dokter Simon Jankowski stond op en liep naar een whiteboard bij het verduisterde raam. Zijn ogen waren half dicht en hij leek bijna te slaapwandelen. Hij pakte een stift en haalde de dop eraf. Toen begon hij te schrijven, langzaam en zorgvuldig, van links naar rechts, in rode blokletters die pijnlijk piepten met elke beweging van de pen.

'IKKMACHTRGCAAN'.

'Wat moet dat nou weer voorstellen?' vroeg Phil Kemp.

Mina Ali jammerde zachtjes. Bernie Harrison beet in het vlezige gedeelte van zijn wijsvinger. De CID-leden verschoven onbehaaglijk. Sarah Hirst tuurde door de letters en zag de boodschap bijna, terwijl haar hersenen wanhopig leemtes vulden en medeklinkers verschoven.

'De genetische code barst van de redundantie,' mompelde Simon. 'Het alfabet heeft zesentwintig letters, maar slechts twintig aminozuren. Dus kun je niet alles spellen in DNA.'

'Welke ontbreken er?' vroeg Sarah.

'J, U, X, Y, Z en' – Simon wreef over zijn gezicht – 'belangrijker nog, de E en de O.'

Sarahs gezichtsuitdrukking veranderde. 'Shit,' fluisterde ze.

Simon voegde een paar piepende letters toe, en het CID probeerde ze uit, hun monden gingen open en dicht, vormden zich om de klinkers en spuugden de medeklinkers uit.

'Wat is GC?' vroeg een van hen.

'GeneCrime.'

Hoofdinspecteur Kemp balde zijn vuisten en sloeg op tafel. 'Ik kom achter GeneCrime aan.' Zijn woorden bleven hangen in de ijle, airconditionede atmosfeer en werden in de kamer rond geblazen. 'Ik kom achter GeneCrime aan,' herhaalde hij ongelovig. 'Vergeet het maar, schat. Wíj komen achter jóú aan.'

Sarah sloot haar laptop. Phils uitbarsting had overtuiging ontbeerd. Sarah wist het; Phil wist het; iedereen die het had gehoord wist het. Hij was niet in staat geweest de onzekerheid uit zijn stem te weren. De leden van het forensisch team schoven heen en weer op hun stoel. Iemand van het CID schreef de woorden op. Jez kwam weer binnen. Phil liet zich voorzichtig in zijn stoel zakken. En de letters op het whiteboard straalden met de vette rode krassen van een onheilstijding.

2

In de slaapkamer op de vierde verdieping van een flat in King's Cross werden de bewegingen van zes politieagenten stroboscopisch verlicht door meerdere cameraflitsen. Op het bed onthulde een donker kersenkleurige omtrek de plek waar Run Zhang was gemarteld. Het leek alsof iemand met een verfkwast rondom zijn torso had gedept, waardoor een wit patroon in een rood kader op het laken was ontstaan.

De kamer verraadde dat de bewoner ver van huis was. De meubels waren goedkoop en slap, bedoeld voor de korte termijn. Het bed was weinig meer dan een matras op de vloer. Een gammele tafel met wankele poten stond onder het raam, dat gedeeltelijk was afgedekt met een blauw laken. In een hoek stond een minidiskspeler met draagbare luidsprekertjes. In de kast hing een hoeveelheid kleren die in een koffer zou passen, allemaal netjes gestreken en opgehangen. Er stonden geen boeken in de boekenkast, maar twee dikke boeken met de titels *Engels voor alledag* en *Kantonees-Engels/Engels-Kantonees* lagen op de vloer. Toch voelde de kamer niet leeg aan. Een drukke collage van foto's sierde de muren. Foto's van Run, van zijn familie, van baby's, tantes, grootmoeders, ooms, neven en nichten, zusters en broers; van huisdieren, klasgenoten, toeristische plekken, woningen en gebouwen; van grote open ruimtes en groen platteland; van fietsen en auto's; van uitjes en feesten en ceremonies. Runs hele leven in een ander land verlichtte de muren als miniatuurvensters.

Een CID-lid snuffelde aan een geopend colablikje. Drie leden van de forensische afdeling onderzochten het bed in grondig detail, praatten af en toe op gedempte toon, en flarden van hun gesprek zweefden door de kamer. De CID-agent gaf een paar monsterzakjes aan Phil Kemp, die zojuist was binnengekomen.

Simon Jankowski liet de foto's waarnaar hij had staan staren achter en liep naar zijn baas toe. 'Phil, ik bedenk net iets,' zei hij.

'Wat dan?'

'Of we de moordenaar misschien niet al kennen.'

Phil keek hem aan. 'Ik denk niet dat we dat verband al kunnen leggen.'

'Reken maar na.'

'Dit is geen statistiek, dit is het echte leven. Als de moordenaar echt achter leden van GeneCrime aan zat, waarom zou hij Sandra dan pakken, die was vertrokken om een gezin te stichten? Zo simpel kan het niet zijn.'

'Hoe dan ook, wat ga je met ons doen?'

'Waar doel je op?'

'Bescherming.'

'Daar zijn we mee bezig. Maar denk eraan, vierentwintig uur per dag op een groep van dertig forensisch wetenschappers, CID en ondersteunend personeel passen is gewoon niet zo eenvoudig.' Phil glimlachte geruststellend. 'Laten we het hier voorlopig maar afronden. Sarah is net aangekomen. Ze heeft een paar dossiers doorgespit. Kom naar ons toe als je hier klaar bent.'

Een voor een volgden de wetenschappers Phil Kemp door een korte, vergelende gang die uitkwam in de woonkamer. Hun witte pakken schraapten langs de muren, blauwe schoenhoesjes ruisten met elke stap. Ze zweetten allemaal hevig in hun pakken die de transpiratie binnenhielden, weg van de plaats delict. Stroompjes vocht liepen over hun voorhoofd en trokken in de katoenen maskers over hun mond. In de woonkamer zagen ze de overvolle asbak op de vloer, de twee halflege mokken thee op de salontafel en de lege doosjes van Chinees afhaaleten op de bank.

Een technicus van de politie sloot haastig een videoprojector op een laptop aan om beelden op een muur te projecteren waar diverse foto's van Run en zijn familie hingen. In een hoek van de kamer wisselde hoofdinspecteur Sarah Hirst op gedempte toon gespannen woorden met Phil Kemp. Ondanks het belang van de plaats delict droeg geen van beide officieren beschermende kleding, een visuele herinnering aan het gegeven dat ze uitstegen boven forensische besmetting. Terwijl de kamer zich vulde, keerden ze zich om naar de witte massa van CID-leden en wetenschappers. Sarah knikte naar Phil, en hij nam het woord.

'Oké. Wat denken we tot nu toe? Zoals ik het zie heeft dezelfde persoon, waarschijnlijk een man, beide moorden gepleegd. Hij heeft iets tegen GeneCrime. Dit is dus ofwel iemand die we eerder hebben gearresteerd of iemand die we nu proberen te arresteren. Ik weet dat Sarah daar zo haar ideeën over heeft.'

'Er zijn natuurlijk nog twee andere mogelijkheden,' zei Sarah tegen de aanwezigen, terwijl ze Phil vanuit haar ooghoeken in de gaten hield. 'Ten eerste kan het iemand zijn die we nog nooit zijn tegengekomen. Een kerel met een antipathie tegen de forensische wetenschap in het algemeen, die weet dat GeneCrime pionier is in nieuwe ontwikkelingen, die een morele of ethische vendetta voert.'

Phil leek niet onder de indruk. 'En de tweede?'

Sarah zweeg even en nam het ongemak van het verzamelde personeel in zich op. Ze gebaarde dat ze hun mondmaskers konden laten zakken. Gezichten kwamen tot leven toen de bedekking werd verwijderd. 'Dat het iemand binnen GeneCrime is. Misschien wel iemand in deze kamer.'

Phil, die onderuitgezakt had gestaan, rechtte zijn rug. 'Wacht eens even...'

'Luister, de moordenaar wist waar Run en Sandra woonden. Er was geen spoor van inbraak, dus ze kenden hun aanvaller. En wat is het enige wat Run en Sandra gemeen hebben? GeneCrime.'

Wetenschappers en CID-leden keken naar elkaar. Na een beladen stilte zei Phil Kemp: 'Oké, dit valt op te lossen. Iedereen schrijft op een stukje papier waar hij of zij was ten tijde van de beide moorden. Zet het telefoonnummer erbij van iemand die dat kan bevestigen. Geef de papiertjes door aan Sarah en mij. Ondertussen zal Sarah jullie bijpraten over wat het CID heeft gevonden.'

'Juist. Laten we eerst kijken naar het eerste en meest waarschijnlijke scenario, dat de dader iemand is met wie we in het verleden te maken hebben gehad. Terwijl de forensische afdeling druk is geweest in het lab en in Runs huis, heeft het CID oude zaken bekeken, en we hebben een shortlist gemaakt.' Sarah draaide zich om naar haar laptop, die boven op de televisie stond. 'Oké, op het scherm' – ze draaide zich om om te zien of het beeld werd geprojecteerd – 'zien jullie verdachte nummer één. Jattinder Kumar, tweeëndertig, verblijfplaats onbekend, negen maanden geleden uit de gevangenis ontsnapt.' Jattinder Kumars korrelige gezicht verscheen, enorm vergroot, met huidporiën als zwarte gaten. Door de foto heen waren twee ingelijste foto's te zien van Run met zijn armen om een glimlachende, oosterse vrouw op leeftijd. 'Kumar zat gevangen voor de moord op een politieagent, en hij maakte tijdens de rechtszaak ophef over dat er met de DNA-bewijzen was geknoeid.' Sarah scrolde naar de volgende foto. 'Verdachte nummer twee, Stephen Jacobs, voormalig biologieleraar, had een leerling verkracht. Hij is recentelijk vrijgekomen, en hij probeerde – zoals sommigen van jullie misschien nog weten – het genetische bewijs te omzeilen door DNA uit zalmsperma bij zijn slachtoffer in te spuiten. Fijne vent.' Ze bladerde naar het volgende beeld. 'Drie, Lars Besser, ook onlangs vrijgekomen, heeft gevangengezeten voor moord en twee ernstige mishandelingen, uitsluitend vervolgd op basis van genetisch bewijs. Hij bleef volhouden dat hij onschuldig was, maar dat doen ze allemaal, hè?' Sarah keek rond in de kamer en zag CID-leden instemmend knikken. 'Verdachte nummer vier, Mark Gelson, nooit met succes aangeklaagd of op DNA getest, nu en vroeger onder surveillance van GeneCrime. Verblijfplaats onbekend, waarschijnlijk de moordenaar van twee politie-informanten, een van de hoogste prioriteiten van de gemeentepolitie op het moment.'

'Waarom Gelson?' vroeg Birgit Kasper.

'We hebben anonieme doodsbedreigingen gekregen. Een van de telefoontjes is gepleegd vanuit de flat van de man die aan de muur was gespijkerd. Weten jullie nog?'

'Kan het niet vergeten.'

'Precies. We denken dat Gelson ter plaatse was, en de beltijd komt overeen met de camerabeelden die we van hem hebben in die wijk. En belangrijker nog, er was bewijs van verminking en foltering. Het slachtoffer was met een mes bewerkt, voornamelijk op zijn bovenlichaam. Pathologie heeft ook inwendige kneuzingen gevonden. Geen doorsnee moordenaar.'

'Hebben we wel een profiel van hem?'

'Hij heeft tot nu toe geluk gehad. Zelfs toen we zijn huis uitkamden hebben we niets doorslaggevends gevonden, waarschijnlijk door het grote aantal bezoekers dat naar we denken bij hem kwam. En wat de plaats delict betreft, dat was in feite een crackhuis waar tientallen mensen elke dag de deur plat wankelden.'

'Dit is misschien een voor de hand liggende vraag,' begon een vrouwelijke CID-agent die zweet van haar bovenlip veegde, 'maar hoe zit het met de andere verdachten? Hebben we DNA, en zo ja, komt dat overeen met monsters van Sandra en Run?'

'Daarin ligt de schitterende ironie. Mina... wil jij ons op de hoogte brengen?'

Mina Ali keek van Bernie, die technisch gesproken senioriteit over haar had, naar Phil Kemp, die de leiding had over Reubens oude afdeling. 'Sandra's DNA werd behandeld door Run,' legde ze uit. 'We werken terug door zijn aantekeningen, maar dat kost tijd. En we zijn nog maar pas begonnen Run zelf te verwerken. Dus de wieltjes draaien, maar we gaan nog nergens naartoe.'

Bernie, die gekwetst keek omdat hem niets was gevraagd, voelde de behoefte om eraan toe te voegen: 'Dus een vooraanstaande forensische eenheid moet plotseling afgaan op ouderwets politiewerk.'

Sarah drukte op de laatste knop, waarmee ze alle vier de afbeeldingen op de muur projecteerde. 'Ik denk dat dit voorlopig onze beste inschatting is, maar misschien komen er nog verdachten bij. Phil?'

'Zijn er nog vragen? We moeten snel werken. We kunnen hulp van buitenaf inroepen – commandant Abner heeft ons twintig personeelsleden aangeboden – maar het verdeel-en-heersprincipe werkt het snelst. Ik ben me ervan bewust dat het niet altijd soepel is gegaan bij GeneCrime en dat er, tja, verdeling is geweest. Wat we nu gaan doen is iets heel anders. We gaan ons opsplitsen in twee nieuwe groepen. Elke groep zal voor de helft bestaan uit CID en voor de andere helft uit leden van het forensisch team. Zo kunnen we op elke mogelijke gebeurtenis reageren. Onder leiding van mij zal team A de leiding hebben over het opsporen van deze vier verdachten. Ons voordeel zal zijn dat we onze man al kennen.'

'En team B, onder leiding van mij,' voegde Sarah eraan toe, 'werkt aan de andere theorie, namelijk dat we de moordenaar niet kennen. We zeven de forensische bewijzen en details van de misdaad terwijl die aan het licht komen, en proberen een profiel van de dader op te bouwen.' Sarah wreef over haar gezicht en voelde een vochtige ongerustheid uit haar huid sijpelen. 'Dus zet de maskers maar weer op. Laten we die smeerlap grijpen.' Ze sloot haar laptop en het beeld op de muur doofde uit, waardoor alleen de foto's van Run achterbleven, glimlachend en tevreden, met zijn armen om zijn moeder heen.

3

Halverwege de ochtend manoeuvreerde Mark Gelson een gestolen Ford Focus langzaam en voorzichtig door het vrij rustige verkeer. Als je op jacht bent – hij glimlachte naar zichzelf in de achteruitkijkspiegel – kun je maar beter rustig aan doen.

Elke klus had zijn conventies en regels. Voor Mark Gelson was regel nummer één om nooit aandacht op zichzelf te vestigen. Daarom reed hij in verschillende onopvallende auto's, droeg hij merkloze kleding en beperkte hij zijn sieraden tot een trouwring. Hij was niet getrouwd en wilde dat ook niet zijn, maar die gouden ring gaf hem een extra laagje van respectabiliteit. Uiterlijk was belangrijk, en hoe onopvallender hij was, hoe gemakkelijker hij door het sluitende net van zijn persoonlijke en beroepsmatige leven kon glippen.

Hoewel de tentakels van Mark Gelsons imperium zich over de halve stad uitspreidden, kwam hij niet vaak zo ver in het zuidoostelijke deel. Soms voelde het hier in Blackheath amper alsof je nog in Londen was. Reizen met het openbaar vervoer zou een stuk sneller zijn gegaan, maar op stations wemelde het van de camera's. Mark Gelsons bewegingen zouden dan helemaal vanaf Charing Cross kunnen zijn gevolgd, een naadloze montage van grijze foto's, een gezicht te midden van continu veranderende menigten. Auto's, vooral kleine, gestolen exemplaren, waren veel moeilijker te volgen.

Mark ging een lange rechte weg langs een park in en zette de auto op een parkeerplaats. Uit de kofferbak haalde hij een sporttas. Hij liep een zijstraat in, door een steegje met een hoog hek erlangs, naar de leveranciersingangen van een rij winkels. Een grijze deur met '11b' erop zat tussen de stalen luiken van naastgelegen winkels gepropt. Waarom, vroeg hij zich zwijgend af, woonden ze verdomme allemaal boven winkels? Mark klopte aan en riep met verdraaide stem: 'Pakketje! Kunt u even tekenen?' Er klonk gestommel op de trap. Hij haalde een klein voorwerp uit de tas en nam het in zijn hand. Nummer 11b ging open en een man gluurde door de kier. 'Hallo, Carlton,' zei Mark, die zich in de deuropening perste zodat de deur niet meer dicht kon. Hij stak een pistool door de spleet. Carlton, gekleed in een trainingspak, spande zijn spieren. Hij draaide zich om en liep stram terug naar binnen.

Boven bleef Carlton onbehaaglijk schuiven onder Mark Gelsons onophoudelijk starende blik. Zijn ongerustheid verhardde tot angst, en hij begon te trillen. Zweet sijpelde uit zijn donkere huid in zijn kleding, lekte door het materiaal en gaf hem een plakkerig gevoel. Mark Gelson hield de gapende loop van zijn pistool als een derde, starend oog op hem gericht.

'Zo, Carlton. Carlton, Carlton, Carlton.'

'Luister, wat je ook wilt...'

'Carlton. Dacht je nou echt dat het zou lukken?'

'Je hoeft het niet van mij aan te nemen...'

Mark Gelson praatte snel, af en toe zonder adem te halen. 'Je dacht echt dat het zou lukken, hè? Een beetje binnen, een beetje buiten.' Er klonk agressie door in zijn woorden, zijn stem was afgemeten en scherp. 'Binnen en buiten. Binnen en buiten.'

'Ik zweer je, geen woord.'

'Weet je, iedereen is lek, Carlton. Niemand kan alles wat ze weten eeuwig binnenhouden. We hebben allemaal onze prijs.' Mark Gelsons bruine ogen werden groter terwijl hij naar zijn medewerker keek. Hij ging met een gretige hand door zijn korte, dikke haar, wreef zijn vingers langs elkaar en voelde de kleverige fusie van menselijk zweet en chemische gel. 'Er is alleen een corrupte smeris voor nodig om hem te noemen.'

'Alsjeblieft, niet zo. Ik zou nooit...'

'Ik kan er niks aan doen dat het persoonlijk wordt. Jij zou er toch vast hetzelfde over denken?'

'Wie je dat ook verteld heeft, hij heeft het mis.'

'Maar ik wil niet dat je onnodig lijdt. Ik zal je vertellen wat ik ga doen. Ik ga een paar brokjes voor jou opwarmen, en een paar voor mij. Hoe klinkt dat?'

'Doe me alsjeblieft geen pijn.'

'Laten we maar beginnen met het feestje. Hou je van feestjes, Carlton?'

'Ik smeek je.'

'Weiger je mijn product? Dat raad ik je af. Ach, wat zeggen ze toch ook alweer altijd? Een magere kok moet je niet vertrouwen. Net zoals je een dealer die zijn eigen drug weigert niet moet vertrouwen.'

'Wat wil je dat ik doe? Zeg het maar, dan doe ik het.'

'Met crack, zoals je heel goed weet, ga je niet alleen uit je dak, je schiet helemaal de lucht in! Zeg het maar als ik het mis heb.'

'Oké. Kom op, geef me die pijp.'

'Aangezien ik netjes opgevoed ben, mag jij eerst. Maar voordat je dat doet, moet ik een paar voorzorgsmaatregelen nemen. Je weet wat een plotselinge high kan doen.' Mark Gelson haalde een paar plastic tie-raps uit zijn zak. Hij sloeg er een om Carltons linkerpols en bevestigde die aan de armleuning van de stoel. Toen drukte hij zijn pistool in Carltons kruis en zei: 'Als je me schopt, naai ik je waar het zeer doet.' Hij gebruikte zijn andere hand om Carltons enkels aan de stoelpoten vast te binden. 'Zo.' Hij grijnsde, pakte een klein ondoorzichtig pijpje, een plastic zak en een aansteker. 'Ik help je het wel vast te houden.' Mark tikte twee witte brokjes, die eruitzagen als gehavende minisuikerklontjes, in de opening van de pijp. Hij bewoog de aansteker eronder met de vlam aan. 'Klaar? Inhaleer maar.'

Carlton inhaleerde in wanhoop en angst. Zijn ogen puilden uit toen hij de rook opzoog, en hij maakte zijn blik geen moment van Mark Gelson los.

'Hoe is hij? Lekker? Zou wel moeten. Dit is het beste product dat ik heb. Je zult wel hebben opgemerkt dat ik zelf maar oversla. Brokjes zijn op weg omhoog best lekker, maar op weg naar beneden is het rotzooi. Dus terwijl jij zo meteen neerkomt, wil ik dat je toekijkt bij wat ik doe en heel goed luistert naar wat ik zeg.' Mark opende de rugzak die hij had meegebracht en begon de inhoud eruit te halen. Hij pakte een wegwerpscalpel met een oranje handvat, een keukenmes van vijftien centimeter lang, een bruin plastic flesje, een rubberen riem uit een automotor en een stuk tuinslang. 'Cocaïne, in wat voor vorm dan ook, maakt je namelijk immuun voor pijn. Maar dat duurt niet lang. Als je neerstort, voel je het wel. We hebben het allemaal meegemaakt. Je drempels verdwijnen. Je wordt gevoeliger. Je zenuwen gillen. Zeg het maar als ik het mis heb.'

'In godsnaam, geef me nog een trekje...'

'Dan zou ik mijn doel voorbijschieten. Dat snap je toch wel? Maar ik ben niet onredelijk. Het leven is vol keuzes. Jij en andere leden van mijn staf hadden de keus tussen samenwerken met de politie om mij te naaien, en besluiten dat niet te doen. Dus hier zijn vijf voorwerpen uit mijn huis, een huis waar ik nu nooit meer naartoe kan. Kies maar welke je wilt.'

'Ik heb niks gedaan. Kom op, geef me nog een hijs...'

'Luister, zoals ik het zie zijn er vijf snelle en eenvoudige manieren om iemand te vermoorden. Schieten. Verdrinken. Wurgen. Steken. Vergiftigen. Heb ik iets overgeslagen?'

'Het was Jonno Machicaran. Jonno is de klootzak bij wie de politie als eerste was.'

'Natuurlijk schaar ik ophanging en verstikking maar even onder wurgen.' Mark Gelsons razendsnelle woorden bleven door de lucht scheuren. 'Weet je, ik groepeer dingen in categorieën. Schieten kan met een pistool, kruisboog, zelfs met een pijl en boog wat mij betreft. Ik denk veel na over dat soort dingen. Dat moet wel in mijn positie. Als er iemand langskomt die je alles wil afpakken, dan moet je beslissen wat je eraan gaat doen. En jij, Carlton, mijn vriend, bent daar een voorbeeld van. Dus wat denk je?'

'Ik kan niet... Ik kan niet nadenken, verdomme,' schreeuwde Carlton. Zijn spuug sproeide zijn paniek in de vochtige lucht.

'Wil je dan dat ík voor je denk? Want dan zal ik denken aan de business die uit elkaar valt, het huis dat ik heb verlaten en de politie die op me jaagt. Ik zal denken aan het feit dat mijn gezicht op de computers van smerissen overal in de gemeente te zien is. Ik zal denken aan de forensische rukkers die mijn kelder uitkammen, zoeken naar het DNA van John Collins en Iqbal Hoe-heet-ie. Door mijn persoonlijke spullen gaan. Mijn brieven, mijn foto's, mijn bankgegevens. Dat ze mijn vloerbedekking eruit rukken, mijn tandenborstel testen, haren uit mijn kam plukken. Smerige mieren die aan me knagen. Weet je hoe dat voelt?' Mark krabde geërgerd aan zijn hoofd. 'Alsof je van binnenuit wordt genaaid. Alsof er stukjes van je af worden gehakt en worden vermalen. Ik zeg je, Carlton, die klootzakken zijn de enige klootzakken die erger zijn dan klootzakken zoals jij.' Hij keek op hem neer. 'Dus weet je welke ik zou kiezen?'

'Niet zo...'

'Ik zou ze alle vijf kiezen. Maar ik ben een voorstander van keuzevrijheid.' Mark Gelson hield op met ijsberen. Hij staarde aandachtig naar Carlton, en de spiertjes in zijn kaken trilden. 'Weet je wat ik daarmee bedoel, Carlton? Ja? Het betekent dat ik geloof in vrijheid, in de vrije keus van mensen. Nu zal ik het je nog een keer vragen. Hoe wil je sterven?'

'Het was Jonno's idee, verdomme.'

'Ik heb je altijd gemogen, Carlton. Je bent slim. Maar ik ben al bij onze vriend Machicaran langs geweest. En raad eens wie hij aanwees als de volgende schakel in de keten? Inderdaad – jou! Nu wordt het echt tijd om te kiezen.'

'Alsjeblieft. Wat je maar wilt! Alsjeblieft.'

'Zie je, op weg hiernaartoe dacht ik al dat je moeite zou hebben met kiezen. Je hebt inmiddels meer dan voldoende gelegenheid gehad om een voorkeur te bepalen. De klok tikt door en ik heb informatie nodig. Ik moet weten wie me nog meer heeft genaaid. Met welke agenten je hebt gepraat en welke forensische monsters er zijn genomen. Dus wordt het tijd om de boel een beetje te versnellen. Steek je vingers uit.'

Carlton balde met witte knokkels zijn vuisten, terwijl hij over zijn hele lichaam trilde. Mark sleurde de stoel naar achteren tegen de muur en stompte hem in zijn maag. Hij pakte een hamer uit zijn tas en legde een betonspijker van vijftien centimeter klaar. Carltons lichaam was slap, en hij haalde raspend adem. Mark Gelson drukte Carltons linkerhand hard tegen de muur, zette snel de spijker tegen zijn handpalm en sloeg er behendig op met de hamer. Carlton schoot een stukje omhoog, draaide zijn hoofd en schreeuwde in de richting van zijn pijn. Mark perste een tennisbal langs zijn tanden en propte die in zijn mond. Hij bekeek de spijker en sloeg er nog eens op, zag hoe die zich door huid, bot en pleisterwerk boorde en in de muur verdween. Carlton schokte en gilde, zijn foltering gedempt door de bal. Mark pakte een balpen van het aanrecht en schreef de getallen een tot en met vijf op de vingers van Carltons hand. Toen liep hij langzaam terug naar zijn gereedschap en pakte het keukenmes. 'Nou, wat zeg je ervan? We laten het mes beslissen.'

Carlton schoof paniekerig heen en weer in zijn stoel en probeerde zijn bloedende hand los te trekken van de muur.

Mark Gelson mikte van een afstand van drie of vier meter. Toen gooide hij het mes. Het miste Carltons hand en stootte een paar centimeter te hoog wat pleisterwerk los. Mark raapte het mes op en wandelde terug voor een volgende poging.

'Weet je wat Jonno heeft gekozen?'

Carlton plaste in zijn broek, met grote ogen, terwijl hij de pezen in zijn pols scheurde in zijn pogingen om zich te bevrijden, en de spijker zijn handpalm uitscheurde.

'Nou, toen hij in een gelijksoortige positie zat als jij, koos hij voor verdrinken. Met een beetje aanmoediging, natuurlijk. In feite,' zei Mark Gelson, die zorgvuldig mikte, 'woonde hij ook boven een winkel.' Hij liet zijn geloken blik door de kamer gaan. 'Maar wel een beter crackhuis dan dit. Hij kreeg zeker meer geld van de politie.' Hij maakte een snelle beweging met zijn pols, het mes tuimelde door de lucht en belandde met het handvat tegen de muur, deze keer een stukje naar rechts. Mark floot. 'Ik kom al dichterbij,' zei hij glimlachend. Carlton gilde door opeengeklemde tanden, terwijl zijn wangen opbolden als die van een trompettist. 'Nu ik erbij stilsta, Jonno verzette zich echt hevig. Ik moest hem behoorlijk toetakelen voordat hij me de namen wilde geven van de rechercheurs met wie hij contact had gehad.' Mark rechtte zijn rug en keek langs het mes. 'Ik mik op je middelvinger, nummer drie,' legde hij uit. 'Schieten. Maar als ik je wijsvinger raak, vind ik vergiftigen ook goed. Ik heb een paar heel interessante pillen. Tien daarvan en je hart ontploft.' Hij gooide nog eens, en het mes sneed in de buitenkant van Carltons duim. 'Nou, nou,' zei hij, terwijl Carlton schudde, gilde en wurmde, 'steken. Wie had dat gedacht? Mijn favoriet!' Hij keek naar het mes in de muur. Een dun spoortje rood lekte van de punt, waar het lemmet in Carltons vinger had gesneden, en vermengde zich met de dikkere vloeistof uit zijn handpalm.

Elke klus had zijn conventies. Regel nummer twee, overpeinsde Mark Gelson, die naar de man toe liep en het mes uit de muur trok, was dat hoe bruter je was, hoe minder problemen je op de lange termijn kreeg. Hij voelde het zware gewicht van het keukenmes in zijn hand. Mark Gelson schudde langzaam zijn hoofd en glimlachte toen hij zich bukte om Carlton aan te kijken. 'Voordat je me de namen geeft van je contactpersonen bij het CID, en voordat je sterft,' zei hij terwijl hij Carltons overhemd openscheurde, 'gaan we eens kijken hoe scherp dit ding is.' Hij trok het mes omlaag, van tepel naar navel, en maakte een ondiepe snee in de donkere huid. Carlton jankte in blinde paniek. 'Wat zeg je?' vroeg Mark. 'Die naam verstond ik niet. Je zult beter je best moeten doen met die tennisbal in je mond. Inspecteur wie?' Hij maakte nog een snee in zijn slachtoffer, deze keer een beetje dieper. 'Wil je het me niet vertellen? Prima.' Hij bekeek het lemmet en grijnsde. 'Dan spelen we nog even.'

Een paar uur later verliet Mark Gelson tevreden de flat. Hij had de volgende naam op zijn lijst.

4

Hoofdinspecteur Philip Kemp probeerde de enorme fysieke gestalte van commandant Abner in één keer helemaal te zien. De commandant, die pal tussen Sarah en hem in stond, torende boven hen uit, zodat Phil zijn nek moest strekken om hem helemaal te zien. De hoekigheid van zijn zwarte uniform, met de vierkante schouders en geperste vouwen, gaf hem een air van graniet, massief en onbeweeglijk, een onheilspellende rotspunt die de lucht in stak.

'Wat wilt u precies weten, commandant?' vroeg Phil.

Robert Abner was een onbewogen en grondig man, eraan gewend om zijn zin te krijgen. 'Laat me zien wat jullie doen.'

Phil keek naar Sarah, die terugstaarde. De onaangekondigde komst van commandant Abner had hen allebei verrast.

'Nou...' begon Sarah.

'Ik wil dat jullie met me door het onderzoek lopen.' Hij draaide zich met een ruk om en liep Sarahs kantoor uit. 'Letterlijk.'

'Oké.' Phil knikte. 'Laten we in de labs beginnen.' Phil stak zijn hand uit om Abner de juiste kant op te sturen, en ze liepen door een gang met vloerbedekking en gingen vervolgens een kale betonnen trap af.

'Ik moet twee dingen weten. Ten eerste wat jullie uitvoeren. En ten tweede wat ik kan doen om te helpen.'

Sarah en Phil kwamen tot stilstand voor een zware witte deur waarop LAB 108 stond. Sarah schraapte haar keel. 'U kunt de forensische taken binnenshuis laten, maar ons helpen met externe dingen.'

'Zoals?'

'We trekken een paar mensen na. De Koreaanse bende, Kieran Hobbs, een paar anderen. Maar we moeten het dichter bij huis zoeken.'

'Ik zal kijken wat ik kan doen.'

'Dit is het eerste van de twee grote forensische laboratoria,' zei Sarah.

'Voorheen onder leiding van dokter Reuben Maitland, toch?'

'Momenteel heb ik de leiding, meneer,' merkte Phil op, die onmiddellijk de gretigheid in zijn stem vervloekte. Robert Abner maakte hem zenuwachtig, gaf hem het gevoel dat hij weer een kind was dat wanhopig verlangde naar aandacht van zijn strenge vader. Phil droeg zichzelf in stilte op rustig te blijven. Pokerface.

Het trio ging naar binnen, vergezeld door een lichte *woesh* toen de negatieve luchtdruk in het lab in evenwicht probeerde te komen met de lucht erbuiten. Binnen waren Bernie Harrison en Mina Ali rustig en ernstig in gesprek, gebogen over een UV-lamp. Ze gingen rechtop staan toen ze hun gasten zagen en knikten begroetend. Achter hen was Judith Meadows bezig een kolf kokende agarose rond te draaien. Aan de linkerkant streek Birgit Kasper met een gehandschoende vinger over het scherm van een monitor en volgde een verticaal patroon van rode en groene strepen. Twee technici vulden een reeks Eppendorf-buisjes met dezelfde diepblauwe oplossing. In de achterste hoek typte Jez Hethrington-Andrews namen en getallen van een vel papier over in een database.

'Waar staan we met de pure forensiek?' vroeg commandant Abner.

'We maken nog steeds een inhaalslag. We werken terug door Runs systeem, dat een beetje onorthodox lijkt, onder ons gezegd.' Sarah blies haar bleke wangen op. 'We proberen erachter te komen wat hij precies wist.'

'En wat wist hij precies?'

'We denken dat hij puur DNA heeft gewonnen van verschillende plekken op Sandra's bovenlichaam, dat allemaal identiek was en dus de betrokkenheid van meer dan één persoon uitsluit. Bernie en Mina controleren aan de hand van de oorspronkelijke monsters of Run geen fouten had gemaakt. Birgit' – Phil knikte in haar richting – 'werkt vanuit het idee dat Runs nieuwe methodologieën kloppen, en zij is een profiel aan het schetsen. Dat zullen we hebben over...'

Birgit draaide zich niet om van haar monitor. 'Vier uur.'

'En dan kunnen we dat vergelijken met de Nationale Forensische Database. Jez voert de gegevens die we hebben al in en stelt zoekparameters op.'

'Mooi. En Run zelf?'

'Judith begint met de eerste monsterpreparaten. Run zou wat sneller moeten gaan omdat we met niets beginnen en niet achteruit hoeven te werken door iemand anders zijn... nou, Runs eigen systeem.'

Commandant Abner tikte met zijn zwarte schoen op de witte laboratoriumvloer en fronste zijn voorhoofd. 'Laten we het maar geen ironie noemen. Wat hebben jullie nog meer voor aanknopingspunten?'

'Laten we even in het tweede lab gaan kijken.'

Robert Abner volgde Phil en Sarah naar het naastgelegen laboratorium, waar Paul Mackay door het dubbele oculair van een stereoscopische microscoop tuurde.

'Dokter Mackay bekijkt grove monsters: haren, vezels, vingerafdrukken en bloedgroepen.'

Paul Mackay keek op, en zijn ogen hadden even moeite om scherp te stellen. Naast hem hield een technicus een rijtje preparaten op een metalen blad vast. Hij verwijderde het preparaat dat hij had bekeken en verruilde het voor een objectglaasje in de hand van de technicus.

'We hebben vrij weinig haren en vezels. En geen enkele vingerafdruk.'

'Dus ondanks de fysieke worsteling was de moordenaar voorzichtig.'

'Het lijkt erop,' antwoordde Sarah, 'hoewel we wel meer dan genoeg bloed en speeksel hebben.' Ze haalde droevig haar schouders op en keek om zich heen in de antiseptische schelheid van de ruimte, waar ze weinig troost vond. Wetenschappers en technici bewogen zich kruipend door ingewikkelde protocollen, ingetogen en mechanisch. 'Luister, ik stel voor dat we naar een van de vergaderkamers gaan.'

De drie agenten verlieten het lab en liepen door een lange gang met vele deuren van houtfineer. Vinyltegels gingen over in dunne blauwe vloerbedekking, en de deuren gingen van houtfineer naar echt hout. Phil Kemp stopte voor een deur, klopte kort en stapte naar binnen. Twee CID-agenten en een paar ondersteunende personeelsleden hadden zich voor een grote flatscreentelevisie verzameld, en nog twee inspecteurs keken aandachtig naar een computerscherm.

'Helen,' zei Sarah, 'heb je even? Zou je commandant Abner kunnen vertellen hoe ons onderzoek verloopt?'

Helen Alders, een slanke, jongensachtige CID-agent met een gestreken blouse en donkere rok, schraapte haar keel. 'Nou, commandant, we volgen onze vier hoofdverdachten door terug te werken door arrestatiegegevens, vroegere adressen en bekende contactpersonen. We doen zoveel mogelijk telefonisch en gaan indien nodig zelf naar de locatie.' Ze wees naar het scherm. 'Wat gemakkelijker gezegd dan gedaan is, bij sommige verdachten.'

'Juist.'

Sarah richtte haar aandacht op een agent die naar zwart-witbeelden in hoge resolutie zat te kijken op het televisiescherm. 'En Callum?'

Callum Samuels keek op van het scherm, waarbij zijn dikke brillenglazen het licht weerspiegelden en tijdelijk zijn ogen verborgen. 'Wat we nu onderzoeken zijn camerabeelden van de straten rondom de huizen van Run en Sandra, in een poging overeenkomsten te vinden met de meest recente foto's die we van onze verdachten hebben. En belangrijker nog, we zoeken ook naar iedereen die op beide plekken lijkt te zijn geweest.'

'Lukt het al?'

'We hebben meer dan driehonderd uur aan beelden.' De ogen verdwenen weer toen inspecteur Samuels zijn hoofd van Phil naar Sarah en weer terug naar de commandant draaide. 'We hebben ze verdeeld. Er zijn nog twee andere agenten met hetzelfde bezig.'

‘Hoe kunnen jullie het dan weten als jullie alle drie dezelfde kerel hebben gezien?’

‘We hebben met de hulp van IT-ondersteuning een systeem ontwikkeld. We digitaliseren alle volwassen mannelijke gezichten die we tegenkomen en voeren in real-time een matchanalyse uit.’

‘Prima.’ Commandant Abner wendde zich tot Sarah en Phil. ‘Wat nog meer?’

Phil Kemp beet op zijn onderlip en dacht na, gretig om te demonstreren dat GeneCrime zijn eigen onderzoek kon uitvoeren. ‘Dus de forensische afdeling en het CID zijn druk bezig. Pathologie is in het mortuarium beneden en onderzoekt welk soort wapen is gebruikt, het patroon van kneuzingen, of de dader handschoenen van latex of vinyl droeg en dat soort dingen. We nemen de lift wel...’

Robert Abner stak zijn grote rechterhand op. ‘Ik krijg de rillingen van mortuaria,’ zei hij. ‘Laten we doorlopen. Hebben we nog iets overgeslagen?’

Phil Kemp had met zijn korte benen moeite om de lange passen van de commandant bij te houden, en hij merkte dat hij bijna draafde. ‘In dit kantoor hier’ – hij wees naar een deur – ‘vergelijken we getuigenverklaringen uit de stamkroegen van Sandra en Run, buurtonderzoeken en de verklaringen van buren.’

Commandant Abner staarde door het kleine ruitje de kamer in, waarbij de adem uit zijn neusgaten condens vormde op het glas. ‘En?’ vroeg hij.

‘Het kost tijd, meneer,’ antwoordde Sarah. ‘We hebben nog niets.’

‘En hier om de hoek, in de commandokamer, zitten nog twee CID-leden en een paar ondersteunende stafleden om te zoeken naar bewijzen van foltering bij slachtoffers in de afgelopen tien jaar, in overleg met havens en luchthavens...’

Commandant Abner bleef staan. Hij keek fronsend naar Sarah Hirst en Phil Kemp. ‘Oké,’ verzuchtte hij terwijl hij zijn das rechttrok. ‘Oké.’ Hij keek naar links en naar rechts. ‘De uitgang is die kant op, toch?’ vroeg hij met een hoofdknik.

‘Langs de beveiligingsbalie, meneer.’

‘Jullie doen alles wat in je macht ligt. Ik wil dat jullie me op de hoogte houden. Ik zal me er niet mee bemoeien, behalve als jullie erom vragen.’ Robert Abner boog zijn nek een stukje om dat te benadrukken. ‘Maar rond dit af, en snel. Ik hoef niet uit te leggen wat dit betekent voor jullie twee en de afdeling als geheel. Twee personeelsleden dood in vijf dagen tijd is geen toeval. Zet je schrap, ik heb hier een heel slecht gevoel over.’

De commandant draaide zich om en beende naar de uitgang van het gebouw, en hij liet Phil en Sarah zwijgend achter.

'Wat denk jij?' vroeg Phil.

'Zoals de man zegt, we doen wat we kunnen.'

'Maar het kost tijd. Als Abner gelijk heeft, als dit nog maar het begin is, dan hebben we snel iets nodig.'

Sarah staarde naar de korrelige vloertegels. 'Weet je,' zei ze, 'misschien is er nog een andere manier. Iets waar we nog niet aan hebben gedacht.'

5

Reuben schuifelde door een smalle gang tussen twee keurige huizen in een buitenwijk. Toen hij een hoek om ging, schraapte zijn jas langs de ruwe bakstenen. Het begon te schemeren. Hij keek op zijn horloge. Bijna acht uur. Twee smalle, naast elkaar gelegen tuinen strekten zich uit achter de identieke huizen, in het midden gespleten door een verweerde grijsbruine schutting. Reuben klom op een klein schuurtje en staarde aandachtig naar de achterste tuin. Hij hoorde stemmen. Hier was meer licht, dat door de terrasdeuren het gazon op stroomde. Een van de stemmen was die van een kind, de andere van een vrouw. Het kind wankelde rond in de tuin, viel om, kroop een stukje, werkte zich overeind en liep weer door. De vrouw probeerde tevergeefs het kind weg te sturen bij de bloembedden en potentiële gevaren. Reuben bleef aandachtig kijken, met een gefronst voorhoofd en glazige, gebiologeerde ogen.

Het kind in de tuin gilde en werd opgetild door zijn moeder. Een man verscheen en sloeg zijn arm om hen heen. Reuben bekeek de locatie nog eens, nu met een breder blikveld. Een rij huizen grensde aan de tuinen. Een of twee lampen brandden achter het melkglas van badkamers: de natie die zijn kinderen in bed stopte. Over een halfuur zou het donker zijn. Hij voelde de bekende mengeling van verlangen en opwinding door zijn lichaam pulseren. Zijn rechterbeen trilde enigszins, tegen een goot gedrukt, en hij bewoog rusteloos zijn kaakspieren. De man liep terug het huis in en de moeder kuste het kind op het hoofd. Reuben haalde meteen de herinnering aan de geur boven. Zoet, weeïg, fris en smeltend. De geur van Joshua's haar. Hem afdrogen nadat hij in bad was geweest. Hij keek omlaag naar de twee. En toen zag ze hem. Ze staarde, aarzelde, tilde de peuter op en droeg hem naar binnen. Reuben klom naar beneden. Hij draaide zich om en wilde wegrennen, maar een stem hield hem tegen.

'Reuben? Ben jij dat?'

Hij bleef met bonzend hart staan, schuldgevoel kleurde zijn wangen rood.

'Reuben?' Lucy liep snel naar hem toe. 'Waar ben jij nou mee bezig?'

'Nergens mee. Ik...'

'Hoe kom je aan dit adres?'

'Sorry.'

'Volg je ons?'

'Nee.' Reuben richtte zich op het zwart van de grond. 'Luister, het was niet moeilijk om Shauns huis te vinden. Het telefoonboek...'

'Maar dat je ons bespioneert!' Lucy brieste van woede. 'Wat jij doet is verboden.'

'Ik spioneerde niet.'

'Allemachtig.'

'Ik keek naar Josh.'

'Dat is hetzelfde, verdomme.'

Reuben staarde zijn vrouw aan. Ondanks de felheid van haar woede zag ze er moe uit. Maar het gezicht was moeilijk te peilen, gladgesleten door te veel aandacht. Als hij naar haar keek, zag hij niet haar steile bruine haar, de koele hazelnootbruine ogen, de volle lippen, de enigszins stompe neus, de kleine kin, de uitstekende jukbeenderen of de te vaak geëpileerde wenkbrauwen. Hij zag alleen maar Lucy, de vrouw die hij een aantal jaren lang elke dag had geobserveerd en daarna niet meer zag. Het was voor hem bijna onmogelijk om te bepalen of ze een aantrekkelijke vrouw was, omdat zijn referentiekader te vertrouwd was om enig perspectief te bieden. Maar er was daar iets. Achter haar zag hij nog net Shaun Graves, die door de terrasdeuren tuurde met Joshua op zijn arm, het enige wat er werkelijk toe deed.

'Maar je hebt een contactverbod.'

'Ik zie je de politie nog niet bellen.'

'Shaun is misschien niet zo goedmoedig.'

'Nee, misschien niet.'

'En god, Reuben, je ziet er verschrikkelijk uit. Wat is er met je gebeurd?'

Reuben zag een uitdrukking van spijt over Lucy's gezicht schieten. 'Moet ik daar nog op antwoorden?'

'Ik bedoel alleen,' Lucy's stem verzachtte, 'wat doe je op het moment?'

'Dat is ingewikkeld. Heel ingewikkeld.' Reuben schraapte met zijn schoen over de grond.

'Hoezo?'

'Toen ik werd ontslagen, was dat in het belang van een heleboel mensen. Ik weet dat ik het verpest heb, maar het leek bijna wel alsof ze me weg wilden hebben.' Reuben besefte dat het hem gemakkelijk afging om met Lucy te praten, een gewoonte waar hij het gedwongen zonder had moeten stellen. 'Je weet nog wel – ze probeerden me op een gegeven moment zelfs op een zijspoor te promoveren.'

'Dus je wilt je oude baan terug? Onderweg een paar mensen laten ontslaan?'

'Ik wil alleen maar weten wat er in vredesnaam gaande is geweest.'

'Heel nobel. Zoals altijd.' Lucy keek achterom. 'Ik denk dat je beter kunt gaan.'

'Oké.'

'En de volgende keer bel ik ze wel.' Lucy draaide zich om en liep de tuin weer in, en vervolgens ging ze het huis binnen.

Reuben trilde. Niet alleen door de ontdekking, maar omdat hij Lucy voor het eerst in maanden weer had gezien en als een normaal mens met haar had gepraat. Hij besefte dat er maar twee minuten in haar aanwezigheid voor nodig waren geweest om een veelheid van onderdrukte gevoelens naar boven te halen. Hij liep langzaam door de smalle steeg en vervloekte zichzelf om de emoties die binnen in hem oprezen alleen door met Lucy te praten en haar in de ogen te kijken.

De scherpe trilling van zijn telefoon sneed diep door zijn onrust heen. De beller hing op zodra hij zei: 'Hallo, met Reuben Maitland.' Hij stopte het mobieltje weer in zijn zak en ging een hoek om. Er stond een man voor hem. Hij was lang en droeg een capuchon, en hij had een mobiele telefoon in de ene hand en een pistool in de andere.

'Zo, Reuben Maitland,' zei de man, die zijn telefoon wegstopte.

Reuben bleef roerloos staan, starend, verstijfd door het gezicht van de vreemdeling, alle gedachten aan Lucy ogenblikkelijk verdwenen.

'Je hebt lopen rotzooien met de verkeerde mensen.' De man grijnsde en twee gouden tanden blikkerden in de schemering.

Reubens adrenaline kwam omhoog en raakte hem als een moker. Flarden van gedachten, vlagen van paniek. Het pistool. Een vreemde. In de val. Tussen twee muren geperst. Geschaduwd worden. De verkeerde mensen.

'Wie?'

De glimlach. Roze, wit, goud. Flitsen van de volgende paar minuten. Invallende duisternis. Liggen in het steegje. Stromend, plakkerig bloed. Forensisch wetenschappers, porrend en tastend. Worden verwérkt. Lucy die de achterdeur op slot deed. Joshua die binnen speelde. Lagen van baksteen ertussen.

'Gewoon mensen.'

Laat je laatste gedachte naar Joshua gaan. De geur van zijn haar. Van zijn huid. De zachtheid.

'Zeg maar dag tegen de wereld.'

De schootsrichting veranderde. De trekker werd overgehaald. De schutter tuurde langs de loop. Reuben sloot zijn ogen toen er een luide knal door de steeg galmde.

6

Er volgde een langzame, vertraagde beweging. De schutter dook naar Reuben toe en raakte de grond. Een hol geluid van schedel tegen beton echode door het gangetje. Reubens zintuigen graaiden naar begrip. Implicaties drongen plotseling tot hem door. Achter de gevallen schutter stond Shaun Graves, met een honkbalknuppel rechtop in zijn handen geklemd.

Reuben staarde naar Shaun Graves en Shaun Graves staarde terug.

'Tering,' zei Reuben.

Shaun zweeg. Hij friemelde met de knuppel, bekeek het ding alsof hij nu pas besefte hoeveel schade je ermee kon aanrichten.

Reuben wist het enige woord uit te brengen dat goed voelde. 'Bedankt.'

Shaun schudde zijn schouders en besefte wat hij zojuist had gedaan. 'De beste manier om me te bedanken is door Lucy verdomme met rust te laten.'

'Zo gemakkelijk is het niet.'

'Ik denk van wel,' antwoordde Shaun, turend naar de bewusteloze man op de grond. 'Maak nu maar snel dat je wegkomt, voordat die smeerlap bij zinnen komt, en ik ook.'

Reuben wierp nog een laatste blik op Shaun Graves, de man die zijn vrouw neukte en een vader was voor zijn kind. De man die zojuist zijn leven had gered. Hij perste zich langs hem heen in de benauwde duisternis. En toen begon hij te rennen. Reuben verliet de steeg op volle snelheid en liep naar zijn geleende auto. Een groot deel van hem wilde omkeren en teruggaan. Hij slikte zijn brandende nieuwsgierigheid weg. Hij deed zijn jas uit omdat hij zweette. De gevolgen van de laatste paar seconden haalden hem in. Hij veegde wat vocht van zijn nek.

Zijn telefoon ging weer. Hij keek op het schermpje, waarop stond 'geen nummer'. Hijgend kwam Reuben bij Judiths auto aan en sprong erin. Hij reed snel weg, terwijl zijn bijnieren *vechten, angst, vluchten* in zijn bloed lieten lekken. Hij keek in de achteruitkijkspiegel. In de schemering zag hij alleen knipperende lichten. Levens die stopten, doorreden en van richting veranderden. Scenario's bleven zich vermengen in de koplampen. Zijn telefoon ging opnieuw. Hij klapte hem open en luisterde.

'Dokter Maitland?'

Reuben kende die stem, maar net als bij de herinnering aan een geur duurde het even voor hij er iets mee kon. 'Met wie spreek ik?' vroeg hij.

Het bleef even stil. De koplampen van tegenliggers schenen in zijn ogen. Hij greep het stuur stevig vast en reed hard. 'Met Sarah Hirst.'

Reuben stuurde naar een bushalte toe, liet de motor draaien en zijn transpiratie bevriezen door de airco, met bonzend hart, zijn hoofd vol met te veel informatie, zijn hele systeem op het punt van instorten. 'Hoe kom je aan dit nummer?'

'Ik heb een paar gunsten verzilverd. Het kostte me een hoop speurwerk.'

'Wat wil je?' mompelde hij.

'Gewoon horen hoe het met je gaat.'

Reuben liet het stuur los en zag dat zijn handen trilden. Ze oscilleerden zoals zijn leven oscilleerde: van Lucy houden, Lucy haten; zijn bestaan bedreigd en gered op hetzelfde moment; zonder het te merken de problemen in en uit lopen. 'Laat dat gelul maar zitten.'

Sarah slaakte een lange, kille zucht. 'Ik had een idee.'

'Waarom staat me dat niet aan?'

'Luister, kunnen we ergens afspreken?'

Reuben bekeek zichzelf in de spiegel. Hij was bleek. Shaun Graves die hem had gered. Hem had gezegd weg te blijven, maar hem wel had gered. 'Waarom?'

'Misschien kan ik naar de plek toe komen waar je nu werkt?'

'Dat is niet mogelijk.'

'Oké, noem maar een plek.'

'Luister, Sarah. Ik weet niet wat je van me wilt. Dit is geen goed moment.' Het pistool en de honkbalknuppel. Het bloed van een vreemde dat in een steegje lekte. 'Er is net iets raars...'

'Je moet me vertrouwen.'

'Geef me één goede reden,' zei Reuben, vechtend om rustig te blijven terwijl vragen zonder antwoord zich in zijn hoofd verdrongen.

'Oké, laat ik het zo stellen.' Sarahs versterkte ademhaling ebde en vloeide door de speaker. 'Dit is belangrijk. Kom naar me toe, de oude plek aan Basford Street. Ik heb wat informatie voor je.'

'Wat dan?'

'Iets essentieels wat je moet weten.'

'Kom op, vertel.'

Sarah Hirst hing op, en Reuben sloeg met zijn handpalm op het stuur.

7

Een uur later, toen hij zeker wist dat hij niet werd gevolgd, stopte Reuben voor een stervende pub. Binnen schenen drinkers de slechte gezondheid van het etablissement te betreuren, onderuitgezakt op hun stoelen terwijl ze zich met diepe, raspende halen ademloos rookten. Hij was voorzichtig, zich ervan bewust dat hij een risico nam door in het openbaar te verschijnen, maar te gespannen om te bedenken wat hij anders moest doen.

Hoofdinspecteur Sarah Hirst zat rechtop aan een tafeltje met een glas cola tussen haar lange, slanke vingers, en ze trok de onverholen aandacht van de verlopen cliëntèle. Ze droeg een donker broekpak, en Reuben nam aan dat ze rechtstreeks van haar werk kwam. Hij liep naar de bar en bestelde een dubbele wodka met ijs. Hij was afgepeigerd en gespannen, had acute behoefte aan een verdovingsmiddel. Toen hij tegenover Sarah zat, draaide hij met zijn glas en keek toe terwijl de ijsklontjes over elkaar heen klommen, bijna alsof ze zich probeerden te bevrijden van het systemische gif.

Sarah staarde hem langdurig, aandachtig aan. De wodkawarmte in zijn maag vermengde zich met een kille scheut zenuwen. Ze was ambitieus en meedogenloos, hield hij zich voor terwijl hij nog een slok nam. Maar er was een keer een avond geweest, een avond waaraan hij vaak dacht, op een feestje nog voordat hij getrouwd was, toen ze allebei dronken waren, toen er iets was gezegd; iets wat in de lucht was blijven hangen, iets wat nooit was herhaald, iets waarvan Reuben zich vaak afvroeg of hij het zich had ingebeeld... Sarahs ogen boorden zich in die van hem en verstoorden de ethanolwaas. Hij krabde geërgerd aan zijn gezicht. Vandaag ging alles te snel, gebeurtenissen botsten op elkaar en gaven hem weinig tijd om na te denken.

'Nou, kom op, vertel...'

'Er is weer een moord gepleegd.'

Reuben boog zich naar voren. 'Wie?'

'Slecht nieuws, vrees ik. Iemand die je kent van vroeger. Run Zhang.'

'Shit.' Reubens glas kwam voor zijn lippen tot stilstand. 'Run? Dat meen je niet.'

'Ik wilde het niet over de telefoon vertellen.'

'Verdomme.' Reuben staarde naar het matte tafelblad. 'Verdomme.'

Hij was plotseling duizelig. 'Nee, alsjeblieft,' mompelde hij terwijl hij zich vermande. Run Zhang. Dik, lui en onnavolgbaar. Vlijmscherp, van zijn haar tot zijn kleren tot zijn hersens. Hij was een onverzadigbare consumptiemachine, stopte zich vol met voedsel en informatie. En nu... Reuben kreeg een nieuw gevoel, dat niet aanwezig was geweest in de schok over Sandra Bantams dood. Hij voelde woede. Een verharden van spieren, een aanspannen van pezen. Zelfs zijn grijze cellen schenen te verstarren, klaar voor geweld.

'Ik vind het heel erg.'

Reuben knipperde met zijn ogen en ademde gejaagd. 'Is hij... Waren er bewijzen van foltering?'

'Ik vind het zo vreselijk,' zei Sarah. 'Ik weet dat jullie het goed met elkaar konden vinden.'

Hij zweeg fronsend. Hij ving de blik van een gast aan de andere kant van de ruimte, die snel wegkeek. Reuben had de neiging naar hem toe te lopen en hem een mep te geven. Maar hij wist dat zijn woede maar een reactie was, iets onechts, een uitvlucht om iets anders te voelen dan het verpletterende verdriet dat Runs dood met zich meebracht. Hij wreef in zijn ogen en zei langzaam: 'Jullie weten niet wie de dader is.'

'Nee.' Sarah zag bleek. Voor het eerst zag Reuben, in het weerkaatste licht van een fruitmachine, de verborgen lijntjes die zich plooiden bij elke frons. Ze waren fijn en sierlijk, eenvoudig te bedekken met een laagje foundation, maar ze leken de laatste tijd dieper te zijn geworden, zich in haar huid te hebben ingegraven.

'Ik neem aan dat je vroegere veroordelingen hebt bekeken?'

'Phil zorgt voor die kant van het onderzoek.'

'Hoe gaat hij om met mijn vroegere personeel?' vroeg Reuben bijna afwezig, terwijl levendige en beschonken beelden uit het Rainbow Restaurant zijn bewustzijn bestookten.

'Met alle vingervlugheid van een vingerloze man. Ik weet dat jullie oude vrienden zijn, maar ik denk dat deze zaak hem eindelijk te veel is. En om te compenseren rent hij rond en schreeuwt bevelen tegen iedereen, in een wanhopige poging om alles bij elkaar te houden.'

'Dat lijkt me niks voor Phil.'

'Ik weet niet... De laatste tijd schijnt hij twee standen te hebben: koud of gloeiend. Met de touwtjes in handen of volkomen onbeheerst.'

'Dat krijg je misschien vanzelf als je stafleden worden vermoord.'

'Ja, ach...' reageerde Sarah koeltjes.

'Dus jij hebt de leiding over het team dat aanneemt dat de moordenaar geen oude bekende is?'

'Ja.'

'En de forensische kant?'

'Daarom belde ik. Ik wil iets aan je voorleggen. Een andere mogelijkheid. Een veel serieuzere mogelijkheid.'

'Wat dan?'

'Ik hoopte dat ik dat niet hoefde uit te leggen.'

'Misschien moet je dat wel doen.'

'Dat de moordenaar iemand zou kunnen zijn die bij GeneCrime werkt.' Sarah knipperde met haar wimpers. 'Of die in het verleden bij GeneCrime heeft gewerkt.'

Reuben fronste zijn voorhoofd bij die suggestie. 'Zoals ik?'

'Zoals jij.'

Hij zag dat Sarah hem gadesloeg, hem testte, hem afleidde, maar al die tijd bleef graven. 'Daar ga ik maar niet eens op in. En verder?'

'Natuurlijk zou het iemand buiten GeneCrime kunnen zijn.'

'Iemand die je hebt opgesloten en die daar niet zo blij mee is.'

'Of gewoon een willekeurige kerel die denkt dat hij een appeltje met ons te schillen heeft.'

Reuben speelde nog wat met zijn glas en keek naar de ijsklontjes die zich overgaven aan de geurloze alcohol, omlaag werden getrokken, wegsmolten. Zijn lichaamstemperatuur daalde, en wat er achterbleef beviel hem niet. 'Is dat alles wat je hebt?'

'Min of meer.'

'Als je me niks vertelt, kan ik je ook niet helpen.'

'Oké. Twee vroegere ondergeschikten van je zijn aan stukken gehakt. GeneCrime wordt aangevallen. Dit waren geen toevallige daden. Iemand zit actief achter ons aan. Luister, we hebben een hoop hiervan buiten de pers gehouden.' Sarah tuurde om zich heen in de pub en schudde toen snel haar hoofd in een poging die gewoonte los te laten. Het was moeilijk om niet het gevoel te hebben onder surveillance te staan, zelfs in een groezelige pub. 'Hij stuurt ons boodschappen. Genetische boodschappen in tripletcode. Drie bases per letter.'

'En wat staat erin?'

Sandra zei: 'GeneCrime zal boeten.'

'En bij Run?' vroeg Reuben, gretig iets te horen wat hij niet al had gehoord.

'Ik kom achter GeneCrime aan.'

'Jezus. Ik begin in te zien waar ik in dit plaatje pas.'

'Wat je ook denkt...'

'Luister Sarah, laten we open kaart spelen. Ik zie twee redenen voor mijn komst hier. Ten eerste wil je mijn reactie peilen om te zien of ik erbij betrokken ben. Ten tweede vraag je om mijn hulp, wederom om mijn reactie te peilen, maar ook om te kijken of ik enig verschil kan maken en zodoende jouw carrière positief kan beïnvloeden.'

'Nou, dokter Maitland,' zei Sarah, en haar gezichtsuitdrukking veranderde ogenblikkelijk, 'je hebt wel een sluwe geest. Die kan je een hoop problemen opleveren.'

Reuben negeerde haar opengesperde ogen. Hij kneep in zijn neusbrug en keek toe terwijl het laatste bevroren water vloeibaar werd. Er was geen alternatief. Hoewel hij het probeerde te onderdrukken, was dit niet langer een beroepsmatige zaak. Dit was zojuist intens en pijnlijk persoonlijk geworden. 'Het is al goed,' zei hij zachtjes. 'Ik ben verkocht.' Hij dronk zijn glas leeg en dacht even aan amfetamine. Hij strekte de vingers van zijn beide handen; kronkelende pezen kwamen naar de oppervlakte en trokken strakke huidrichels omhoog, spanden zich om vrij te zijn. Hij ging met zijn tong langs zijn tandvlees, dat nog gevoelloos was van de alcohol. 'Ik zal monsters nodig hebben – ik neem aan dat je duidelijk DNA hebt?'

'Van allebei, ja. Ik zal het je brengen.'

'Ik heb een postbus, stuur het daar maar naartoe.' Reuben schreef de gegevens op een bierviltje. 'Kamertemperatuur is prima.'

'Oké.'

'Luister, er is iets wat jij voor mij kunt doen. Ik word geschaduwd.'

'Hoe bedoel je?'

'Weet ik niet.' Reuben probeerde te besluiten of hij Sarah moest vertellen over de man met het pistool. Hij keek haar aan en zag beheersing in haar foundation en bezorgdheid in haar rimpeltjes. Maar hij was er nooit zeker van geweest. Zijn vertrouwen in Sarah was al lang voordat hij bij GeneCrime wegging geschaad. 'Laat maar,' verzuchtte hij.

'Weet je het zeker?'

'Laten we zeggen dat je me een gunst schuldig bent. Deal?' Reuben stak zijn hand uit.

'Een gunst? Zoals wat?'

'Weet ik nog niet. Maar als ik jou moet helpen, moet jij mij helpen.'

Sarah zuchtte en drukte hem de hand. 'Best,' antwoordde ze zacht.

Reuben stond op. Een paar toegewijde drinkers bekeken hem een paar seconden voordat ze weer naar hun pint staarden. 'En nog één ding. Ik wil je helpen, maar op voorwaarde dat je mijn mobiel niet afluistert, mijn nummer niet aan anderen doorgeeft en niet probeert mijn verblijfplaats te achterhalen. Ons enige contact gaat telefonisch of via mijn postbus. Eén schending daarvan, en ik help je niet meer. Begrepen?'

Sarah knikte, en haar blonde haar stuiterde in ernstige bevestiging.

Reuben draaide zich om en verliet de pub. Hij hield een beeld van haar voor ogen terwijl hij naar zijn auto liep. Afstandelijk, objectief en sluw. Een carrièrecallgirl, die je belde en aanbood wat je wilde in ruil voor haar eigen betaling. Hij had het eerder gezien, dat Sarah mensen fijnkauwde en uitspuugde om zich een zaak toe te eigenen. Glimlachend vóór de daad, ontwijkend en ongeïnteresseerd erna. Reuben huiverde in de warmte, en besefte dat haar dubbelzinnigheid en meedogenloosheid hem op de een of andere manier opwonden. Hij kwam bij de auto aan en opende het portier. Kieran Hobbs, het Lifter-onderzoek, de Edelstein-verkrachting, de moord op McNamara... alle andere onderzoeken zouden moeten wachten.

Iemand vermoordde zijn vrienden. Het werd tijd om uit te zoeken wie.

8

Reuben liet het schilderij van Sandra Bantam waar hij aan had gewerkt liggen. Haar gezicht was bijna geheel hersteld. Er lag een smetteloze sereniteit in haar huid, haar mond gaf een lichte indruk van pret en haar ogen waren open en tevreden. Oude gewoonten waren moeilijk af te leren, en hij putte nog altijd enige troost uit het proces. Straks zou hij beginnen aan Run, om wat waardigheid in zijn dood te schilderen. Voorlopig waren zijn gevoelens daarvoor echter nog te rauw.

Moray Carnock sloot de deur achter zich en schoof een pakketje over de glanzende labtafel, als een glas over de bar. Het was neutraal, roomwit en stevig, eenvoudigweg geadresseerd aan dokter Maitland op zijn postbusnummer. Reuben kneep erin en voelde plastic belletjes op de harde voorwerpen in de envelop drukken. Hij deed een paar ongepoederde nylonhandschoenen aan en trok zijn wenkbrauwen op naar Moray, die zijn schouders ophaalde. Een trein denderde boven hen voorbij, waardoor Reubens kruk een paar seconden trilde. Met een wegwerpscalpel sneed hij de envelop open, zachtjes zagend in de vissenbuik. Twee ondoorschijnende buisjes vielen op de werkbank, tuimelend over elkaar, blij om vrij te zijn. Hij zette ze in een groen rekje. Op een ervan stond RUN, op het andere SANDRA. Hij zag dat ze een paar kleine druppeltjes bevatten, als condens over de binnenkant verspreid. Reuben stopte ze in een microfuge en de druppeltjes verzamelden zich netjes aan de onderkant van elke Eppendorf.

Moray schraapte zijn keel. ‘Gaat dit lang duren?’

‘Twaalf uur, als ik niet slaap.’

‘Twaalf uur aan één stuk? Of krijg je pauze als je braaf bent?’

‘Zodra ik de volgende stap heb gedaan, heb ik een tijdje vrij.’ Met een pipet spoot Reuben een kleine hoeveelheid uit beide buisjes in een nieuwe Eppendorf.

‘Alleen...’

‘Wat?’

‘Ik ga ervandoor. Met een man praten over een gestolen hond.’

‘Er was nog één ding,’ mompelde Reuben, terwijl hij nog wat heldere vloeistof in de buisjes deed.

‘Wat dan?’

‘Judith heeft de tests uitgevoerd voor Xavier Trister, die nachtclubeigenaar met zijn lijfwachten. Je weet wel, die we in het steegje hebben gesondeerd.'

'En wat heeft je voodoomagie onthuld?'

'Dat Marie James toch zijn biologische dochter is.'

Morays ogen werden groot. 'Goed besteed geld. Ze zal wel een deel van zijn aanzienlijke berg poet krijgen.'

'Ik denk eigenlijk dat ze daar nooit echt om heeft gegeven. Maar we zullen zien.' Reuben keek op zijn horloge. Het was zeven uur 's avonds en hij zou de hele nacht doorwerken. Hij deed de grote Dugena af en wreef over zijn pols. Judith had beloofd hem te helpen de latere stadia van de voorspellende fenotypering te voltooien voordat ze naar haar werk moest. Reuben keek nog een tijdje naar zijn horloge en likte langs zijn gebarsten lippen. Hij zette een thermische cycleermachine aan en begon die te programmeren. 'We hadden gezegd dat we haar antwoord vandaag zouden hebben. Waarom gaan we er terwijl dit loopt niet even heen om het te regelen?'

'Zet me af en je hebt een deal.'

'Vertrouw je mij met je auto?'

'Ik vertrouw niemand met mijn auto. Maar je mag je gerust uitleven in het barrel dat ik op het moment huur.'

Reuben controleerde of alles borrelde en verliet samen met Moray het lab. Ze zochten zich een weg door het vervallen gebouw erboven en stapten onder een boog in de huurauto.

Een halfuur later naderden ze hun bestemming in Fulham. Reuben ging een zijstraat van de hoofdweg in. Ze bekeken de goudkleurige huisnummers op een rij vermoeid uitziende witte rijtjeshuizen. Toen ze bij het juiste huis waren, parkeerde Reuben op zijn Londens: half op de stoep, half op de weg. Hij gaf Moray de envelop aan.

'Hierin zit alles wat je nodig zou moeten hebben. De resultaten worden toegelicht, er is een foto bij van de schermbeelden die zijn gebruikt om de diagnose te stellen, een foto van de profielen, een diskette met alle gegevens en de sequentie van drie variabele regio's in haar vaders DNA.'

'En welke woorden moet ik precies gebruiken?'

'Zeg maar dat we als gerechtelijk bewijs kopieën meeleveren van al onze analyses. De sequentie van de variabele regio's is zo goed als uniek voor een persoon en zal boven alle redelijke twijfel verheven bewijzen dat het DNA dat we hebben gebruikt van haar vader afkomstig is. Tenminste, als hij zo dom is om onze bevindingen te bestrijden. Laat haar weten dat de kans dat Xavier Trister haar vader niet is in feite in de miljarden ligt.'

'Net als zijn bezittingen.'

'En zorg ervoor dat ze je eerst de rest van het geld geeft.'

Moray trok een dom gezicht. 'Zie ik eruit als een idioot?'

Reuben glimlachte. 'Luister,' zei hij, 'blijf niet te lang weg. Ik moet iets met je bespreken.'

'Wat dan?'

'Als je klaar bent met Marie.'

Moray hees zich de auto uit en sjokte naar de voordeur, waarbij hij de envelop tussen zijn wijsvinger en duim heen en weer zwaaide. Reuben zag hem naar binnen stappen toen er werd opengedaan. Hij trommelde op het stuur. Vaderschap. De dubbelhartigheid die aan zijn vingernagels knaagde en met zijn tanden knarste.

Natuurlijk had hij alle middelen tot zijn beschikking. Reuben berekende dat het ongeveer vierentwintig uur zou kosten. Op elk gegeven moment was hij maar een dag verwijderd van het beantwoorden van de belangrijkste vraag in zijn leven. Een ondubbelzinnige uitkomst. Joshua: mijn zoon of niet mijn zoon. Hij had immers een monster van Joshua's DNA, dat hij met zich meedroeg of indien nodig in hotelkluizen bewaarde. Het zou gemakkelijk zijn. Een simpele match met zijn eigen genetische materaal, en bingo. Vaderschap of geen vaderschap.

Maar Reuben wist dat hij zich er nog niet toe kon zetten. Hij wilde eerst de waarheid van Lucy horen voordat hij Joshua besmeurde door in zijn DNA te porren en te tasten. Bovendien was de grootste vraag van zijn bestaan ook zijn grootste hoop. In de onwetendheid lag een leven lang van dromen, verlangens en verwachtingen. Als hij die kwijtraakte, raakte hij alles kwijt. En hij was niet bereid om dat laatste restje van zijn optimisme te verliezen. Voorlopig ging dit dus om meer dan alleen ouderschap. Dit ging om mogelijkheden. Kortom, zo redeneerde hij terwijl hij de hypocrisie wegslikte, soms was de beste oplossing voor een probleem het negeren van de wetenschap erachter. En hoewel het aan hem vrat, nam Reuben zich voor zijn gedachten elders op te richten, zich te verliezen in andermans problemen, in hun eindeloze reeksen code, in schermen van rood, geel, groen en blauw, in de hypnotische acties van de menselijke robotica.

Maar het ouderschap van Xavier Trister was te mooi geweest om te laten lopen. De spanning van de jacht was te groot geweest. Vanaf de seconde dat Marie James contact had gelegd met Moray en het ogenblik dat hij zijn SkinPunch had afgevuurd tot aan de uiteindelijke vergelijking van het DNA van vader en dochter, was hij meegesleurd in de spanning en opwinding. Hij besefte dat het jagen op de waarheden van andere mensen het welkome neveneffect had dat het hem van zijn eigen realiteit weghield.

Reuben keek naar buiten en zag hoe een vrachtwagen door de smalle doorgang kroop die hij met zijn wijze van parkeren had opengelaten. Maar er lag ook gevaar in. Hij werd erin gezogen. Hij hielp Kieran Hobbs, die hij nooit recht in de ogen had gekeken. Hij zwom in troebel water, onder water met de onderwereld. Reuben greep het stuur stevig vast. Het geeft niet, zei hij bij zichzelf. Ik doe dit om de juiste redenen. Eén misdadiger, dat is alles. Maar zelfs onuitgesproken waren die woorden niet overtuigend. En terwijl hij de voors en tegens bleef afwegen schoot hem een idee te binnen, een manier om met zijn morele dilemma af te rekenen. Een paar minuten lang overpeinsde hij het potentieel en de valkuilen, tastte naar zwakheden, berekende hoe hij het voor elkaar kon krijgen. Langzaam en geleidelijk, terwijl hij met zijn vingers over het glimmende dashboard streek, kwam hij uit op het ondenkbare. Dat werken voor Kieran Hobbs ook iets goeds kon zijn.

Maar op dat moment begon zelfs het ijle flardje hoop te verdrinken in de sijpelende nasleep van vertraagde, geschokte beeldflitsen van Run Zhang, kiekjes die zijn netvliezen hadden gemaakt toen Run nog leefde, met mistroostige vrolijkheid zijn werk deed, door het laboratorium waggelde, zich aanpaste aan de cultuur en zich die eigen maakte, naar antwoorden sprong voordat de meeste andere groepsleden zelfs maar over de vraag hadden nagedacht. Reuben besefte dat hoewel hij droevig en onthutst was over de moord op Sandra Bantam, die van Run hem werkelijk pijn deed. Een ongeval zou al erg genoeg zijn geweest. Een moord zou vreselijk zijn geweest. Maar langdurige foltering... Dat een vriend van hem in afschuwelijke pijn was gestorven, opgejaagd, langzaam en methodisch vernietigd, zijn lichaam systematisch uit elkaar gescheurd, dat gegeven begon ook Reuben te verwonden. De foltering had Runs stervende lichaam verlaten en was dat van Reuben binnengedrongen, had zich dieper ingegraven terwijl de uren verstreken, stekend in zijn maag, trekkend aan zijn hart, hakkend in zijn hoofd. De algemene beschrijvingen van Sarah Hirst vraten aan zijn fantasie, groeiden en vermenigvuldigden zich tot hij alleen nog maar bloedrood afgrijzen zag.

Reuben probeerde zijn gedachten een andere kant op te dwingen. Met het klauwende concept van de sterfelijkheid sprong zijn geest plotseling naar de twee minuten van de vorige dag, toen zijn leven bijna geëindigd was. Wat hem het meest dwarszat was niet het feit dat iemand hem had willen vermoorden, maar dat iemand bereid was geweest hem te redden. Shaun Graves, dat wist hij maar al te goed, was hem geen gunsten schuldig. Waarom, vroeg hij zich opnieuw af, was Shaun tussenbeide gekomen?

Reuben kauwde op zijn nagel, beet te diep en scheurde een stukje huid af. Hij zag voor zich hoe de eerste van een reeks machines zijn toegewezen taak uitvoerde, het DNA van de moordenaar opwarmde en afkoelde, steeds opnieuw. Dan kwam het labelen, de hybridisatie, het spoelen, het uitwassen, het in kaart brengen van expressies, de algoritmes die door de vroege uurtjes schuifelden. En uiteindelijk een foto op het scherm. Een gezicht dat hem zou aanstaren. De kille gelaatstrekken van een psychopaat. De ogen die de laatste momenten van het leven van Sandra en Run hadden gezien. De lippen die tevreden opkrulden. De wangen die rood aanliepen van spanning. Reuben probeerde zich voor te bereiden op de ochtend, als hij de man zou ontmoeten die zijn collega's vermoordde.

Een beweging buiten en hij draaide zich om. Moray liep het trapje naar de auto af. Reuben ging rechtop zitten. Het zou een lange nacht worden.

'Makkie,' zei Moray terwijl hij zijn opgeblazen gedaante in de passagiersstoel wurmde.

'Hoe reageerde ze?'

'Alsof ze het al wist.'

'En het geld?'

Moray klopte grijnzend op zijn sjofele jasje. Ondanks de zomerwarmte had Reuben nog nooit meegemaakt dat Moray zich netjes of met enige relatie tot de temperatuur kleedde. Hij scheen ooit een casual uniform van slonzige onverschilligheid te hebben aangetrokken en hield daar koppig aan vast. Ze reden van de stoep weg en gingen in de richting van Morays flat. Reuben wist niet waar Moray woonde, maar hij volgde zijn aanwijzingen. Hij had de indruk dat hij de werkelijke plek of locatie nooit zou ontdekken. Toen ze vast kwamen te zitten in het verkeer dat over een kruising kroop, vertelde hij Moray over de gebeurtenissen van de vorige dag. Er zat hem nog iets anders dwars.

'Oké, dus een man die ik nog nooit heb gezien richt een pistool op mijn hoofd. Maar hoe kan iemand me überhaupt hebben opgespoord? Ik dacht dat ik onzichtbaar was. Geen bankrekeningen, geen geregistreerd adres, geen auto, niks. Anonieme hotels. Ondergronds en veilig. Zelfs de politie weet niet waar ik ben. Of tenminste, ik dacht van niet.'

Moray wreef met vermoeide onverschilligheid over zijn onderkin. 'Niemand is onzichtbaar,' gromde hij. 'Je hebt een mobieltje, dus kan je worden opgespoord. De juiste mensen kunnen je bewegingen tot in deze straat volgen, zelfs als je die telefoon niet eens gebruikt. Bovendien ben je waarschijnlijk geschaduwd, misschien wel een paar dagen lang. Dat is niet het exclusieve domein van de politie.'

'Het zal wel niet. Maar wie heeft het op me voorzien? Ik kan me niet herinneren dat ik vijanden had.'

'Blijkbaar heb je die nu wel. Het lijkt me dus tijd voor extra voorzorgsmaatregelen.'

'Zoals?'

'Een belegeringsmentaliteit.' Moray draaide op zijn stoel om Reuben aan te kijken, en zijn mollige knieën schraapten langs het glanzende plastic dashboard. 'Ik had een keer een klant. Het laatste nog levende lid van een familie die een bekend koolzuurhoudend drankje maakte. Hij had als enige toegang tot het recept. Een of ander superconglomeraat in Amerika probeerde al twee jaar dat bedrijf over te nemen. Ik denk dat ze een meesterplan hadden om de tent te sluiten en dat nogal grote stuk van de Engelse markt over te nemen. Je weet wel: agressieve rotzakken. Die kerel werd achtervolgd en lastiggevallen, en toen nam hij contact met mij op. Volkomen doorgedraaid. Voelde zich niet veilig in zijn huis, zijn auto, nergens. Dus hebben we een onderkomen voor hem ingericht in zijn fabriek. De beveiliging aangescherpt. Even een rustig gesprekje gevoerd met de plaatselijke sterke arm van de wet. Alles voor hem geregeld.'

'En toen?'

'Hij kwam vier maanden lang niet naar buiten. De Amerikanen konden hem niet vinden zonder een overtreding te begaan waarvoor ze konden worden gearresteerd. Uiteindelijk verloren ze hun belangstelling en kon hij door met zijn leven.'

'Wil je zeggen dat ik hetzelfde zou kunnen doen?'

'Het punt is, hierbuiten' – Moray zwaaide zijn arm rond in een boog die de voorruit en zijvensters omvatte – 'ben je een gemakkelijke prooi. We weten pas dat je geschaduwd wordt als het te laat is. En trouwens, rondhangen bij het vriendje van je ex is verdomme suïcidaal gedrag.'

Reuben zweeg even. Een auto van rechts probeerde voor te dringen. Hij stuurde er een stukje naartoe, zodat de bestuurder abrupt op zijn rem moest trappen. Terwijl de claxon in zijn oren snerpte, mompelde hij: 'Het is alles wat ik nog over heb. Kijken. Spioneren. Alles wat me toegestaan is. Ik heb een contactverbod, verdomme. Ik mag hem niet eens aanraken, vasthouden, kussen. Hij groeit elke dag. Weet je hoeveel een kind van elf maanden elke dag groeit?'

Moray haalde ongeïnteresseerd zijn schouders op.

'Een millimeter. Als ik hem een week niet zie, is hij meer dan een halve centimeter gegroeid. Het vreet aan me. Hij groeit en ontwikkelt zich, leert en glimlacht, en dat allemaal zonder mij. Toen ik hem de vorige keer vasthield, was hij nog maar half zo groot. Het voelt alsof ik vastzit. Voor mij zal Joshua altijd de baby zijn die ik te eten gaf en waar ik van hield.'

Moray stapte over Reubens spraakwaterval heen. 'Ik bedoel alleen maar dat je niet meer in hotels moet logeren. Hou je gedeisd. Kom alleen naar buiten als het veilig is. En intussen zal ik moeten rondneuzen, kijken wat ik kan vinden. Er is altijd wel iemand die iets weet.' Moray wees door de voorruit naar een bushalte. 'Zet me daar maar af. Ik loop de rest van de weg wel.'

Reuben stopte, peinzend. Moray stak de straat over en verdween in een winkelcentrum. Reuben keerde de auto en reed terug naar het laboratorium dat zijn thuis zou worden. Hij ging in gedachten langs de processen die hem zouden verenigen met het gezicht van de GeneCrime-moordenaar. Hij belde Judith, die beloofde vanaf ongeveer zes uur 's middags te komen helpen. Hij zag Lucy voor zich, die Joshua klaarmaakte om naar bed te gaan, spelletjes met hem deed in bad, glimlachte als hij glimlachte, gilde als hij gilde. Hij zag Shaun Graves voor zich, die met zijn vingers over de bloederige honkbalknuppel streek. Hij vervloekte zichzelf omdat hij zich weer had laten gaan bij Moray. Hij richtte zich op het asfalt voor de auto en het beton overal om hem heen. Maar bovenal merkte Reuben dat hij zich afvroeg hoe dat gezicht eruit zou zien. En of de moordenaar iemand was die hij kende.

9

Vervagen, tweaken, instellen. Berekenen en vergelijken. Opnieuw in kaart brengen en herbeoordelen. Bijna tweeduizend genen gescand, gecorrigeerd en gekwantificeerd. Kleuren die over spectra heen en weer dreven. Elastische gelaatstrekken, vervloeiend en verhardend. Enorme mappen vol gegevens, geplunderd en geassimileerd. Een gezicht in 3-D dat pixel voor pixel tot leven kwam. Wenkbrauwen die ontsproten, haar voor haar. Oren die ontkiemden en opbloeiden. Tanden die zich vermenigvuldigden achter roder wordende lippen. Irissen die helderder werden. Wangen die smaller en breder werden, alsof ze lucht naar binnen zogen. Wimpers die zich verspreidden, langer werden, lichter en donkerder werden. Een neus die smaller en breder werd en zich uit het scherm begon te duwen. Kaken die vierkanter werden en uitzakten, de wangen heen en weer trokken. Het voorhoofd dat zich uitrekte en terugweek, voorste hersenlobben die krulden en ontkrulden.

Reuben wierp een blik op Judith. Ze keek gebiologeerd naar het beeld dat zich opbouwde en vanaf het scherm over haar bleke gezicht werd geprojecteerd. De harde schijf van de computer zoemde als een kolibrie, bezig de algoritmes glad te strijken en te bewerken. Het gezicht begon menselijk te worden, gelaatstrekken bleven op hun plek, wijzigingen werden in toenemende mate subtieler. Kleuren stabiliseerden. De ogen, het haar, de kin. Reuben staarde naar het beeld en nam de eigenschappen van de moordenaar in zich op. Binnen enkele seconden zou de afbeelding voltooid zijn.

Behalve van de zoemende computer kwam het enige geluid van Judiths ademhaling. Het gezicht kristalliseerde zich. Het ging het bereik van een foto-fit voorbij en betrad het rijk van de FenoFit. Het beeld was fotografisch – holografisch zelfs. Een gezicht met textuur, diepte en definitie, dat je bijna kon aanraken. De pc verstomde, tevreden met het werk dat het beeldscherm verlichtte. In de linker onderhoek verscheen de PsychoFit, in rood samengevat met drie belangrijke karakteristieken. Obsessief gedrag. Individualisme. Grote intelligentie. Kenmerken van het lichaam en het gedrag door elkaar. Reuben kon het niet bevatten. Dit was de man die personeelsleden van GeneCrime vermoordde.

Judith verbrak de stilte. 'Jezus,' fluisterde ze. 'Weet je wat dit betekent?'

'Geen idee,' mompelde Reuben. Hij staarde en staarde, nam de kille ogen in het gezicht in zich op. 'Geen flauw idee.' Reuben drukte zijn voorhoofd tegen het scherm, wat een woedende uitbarsting van ruis veroorzaakte. 'Behalve dat de hele zaak nog verknipter is dan zelfs ik had gedacht.'

GCACGATAGCTTACGGG
AATCTAG**ZES**GGTTTCCG
GCTAATCGTCATAACAT

1

Jimmy Dunst sloot de kassa van zijn pub en keek naar de vloer. Daar, nog net in het zicht, lag een honkbalknuppel. Hij tuurde naar de man in de hoek en bedacht zich. Hij liep naar een privéruimte op de begane grond, achter in de pub, waar de onrustbarend scherpe geuren uit de toiletten zich vermengden met zijn toenemende nervositeit. Jimmy Dunst deed de deur op slot, liep naar de telefoon en haalde een wedbriefje uit zijn zak. Op de hoek van het papiertje stond een nummer geschreven, dat hij haastig intoetste met vingers waarvan de nagels waren afgekloven. Terwijl hij naar het overgaan van de telefoon luisterde, keek hij naar de deur. Ook al had hij die op slot gedaan, Jimmy sprak toch voorzichtig op gedempte toon.

'Spreek ik met hoofdinspecteur Kemp?' vroeg hij toen er werd opgenomen. 'Met Jimmy Dunst, van de Lamb and Flag in Streatham. U had me gevraagd te bellen. Hij is er. Ja. Ik herkende hem meteen. Nee, ik denk van niet. Lange zwarte jas, bruine schoenen.' De barman verplaatste onbehaaglijk zijn gewicht. 'Oké. Ik wacht op u.'

De barman legde de hoorn op de haak en dacht even na. Twintig jaar werken in de pub had hem geleerd dat hij er niet op moest rekenen dat de politie op het juiste moment zou arriveren. Hij reikte achter een bank die tegenover een grote televisie stond. Jimmy pakte een bajonet uit de Eerste Wereldoorlog, haalde hem uit de schede en bekeek het korte, scherpe lemmet. Hij zag zijn stoppelige wangen weerspiegeld in het gepoetste metaal en merkte de zelfverzekerdheid op die het wapen hem gaf. Die klootzak had de verkeerde pub uitgekozen om naar terug te komen. Hij zou nog net tijd hebben voordat de politie kwam. Een leven voor een leven. Dat was gerechtigheid. En nu had hij de kans om te doen wat hij al bijna tien jaar wilde doen. De barman stopte voorzichtig het kleine wapen achter zijn riem, aan de achterkant van zijn spijkerbroek, maakte de deur open en keerde terug naar de gelagkamer. De man zat nog aan tafel, liet zijn blik door de ruimte gaan en nam alle kenmerken kil in zich op.

'Nog eentje?' vroeg Jimmy.

De man richtte zijn ogen op hem. Zijn starende blik was hard en intimiderend. 'Wat?' vroeg hij.

'Nog een glas?' herhaalde Jimmy.

De man negeerde hem en bleef kijken naar de muren met nicotinevlekken, de vuile ramen en de besmeurde vloerbedekking. Jimmy Dunst tapte een biertje voor hem en zag de gruweldaad voor zich die negen jaar geleden in deze pub was gepleegd. Dit, zei hij tegen zichzelf terwijl het glas volliep met donkere vloeistof, was het moment. Hij schuimde het bier af, voelde aan de bajonet op zijn rug en liep naar de man toe. Zijn ademhaling was snel en onregelmatig, zijn maag even vloeibaar als het bier. Door het raam was nog geen politie te zien. De gelagkamer was verlaten, omdat het zelfs voor de geharde stamgasten nog te vroeg was. De man keek niet op toen Jimmy het glas voor hem neerzette. Jimmy reikte naar het mes en trok het in één beweging achter zijn riem vandaan.

'Dus je dacht dat je wel terug kon komen?' vroeg hij ademloos, terwijl hij het mes met een ruk naar voren bracht en slechts millimeters van het gezicht van de man vandaan hield.

De man reageerde niet.

'Hebben ze je eruit gelaten?'

De man bleef zwijgen, zijn ogen op de vloer gericht.

'Ik heb wel eens lef gezien, maar dit...'

De man keek nog steeds niet op.

'Ik praat tegen je!' schreeuwde Jimmy, die het mes naar voren duwde zodat het tegen de kromme neus van de man lag. 'De politie komt er zo aan.' Het lemmet maakte een deukje. 'Maar niet snel genoeg.'

'Leg dat mes weg,' antwoordde de man rustig.

'Ik geef hier de bevelen, verdomme. Je had hier niet terug moeten komen in de verwachting dat je zou blijven leven.' Jimmy liet het wapen langs het gezicht van de man zakken, tot het van zijn kin af dook en in zijn hals drukte. Er verscheen een dun rood lijntje waar het lemmet in de huid beet.

'Leg dat mes weg,' herhaalde de man, terwijl hij recht voor zich uit bleef staren.

'Hierbínnen, verdomme. Smerig beest.'

'Ik vraag het niet nog een keer.'

Jimmy onderdrukte een lach en voelde een plotselinge vlaag van woede. Hij trok het lemmet een klein stukje achteruit en stak het in de nek van de man. Maar terwijl hij dat deed kwam de gietijzeren tafel omhoog, botste tegen zijn ellebogen en dwong het mes omhoog en weg. Een tel later had een greep als een bankschroef de bajonet uit zijn handen gerukt. Hij voelde iets aan zijn haar trekken toen zijn gezicht op een tafel ernaast smakte. Terwijl zijn longen vochten om adem, inhaleerde hij het muffe stof van een overvolle asbak en voelde hij een dun laagje verschaald bier onder zijn wang. Jimmy probeerde uit alle macht naar de man te kijken, maar die stond achter hem en pinde hem vast. Zijn greep was even zwaar en solide als de tafel. Seconden verstreken. Jimmy spitste zijn oren. Hij hoorde het gerommel en geruis van het verkeer. Hij wenste dat er een auto zou stoppen, dat de politie eruit zou springen, dat hoofdinspecteur Kemp de man zou neerschieten. Toen begon zijn haar een andere kant op te trekken, zijn gezicht naar de normale stand te draaien, met zijn kin tegen de tafel geduwd terwijl zijn ogen over het oppervlak keken. Jimmy's ingewanden vochten om koude vloeistof uit hem te persen, en zijn benen trilden onbeheersbaar. Toen sprak de man.

'Oplikken,' zei hij.

Een biervlek was half opgedroogd op het gelakte hout en had zich vermengd met as en stof. Jimmy was misselijk. Hij wilde schreeuwen. Maar in plaats daarvan liet zijn zelfbehoud zich gelden. Zijn tong kronkelde zo ver mogelijk door zijn halfgeopende kaken naar buiten. De tafel was koud en plakkerig. Hij likte heen en weer en proefde een bittere smaak.

'Meer,' fluisterde de man.

Jimmy stak zijn tong zo ver mogelijk uit. Hij hoopte vurig dat de politie de deur zou intrappen, hield zich voor dat hij alleen maar tijd rekte, weigerde toe te geven dat hij doodsbang was, probeerde de gebeurtenissen van die noodlottige avond niet voor zich te zien. Toen duwde de man op zijn hoofd, dwong zijn kaak verder op tafel, zorgde dat zijn tanden in zijn tong sneden. Jimmy probeerde zijn tong in te trekken, maar dat lukte niet. Hij zag hoe de man, die nog steeds zijn hoofd plette, draaide om hem aan te kijken.

'Ik zei dat je dat mes weg moest leggen,' zei hij rustig. 'En ik had ook gehoopt dat je de politie niet zou bellen.' Hij tilde de bajonet op om die te inspecteren, maar Jimmy was gebiologeerd door het gezicht voor hem. De kille zwarte pupillen schenen zijn ongemak op te zuigen, de mond vervormd door een mengeling van verwachting en agressie.

De man die het mes vasthield voelde zichzelf opzwellen. Zijn mond liep vol speeksel en hij ademde met diepe, vochtige teugen. Een vloed van energie gaf hem tintelingen helemaal tot in de punt van zijn penis. Op dit soort momenten leefde hij werkelijk, op de manier waarop dieren tijdens de jacht leven. Hij zag de puurheid van pijn, het penisaanspannende genoegen van toekijken terwijl een ander schepsel de macht van zijn woede ervoer. Zijn bovenlichaam verstijfde, zijn buik spande zich aan en zijn tenen krulden. Hij herkende een leeuwenkracht en een verlangen naar vlees in zichzelf. Hij begreep dat hij de zoon van zijn vader was. In die ogenblikken van manie, van bloeddorst, maakte dat feit hem alleen maar sterker. Hij likte langzaam langs de bajonet, liet zijn tong langs de onderkant gaan en zag voor zich hoe staal vlees zou penetreren, steeds opnieuw. De metalige smaak bleef achter in zijn keel hangen. Hij bereikte de punt en drukte die in zijn lip. In zo'n opgewonden toestand als nu was hij onvatbaar voor pijn. Hij duwde tot hij de huid doorboorde en er een warm rood stroompje over zijn gezicht omlaagliep. De man zag welk effect dit op de overmeesterde barman had en ervoer een nieuwe vlaag van opwinding. Hij dacht aan de keren dat hij in de schoenen van de barman had gestaan, er bijna naar had verlangd om zelf gewond te raken, gewoon om het prikken van verse pijn te voelen als zijn vader hem afranselde. Hij begon de mogelijkheden voor zich te zien, met tranende ogen, dagdromend over wat hij kon doen. Hij zag diepe, zagende sneden voor zich, glimpen van botten en ingewanden, herhaaldelijke scheuringen, het wegebben van het ene bestaan terwijl het andere sterker werd. En toen, piekend door zijn zoete verdoving, kwam het zure prikken van een sirene. Zijn ogen knipperden snel, schoten langs opties. Hij tuurde door de ruimte, spande zijn stevige lichaam, klaar voor actie. Hij keek omlaag naar zijn gevangene. En toen hij zo lang had gewacht als veilig was, bracht hij het mes hard omlaag.

Voor Jimmy Dunst volgde er een seconde van niets. Zijn hersens probeerden paniekerig te berekenen wat er mis was. Hij stond buiten zichzelf, keek naar zijn lichaam, zocht uit wat het probleem was, wist alleen maar dat de pijn eraan kwam. Een verdoving die overging in een beurs gevoel dat kouder en scherper werd en tot zijn bewustzijn doordrong, tot de pijn alles was wat hij nog voelde. Er klonk gepiep van remmende banden. Vanuit zijn ooghoeken zag hij hoofdinspecteur Kemp naar binnen stormen, maar iets belemmerde zijn zicht. Phil riep naar hem, maar Jimmy kon niet antwoorden. De woorden begonnen in zijn keel maar kwamen niet verder. Hij begon te schreeuwen.

'Waar is hij, verdomme?' riep Phil, die woest om zich heen keek in het café. Hij zag drie mogelijke uitgangen naar de achtertuin of direct naar de straat. Hij wendde zich tot zijn assistent. 'Bel een ambulance. De rest van jullie gaat achterom. Ik hou de voorkant in de gaten. Hij kan niet ver weg zijn. Jezus. Laat iemand hem helpen.'

Jimmy bleef schreeuwen, maar het klonk verstikt. Hij begon het probleem te zien, en dat maakte hem doodsbang. Phil Kemp legde een hand op zijn schouder. 'Weet je zeker dat hij het was?' vroeg hij, maar de aanblik van de bajonet vertelde hem al dat het zo was.

De barman krijste en schreeuwde toen er nieuwe pijnscheuten door zijn tong trokken.

'Weet je zeker dat hij het was?' herhaalde Phil. Hij hoorde het schuifelen van laarzen over de houten vloer, het dichtslaan van deuren, gedempte kreten. Phil wist dat als ze hem zouden vangen, dat al gebeurd zou zijn.

Jimmy greep de tafel vast en zag bloed druppelen op het tafelblad dat hij net had schoongelikt. Phil bleef bij hem staan, met zijn vingers dicht bij het handvat van de bajonet, en nam ze toen weer weg. 'Verdomme,' herhaalde hij. 'Verdomme. Uitgerekend in deze pub.' Terwijl de barman bleef schreeuwen, kneep Phil zijn ogen dicht en wreef over zijn gezicht. 'In deze pub, verdomme,' herhaalde hij, 'in deze pub, verdomme.'

Een geschokte rechercheur arriveerde en keek behoedzaam naar hoofdinspecteur Kemp. 'Het lijkt erop dat hij is ontkomen, meneer,' zei ze.

Phil loerde naar haar, wetend dat ze slechts een paar tellen te laat waren gekomen. 'Doe een zakje om dat heft,' beval hij, 'en trek dat ding er dan uit.'

De rechercheur tuurde twijfelend naar de bajonet die de tong van de barman doorboorde en stevig in het tafelblad zat. 'Zeker weten?' vroeg ze.

Phil wierp de rechercheur en de barman een moorddadige blik toe. 'Doe het gewoon,' zei hij.

Jimmy Dunst sloot zijn ogen en slikte een mondvol bloed weg. Hij voelde dat het lemmet opzij bewoog toen de rechercheur het vastpakte. Hij kneep zijn ogen dicht en bereidde zich voor. Dit zou pijn gaan doen.

2

'Bel jij Sarah Hirst, of moet ik het doen?' vroeg Reuben met een gespannen stem.

Judith Meadows stak haar hand op.

'Ik bedoel, hoe eerder we die informatie bij GeneCrime krijgen...'

'Wacht. Geduld. We moeten het eerst zeker weten.' Judith wilde altijd zekerheid hebben. Soms, zelfs wanneer het overduidelijke haar in het gezicht staarde, weigerden te veel jaren van wetenschappelijke starheid het te geloven. Judiths intuïtie werd vaak bedolven onder haar training. De houding dat iets pas definitief was als alle andere zijpaden waren bewandeld was karakteristiek voor de Forensische Dienst. Er was zelfs een term voor: hypotheses ontkrachten. Judith besteedde een frustrerend grote hoeveelheid van haar tijd aan het ontkrachten van hypotheses. Ze vond het een verpletterend pessimistische manier van leven, maar het had zich in haar geworteld en was met al haar gedachteprocessen verweven. 'Luister, laten we het nog een keer controleren voordat we overhaaste dingen doen.' Ze stapte achteruit en liet haar blik herhaaldelijk over het geprojecteerde gezicht gaan.

'En?' vroeg Reuben geërgerd. Hij had vierentwintig uur niet geslapen. En nu dit weer.

'Hou je mond even. Ik wil het honderd procent zeker weten.'

'Kom op. Jij weet het en ik weet het.'

'Nog een paar seconden, meer niet.' Judith bleef naar de FenoFit van de moordenaar staren. Hoewel ze het antwoord kende, en dat al kende vanaf het moment dat de voorspellende fenotypering zich had gekristalliseerd, was er nog een andere mogelijke conclusie, waarvan ze overtuigd was dat Reuben er niet aan had gedacht. 'Oké,' zei ze. 'Ik denk dat we er wel zeker van kunnen zijn.'

Reuben liet zich op een labkruk zakken. Dit was gestoord. Zijn vermoeide brein cirkelde steeds weer om de waarheid heen zonder er echt op te landen. Hij wilde dat Judith wegging zodat hij kon slapen. Hij zou zich later wel zorgen maken over de consequenties. Maar zij had andere ideeën.

'Ik begrijp het alleen niet,' mompelde ze half in zichzelf.

Reuben zag haar de mentale gymnastiek doen en vroeg zich af of hij een verandering in haar lichaamstaal zou zien. Ongetwijfeld zou haar ook een van de meest voor de hand liggende mogelijkheden te binnen schieten en haar bang maken. Judith trok een haarlok weg bij haar mond. Ze liep heen en weer, bleef nu en dan staan en tikte snel met haar rechtervoet. Na een paar minuten zei ze: 'Ik zie vijf mogelijkheden.'

'En die zijn?'

'Eén: je hebt de monsters besmet met je eigen genetische materiaal.'

'Onwaarschijnlijk.'

'Twee: je voorspellende fenotypering is gelul.'

Reuben haalde zijn schouders op. 'Drie?'

'Je hebt per ongeluk de verkeerde monsters toegestuurd gekregen.'

'Daar komen we niet achter. Maar het is twijfelachtig.'

'Vier: je bent een kille moordenaar die iets tegen forensisch wetenschappers heeft en je vermoordt je oud-collega's een voor een... En in dat geval zou ik eigenlijk moeten weggaan.' Judith keek met toegeknepen ogen naar Reuben, die een vlaag van genegenheid voor haar voelde. Hij wilde het liefst opspringen en zijn armen om haar heen slaan.

'En vijf?' vroeg hij.

'Jij bent het niet.'

Reuben draaide bij om de foto nog een keer te bekijken. Alles klopte, tot en met de haarkleur, de neuslengte, het kuiltje in de kin, de wenkbrauwen... alles. Op het scherm stond een afbeelding die bijna identiek was aan zijn gezicht. De ogen waren een beetje donkerder, de kaak iets te vlezig en de oorlellen te dik, maar het was net alsof hij in een virtuele spiegel keek. In feite had Reuben zich, toen hij het gezicht voor het eerst had bekeken, afgevraagd waarom het niet bewoog als hij dat deed. Hij was ook onthutst over het feit dat het gezicht frisser leek dan het zijne. Zijn fenotype, zo had hij snel beredeneerd, had duidelijk een zwaarder leven geleid dan zijn genotype had voorzien. Maar dat deed er allemaal niet toe vergeleken met de werkelijke kwestie. Zijn eigen technologie voorspelde dat *híj* de moordenaar was.

Judiths woorden worstelden zich door de kakofonie van zijn gedachten en lieten zich eindelijk horen. 'Hoe bedoel je?' vroeg hij.

'Dat ben jij niet, op dat scherm.'

Reuben keek Judith aan, op zoek naar aanwijzingen. 'Wie is het dan?'

'Iemand die hetzelfde DNA heeft als jij.'

Aaron. Dat ene woord denderde Reubens bewustzijn in.

'Ik kan me herinneren dat je een keer zei dat je een broer hebt. Met wie je niet meer zo hecht bent. Nou, hoeveel lijken jullie op elkaar?'

'Fysiek?'

'Ja.'

Reuben staarde naar de matte bakstenen. Hij had Aaron al bijna drie jaar niet meer gezien. 'We lijken redelijk veel op elkaar.'

'Hoe veel?'
'Hij had de hersens en ik het uiterlijk...'
'Maar zou dit een foto van hem kunnen zijn?'
Hij keek op, tuurde naar de gelaatstrekken, probeerde ze anders te zien. Terwijl hij dat deed speelden belangrijke momenten uit zijn jeugd zich af op zijn netvliezen. Hij zag zijn broer blij, boos, onverschillig, beschermend, destructief en onpeilbaar. Slechts een kwartier eerder dan hij geboren, maar altijd een wereld van verschil. 'Nee,' loog hij. 'Aaron en ik zijn heel verschillend.' Judith leek enigszins ontmoedigd, en Reuben besefte dat ze trots was geweest op haar vondst. 'Sorry, Sherlock, maar ik denk niet dat hij het is.'
'Waar staan we dan?'
'Schiet mij maar lek.' Reuben stond op het randje van de uitputting. Hij wreef over zijn gezicht, het gezicht van de moordenaar.
Judith verruilde haar vormeloze labjas voor een strak vest dat haar slanke figuur omhulde. Voor het eerst zag Reuben kwetsbaarheid bij haar. 'Ik kan maar beter gaan.'
'Ja.'
'Hier, voor ik het vergeet.' Judith gaf hem een plastic buisje aan. 'Het gedroogde monster.'
Toen Reuben de Eppendorf aanpakte, bleven beide handen even hangen, huid streek langs huid, een korte warmte tijdens het contact, voordat hij zijn hand terugtrok.
'Judith...' Reuben keek haar in de ogen.
'Hmm?'
'Geloof je nog in me?'
Judith keek hem met enorme pupillen aan en verroerde zich niet. Hij wachtte, verlangend naar haar, even verstijfd, de warmte nog in zijn vingers, maar wist dat ze getrouwd was, vroeg zich af zijn enige motief eenzaamheid was. Ze stapte dichterbij, met haar armen langs haar lichaam en haar ogen groot. 'Ja.'
'Zeker weten?'
Langzaam tilde ze haar arm op en legde die om Reubens schouder. 'Altijd al gedaan,' zei ze, nog steeds naar hem starend met een heel flauwe glimlach. Reuben tintelde. Ze bewoog haar andere hand. Hij bleef staan en vocht ertegen. Toen boog hij zich naar voren en kuste haar.

Meteen stortten ze zich op elkaar. Vochtige, wanhopige kussen. Trekken aan kleding. Graaien naar vlees. Hij tilde haar op de koude werktafel. Sjorde haar rok omhoog. Opende gretig en behoeftig haar blouse. Veegde de rommel opzij. Buisjes en rekken in een lawine op de vloer. Hij voelde haar verlangen. Haar uitgelaten, bijna ruwe aanrakingen. Hij duwde haar benen uit elkaar. Hoorde haar zuchten. Beelden van Lucy. Judiths ogen dichtgeknepen. Haar handen op de werkbank. Duwend tegen hem aan. Flitsen van zijn vrouw. Judith werd luidruchtiger. Zuchten gingen over in kreunen. Nek gespannen, wangen rood, mond open, vingers om de rand van de werktafel geklemd. Reuben ging bij haar binnen. De jeuk, de pijn, het branden, het verstrakken. Grote ogen. Proberend aan Lucy te ontkomen. Duwend en duwend, tanden op elkaar, spieren strak, de tijd die stilstond... Ademhaling. Rustig. Haar vasthouden. Beginnend haar ongemak te voelen. Langzaam achteruitstappen en zijn broek optrekken. Stilte. Diepe laboratoriumstilte. Amper naar elkaar durven kijken. Het zoemen van een trein. Judith die opstond en haar rok en vest rechttrok.

'Alles goed?' vroeg Reuben.

'Ik kan beter gaan,' antwoordde ze verhit en slecht op haar gemak.

'Ik eh...'

Judith kuste hem op de wang. 'Weet ik.' Met een zenuwachtige glimlach liep ze naar de deur.

'Judith...'

'Ik moet echt gaan,' herhaalde ze. Ze verliet het lab en liep snel het gebouw uit.

Reuben bleef waar hij was en probeerde niet te denken aan wat er zojuist was gebeurd. Hij knipperde langzaam met zijn ogen, in een droomachtige toestand. Het was bijna automatisch geweest, twee behoeftige mensen die hun dorst lesten, gehaast en zonder erbij na te denken. Een paar momenten van genot na jaren van werk. En toen niets. Judith was vertrokken voordat hij zelfs maar op adem was gekomen.

Na een paar zwijgende minuten liep hij terug naar de computer. Hoe deprimerend het ook was, eenzaamheid was in ieder geval simpel. In een hoek van het lab lagen een matras en een slaapzak. Ernaast, op een verpakkingskrat, stond het half voltooide portret van een oosterse man. Reuben aarzelde. Ondanks zijn uitputting tintelde er een nerveuze energie door hem heen. Hij had twee opties, en hij trommelde met zijn vingers terwijl hij die overwoog. Ten eerste kon hij het bewijs van de voorspellende fenotypering vernietigen en doen alsof de techniek was mislukt. Dat zou het probleem echter niet oplossen. Sarah Hirst zou hem vragen het proces te herhalen. Reuben schraapte met de rug van zijn hand langs de stoppels van drie dagen op zijn wangen en zuchtte Judiths naam. De tweede optie stond bijna gelijk aan zelfmoord. Maar toen hij erover nadacht, was er geen alternatief. Hij opende zijn e-mail en typte een bericht.

Sarah, aangehecht de resultaten van VF. *Bel me als je hebt bedacht wat dit betekent.*

Hij overpeinsde die woorden nog een paar seconden en voegde er toen aan toe:

Denk na over waarom ik je dit heb gestuurd.

In de onderwerpregel zette hij de woorden 'smerige wetenschap'. Hij hing de FenoFit-afbeelding als bijlage aan de mail, grimaste en klikte op VERZENDEN. Hij was gespannen en prikkelbaar, liep langzaam naar zijn provisorische bed. 'Vertel de waarheid,' mompelde bij zichzelf. Vertel altijd de waarheid. Wat de gevolgen ook zijn. Terwijl hij woelde en draaide, zijn lichaam aanspoorde om de adrenaline die in zijn hart prikte te negeren, begon steeds vaker zijn broer te verschijnen. Hoe die in zijn tienerjaren in de vroege uurtjes door de politie werd thuisgebracht, de ergernis van zijn moeder, de dronken onverschilligheid van zijn vader, de oplosmiddelen, de cannabis, de xtc, de keren dat hij Reuben kleine pakjes amfetamine aangaf onder de keukentafel, hoe hij had geweigerd Reuben in de ogen te kijken op de begrafenis van hun vader. De frase die hem had gekenmerkt als een tatoeage: slimmer dan goed voor hem is. Reuben kneep zijn ogen dicht en vertraagde geforceerd zijn ademhaling. Slimmer dan goed voor hem is.

3

De nieuwe informatie arriveerde in Phil Kemps kantoor via de snoeren van zijn telefoon, zijn rode, sponzige oor in, met dank aan *Sun*-verslaggever Colin Megson. Wat belangwekkend was, was dat het bericht niet via de gebruikelijke wegen was gekomen. Zelfs ondanks de mediavraatzucht naar kennis, wat voor kennis dan ook, was de politie meestal als eerste ter plaatse. Phil vroeg zich af of er binnenkort meer nieuwssnuffelaars dan rechercheurs zouden zijn. Het was steeds meer een publieke zaak. En vandaag was daar een voorbeeld van. De media wisten het eerder dan de politie.

Megson ontweek zijn vragen. Phil, die het telefoontje had aangenomen met zijn voeten op zijn bureau, ging steeds meer rechtop zitten, tot hij stram overeind zat en zijn schoenen in de vloerbedekking boorde. 'Kom ter zake,' gromde hij, op het punt zijn geduld te verliezen.

De journalist bleef de informatie uitspelen voor wat die waard was. 'Zoals ik al zei, hoofdinspecteur, alles op z'n tijd. Eerst moet je mij helpen. Een paar details over de andere twee, meer niet.'

'Luister Megson, je moet niet met me klooien. Je wilt mij niet als vijand.'

'Rustig, harde werker, ik vraag slechts om een kleine gunst.'

'Bovendien kom ik er heel binnenkort toch achter.'

'O ja? Denk je dat iemand het verband zal leggen? Wat, binnen vierentwintig uur? Een paar dagen? Best. Maar intussen loopt er een gek los. Het is jouw begrafenis.' Megson grinnikte, een droog lachje dat erop gericht was om te irriteren en te insinueren. 'Dat zou althans kunnen.'

Hoofdinspecteur Kemps stem drong door het gekakel van de journalist heen. 'Als je niet meteen begint te praten, en ik bedoel nú, verdomme, dan stuur ik een paar agenten naar je toe...'

'En dat zal allemaal tijd kosten. Geef me een paar details. Laat me die van jou zien...'

'Goddomme!' Phil sloeg met zijn hand op het bureau. 'Ik ben hier verdomme met een moordonderzoek bezig, en dat zou een stuk beter gaan zonder eikels zoals jij.' Hij zweeg even, liet zijn woede stabiliseren, zag voor zich hoe Colin Megson op een velletje papier zat te tekenen, wachtend, wetend dat hij Phil bij de kloten had. 'Oké,' begon hij op mildere toon, 'één dingetje, en dan vertel je me wat je hebt, zonder gezeik. Afgesproken?'

'Ik ben een en al oor.'

Phil zuchtte. 'Hij laat aanwijzingen voor ons achter, alsof hij opgespoord wil worden.'

'Wat voor soort?'

'Genetische aanwijzingen; niet in de normale zin van het woord maar in code, die woorden vormen als je ze vertaalt.'

'Dat mag ik wel. De Slachter van Wetenschappers.'

'Ik geloof niet...'

'En wat voor woorden dan wel?'

'Gesar, dreigementen. "Ik kom je halen", dat soort dingen.'

'En "je" is dan?'

'Je, onpersoonlijk. Laat me nu die van jou zien.'

'En waar vinden jullie die aanwijzingen? Op de lijken? Op de plaats delict?'

'Megson, geen gezeik. Vertel me wat je weet.'

Colin Megson mompelde iets onverstaanbaars. 'Oké,' zei hij. 'Maar ik vind dat ik er bekaaid afkom. Ik ben gebeld om rond te neuzen. Je weet wel, het gebruikelijke. Willekeurige moord, de toestand in het hedendaagse Engeland, dat soort dingen. Kwart pagina redactiestuk. Maar goed, ik vroeg het een smeris – sorry, inspecteur – een sméérlap daar ter plaatse, en die wist er niks van. Man van middelbare leeftijd, middenklasse, aangevallen in zijn eigen middelmatige rijtjeshuis. Ze wisten zijn beroep niet, dus ben ik gaan snuffelen, en wat dacht je?'

'Wat?'

'Forensisch wetenschapper. Lloyd Granger.'

'Granger? Zegt me niks. Waar werkte hij?'

'Kleine eenheid in het zuiden van Londen. Recentelijk geprivatiseerd en gespecialiseerd in iets onplezierigs dat ze "buccaalmonsters" noemen, geloof ik.'

Phil Kemp schreef de gegevens haastig op, met een blauwe balpen die diep in het papier drukte. 'Ga door.'

'Er is nog meer,' vervolgde Megson, 'als je nog een beetje wilt meespelen. Geef me nog een paar extra aardigheidjes om het verhaal mee op te vullen.'

'Colin?'

'Ja?'

'Hoe beledigd zou je zijn als ik gewoon de hoorn op de haak gooide?' Phil hing op. 'Dat zal ik dus wel nooit weten,' mompelde hij in zichzelf. Hij pakte de telefoon weer en begon de details van Lloyd Grangers recente overleden na te trekken, en al die tijd dacht hij na, peinsde, probeerde te besluiten wat de dood van weer een forensisch wetenschapper kon betekenen, wetend dat Granger geen lid van zijn staf was, hopend en biddend dat de moordenaar eindelijk zijn aandacht van GeneCrime had afgewend.

De politiecentrales trakteerden hem op een verscheidenheid aan krakende stiltes en elektronische benaderingen van klassieke werken. Naarmate hij dichter en dichter naar de informatie die hij nodig had toe kwam, werd de tijd dat hij in de wacht stond langer. Phil klopte met zijn duim op het bureau. Hij had gesproken met de wachtsergeant van het bureau in Zuid-Londen, de agent die op de plaats delict was geweest waar Lloyd Granger was gevonden, de assistent van de patholoog die later het lijk zou onderzoeken, een lid van de technische recherche, een hoofdinspecteur die ernstige misdaden in die buurt overzag, en een aantal agenten van gemiddelde rang die een moordteam aan het samenstellen waren. Momenteel wachtte hij tot een telefonist hem zou doorverbinden met de commandant van een eenheid om speciale toegang voor GeneCrime te vragen. Hij neuriede mee met een door een keyboard verminkte versie van Händels *Watermuziek*. De deur ging open en hij strekte zijn nek, met het telefoonsnoer om zijn onderarm gedraaid. Het was Sarah Hirst.

'Ik sta in de wacht,' zei hij bij wijze van uitleg. 'Ga zitten.'

Sarah tilde een stapel papieren van de enige extra stoel in de kamer. Ze had een dun bruin dossier bij zich, dat ze zorgvuldig op haar schoot legde. 'We boeken wat vooruitgang.'

'Ja? Ik ook. We hebben een van de verdachten kunnen uitsluiten.'

'Wie?'

'Jattinder Kumar.'

'Hoezo?'

'Het schijnt dat hij een paar maanden geleden is verongelukt.'

'En dat weet je zeker?'

'Zo zeker als maar kan.'

'En de rest? Je andere drie verdachten?'

'Stephen Jacobs, voormalig biologieleraar en meervoudig pleger van geweldsdelicten... nee, ik wacht nog wel even, dank u... is in mei uit het huis van bewaring ontsnapt. Sindsdien niet meer gezien.'

Sarah onderdrukte de neiging om te glimlachen. 'En ik begrijp dat je Lars Besser ook kwijt hebt weten te raken.' Elke keer als Phil het verprutste, schoof zij dichter naar het algehele bestuur van GeneCrime toe.

Phil kneep zijn ogen samen. 'Wie heeft je dat verteld?'

'Het is algemeen bekend.'

'Eikels.' Phil wreef over de rechterkant van zijn gezicht.

'Nou?' vroeg Sarah, die haar grijns niet langer kon bedwingen. 'Ben je hem kwijt?'

'Ja, maar dat kwam doordat een barman besloot de held uit te hangen. Dat leverde hem uiteindelijk een modieus gepiercete tong op.'

'Weet je zeker dat hij het was?'

'Hij heeft ons niet veel kunnen vertellen, zoals je je wel kunt voorstellen. Maar hij schijnt er vrij zeker van te zijn.' Phil Kemp schudde zijn hoofd en probeerde zijn woede te onderdrukken, zag de bajonet, voelde het na-effect van de aanwezigheid in de rokerige pub, wendde zijn blik af van Sarahs zelfingenomenheid. 'En Mark Gelson...' – hij grimaste en veranderde van onderwerp – 'we hebben een paar meldingen dat hij is gezien. Bovendien denken we dat hij weer heeft gemoord. Een voormalig dealer van hem – Carlton Morrison – is dood gevonden, ernstig toegetakeld, met bewijzen van foltering.'

'Een genetische code?'

'We hebben er geen gevonden. Maar de diverse snijwonden vertonen kennelijk heel wat overeenkomst met die op Runs bovenlichaam. We doen tests die het ja dan nee zullen bevestigen. We zijn dus een beetje... En u weet zeker dat hij vandaag dienst heeft? Ik moet hem zo snel mogelijk spreken. Oké.... verder dus. We kunnen een van onze vier potentiële daders uitsluiten, twee van hen schijnen nog te leven en een ervan wordt vermist.'

'Aangenomen dat het iemand is die we kennen.'

'Nou, ja.' Phil knikte. 'En jij kijkt naar de andere kant. Wat heb jij?'

'Iets wat je bijzonder zal interesseren.' Ze ritste de dunne leren map open. Er werd luid aan de deur geklopt en twee leden van hoofdinspecteur Kemps CID-team liepen naar binnen. Sarah knikte naar de agenten en vervolgde: 'Ik heb de resultaten van de –'

Phil viel haar in de rede. 'Sarah, jij kunt dit net zo goed meteen horen. Ik heb net wat nieuwe informatie gekregen, jongens. Een derde moord. Deze keer een lagere forensische wetenschapper die Lloyd Granger heet, van ten zuiden van de rivier. We weten nog niet of het verband houdt met onze zaak, maar ik pleeg een paar telefoontjes om de plaats delict voor ons af te sluiten.' Hij wiebelde met de telefoonhoorn om te laten zien dat hij ermee bezig was.

'Is er gemarteld, baas?' vroeg een van de gedrongen agenten.

'Weten we nog niet.'

'Iets anders wat hem in verband kan brengen met Sarah of Run?'

'Ik ben nog bezig de eerste informatie te krijgen.'

'Wat voor tak van de forensische wetenschap deed hij?'

'Gewoon routinetests, zo te horen.'

'En helemaal geen relatie met GeneCrime?'

'Nee. Maar stel een team samen en ga erheen zodra we toestemming hebben. En vraag een beetje rond. Kijk of iemand wel eens van ene Lloyd Granger heeft gehoord. Sorry, Sarah, je stond op het punt iets te vertellen...'

Sarah loerde naar de CID-agenten. Het bleef haar steken dat ze werd behandeld als een inferieur schepsel op Phils territorium, dat haar informatie van tweederangs belang was, ook al had zij het belangrijkste nieuws tot nu toe. 'Luister, we doen dit samen of helemaal niet.' Haar gezicht was verhit van snel opkomende woede. 'Ik waarschuw je, Kemp, probeer je deze zaak niet toe te eigenen. En bega nooit de vergissing me als een ondergeschikte te behandelen.'

De CID-agenten staarden nadrukkelijk naar de vloer. Phil wachtte even voordat hij antwoordde. 'Oké,' zei hij zachtjes. 'En wat heb je voor nieuws?'

'Misschien later.'

'Nee, kom op. Ik heb je dat van mij laten zien. Laat dat van jou zien.'

De drie mannen keken haar verwachtingsvol aan. Sarah hield zich voor dat ze rustig moest blijven. Als je je geduld verliest, verlies je de discussie. Ze hield de ritssluiting onzeker tussen haar vingers. Dit moest voorzichtig worden aangepakt. 'Ik spreek je later wel. Onder vier ogen.'

Phil Kemps bleke, slappe gezicht kwam tot leven. 'Dit is verdomme een moordonderzoek,' blafte hij. 'We hebben geen tijd voor fijngevoeligheid. Er gaan mensen dood. Als je iets te zeggen hebt, kom er dan in jezusnaam mee voor de dag.'

Sarah aarzelde nog heel even. Haar rivaal, ook al was hij een blaffende terriër, had gelijk. Ze herinnerde zich de mantra uit haar opleidingstijd. Alle informatie is goede informatie. Ze opende het dossier en haalde er zorgvuldig een vel fotopapier uit. 'De resultaten,' zei ze, 'van voorspellende fenotypering op de DNA-monsters van Run en Sandra.' Phil nam het vel papier van haar aan. Het was een FenoFit. Hij gaf die zwijgend aan de twee CID-leden, van wie er een floot. Phil legde de hoorn op de haak en zakte achterover in zijn stoel, met zijn vingers verstrengeld onder zijn kin. Niemand zei iets. Sarah pakte de FenoFit terug en stopte hem weer in haar dossier. Ze zag dat er een mengeling van emoties over Phils gezicht trok. Hij zag de mogelijkheden, vocht tegen zijn loyaliteiten, onderdrukte zijn subjectiviteit, tuurde door het waas van vriendschap heen, koppelde alles aan elkaar in de pijnlijke mars naar een conclusie.

'Ik weet dat dit onthutsend is,' zei ze, waarmee ze de stilte verbrak, 'maar we moeten hem in overweging nemen. Ik weet niet waarom hij dit zou doen of wat zijn motieven zijn. Maar we kunnen het niet negeren. Of jullie nu oude vrienden zijn of niet.'

'Alleen al het feit dat Reuben dit heeft gestuurd, is toch zeker al een belangrijk bewijs van zijn onschuld?'

'Misschien,' mompelde Sarah. 'Maar toch...'

'Maar waarom zou hij anders...'

'Ik weet het niet. Vergeet al het andere en kijk alleen naar de feiten. Laten we dit onpartijdig behandelen. Run en Sandra kenden de dader. Geen spoor van braak. De moordenaar gebruikt genetische codes. Reuben wordt ontslagen wegens machtsmisbruik.'

'Heeft hij dat fenotypische profileringsding niet ook meegenomen?' vroeg een van de CID-agenten.

'Voorspellende fenotypering,' corrigeerde Sarah.

'Hoe dan ook, mevrouw, nu kunnen we het niet tegen hem gebruiken. U weet wel, om te kijken of hij de moordenaar is.'

'En Surveillance heeft hem recent zien omgaan met de gangster Kieran Hobbs,' opperde andere CID-agent.

'Echt waar?'

'Maar Lloyd Granger? Wat heeft hij ermee te maken?' vroeg Phil.

Sarah pulkte aan haar nagelriem. 'Weet ik niet. Misschien is het wel toeval.'

'Baas, hebben we de verblijfplaats van dokter Maitland?'

'Sarah? Het is duidelijk dat jij contact met hem hebt gehad.'

'Geen idee. Echt niet. Alles is via e-mail of de telefoon gegaan.'

'Dus hij zit ondergedoken?'

'Ja, maar niet noodzakelijk omdat...'

Phil Kemp stond enigszins onvast op. Sarah zag dat hij erg onzeker was. 'Roep iedereen bij elkaar,' droeg hij de CID-agenten op. 'Over vijf minuten in de vergaderkamer.' Hij trok zijn das strakker en streek met zijn hand door zijn haar. Hij straalde iets droevigs uit waaruit Sarah afleidde dat hij het ondenkbare overwoog. 'Ik vrees dat het erop lijkt dat we er een nieuwe verdachte bij hebben,' mompelde hij, terwijl hij naar de deur liep.

4

Terwijl Judith toekeek hoe Reuben door het laboratorium ijsbeerde, zag ze in hem de eerste erupties van het obsessieve gedrag dat altijd onder zijn huid had gesluimerd. Het was te zien geweest in het dag en nacht werken, de weigering om te eten of te slapen totdat alle bewijzen waren verzameld, de drang om te kwantificeren, vast te stellen, te concluderen, de waarheid te kennen. Ze vroeg zich af waar hij haar aan herinnerde. Een gekooid dier kwam in de buurt, maar klopte niet helemaal. Hij was uit vrije wil hier en kon ontsnappen wanneer hij wilde. Nee, dacht ze, terwijl ze haar armen in de vertrouwde stijfheid van haar labjas stak, dit was eerder een mentale dan een fysieke belemmering. En net als bij alles wat de hersens aanging, waren de resultaten op zijn gezicht geëtst. Hij was afgemat en ongeschoren, zijn ogen bloeddoorlopen. Het was duidelijk dat de resultaten van de voorspellende fenotypering waren gaan etteren, hadden geweigerd de kamer met tl-verlichting te verlaten, rondkaatsten binnen de oneffen muren, waardoor Reuben was gedwongen eroderende en verontrustende scenario's onder ogen te zien.

Reuben merkte haar eindelijk op en bleef even staan, een bleke gestalte tegen het donkere baksteen, bijna een omgekeerd silhouet. Hij glimlachte half, zich ervan bewust dat hij was gadegeslagen, voordat hij zelfbewust over zijn hoofd wreef en naar haar toe kwam. 'Zo,' zei hij op een manier die aangaf dat hij geen idee had wat hij moest zeggen.

'Inderdaad. Zo,' antwoordde Judith. Ze bleven zwijgend staan. Ondanks wat er minder dan vierentwintig uur geleden in deze ruimte was gebeurd, voelde Judith een enorme kloof tussen hen. 'Ik kan dit niet,' zei ze.

'Wat?'

'Gisteren.'

'Ik dacht dat je –'

'Nee. Luister gewoon even.' Judith zweeg, en Reuben merkte de aarzeling in haar rustige schoonheid op. 'Charlie en ik hebben een paar problemen. Het gaat niet zo goed. Maar dat is geen reden...' Haar ogen waren vochtig en ze probeerde niet te huilen. 'Luister, ik ben getrouwd. Wat ik gisteren heb gedaan was verkeerd. Heel verkeerd. En ik voel me vandaag niet goed over mezelf.'

'Het geeft niet.'

'Ja, het geeft wel.'
'Dus wat doen we nu?'
'We gaan door. Werk, collega's. *Business as usual.*' Judith maakte haar vochtige blik los van de vloer. 'Luister, dit gaat niet om jou, Reuben.'
'Nee?'
'Dit gaat om mijn huwelijk. Waar ik toevallig nog steeds in geloof.'
'Het is prima. Echt.' Reuben besefte dat de situatie verre van ideaal was. In wanhoop en onder enorme stress hadden ze een grens overschreden, en dat hadden ze niet moeten doen. Op dat moment was het Reuben opgevallen dat hij Lucy niet uit zijn hoofd kon zetten. Hij snapte dat hij er nog niet klaar voor was. 'Weet je zeker dat je het aankunt om in het lab te zijn?'
Judith zuchtte. 'Het zal niet meevallen. Maar ja. We zijn volwassen. We redden ons wel.'
Reuben keek naar haar, merkte de kille afstandelijkheid in haar stem op en vroeg zich af hoe authentiek die was. Hij was zich ervan bewust dat hij haar vriendschap en loyaliteit tot het uiterste op de proef zou stellen en haar in een richting zou duwen waar ze niet heen wilde gaan. 'En vandaag?'
'Niet goed,' antwoordde ze somber, waarna ze haar neus snoot in een tissue.
'We moeten het werk blijven binnenhalen, Jude. Anders moet dit allemaal' – hij gebaarde naar het laboratorium – 'terug naar de winkel. De droevige realiteit is dat we zonder het geld van Kieran Hobbs niks meer kunnen.'
'Maar er is toch wel een veiligere manier?'
Reuben griste zijn jas van een stoel en liep door de kamer om de apparatuur te verzamelen die hij nodig had. 'Als we de slechte dingen niet doen, kunnen we de goede dingen ook niet doen,' antwoordde hij. 'Is je duidelijk wat we moeten doen?'
'Duidelijk, ja. Of ik ervan overtuigd ben: nee.'
'Nee?'
'Het lijkt me nog altijd te riskant.'
Reuben haalde zijn schouders op. Hij vroeg veel van haar, maar probeerde het niet te laten merken. 'Dat wist je al die tijd al, Judith.'
'Er is een verschil tussen weten en doen. Het spijt me, Reuben, maar soms word ik doodsbang van die regeling waarbij ik het haasje ben. Alsof ik in tweeën word getrokken.'
'Aard van het beestje, vrees ik.'
'Voor jou maakt het niet uit, maar ik werk nog steeds voor de politie. Eén foutje en ik kan me bij de losers scharen. Niet lullig bedoeld.' Judith

pakte drie gele buisjes uit een pakketje en deed de dopjes erop, die ze zorgvuldig alleen aan de buitenkant vasthield met haar gehandschoende vingers. Ze stopte ze in een sigarettenpakje, trok haar handschoenen en labjas uit en gaf hem het pakje aan. Reuben zag in haar handelingen dat ze een besluit had genomen. Hij hoopte maar dat er niets mis zou gaan.

'Beloof me alleen dat we voor de lunch klaar zijn. Mijn dienst begint om twee uur.'

'Beloofd,' zei Reuben, die het pakje in zijn borstzak stopte. 'En ik garandeer ook dat je niets overkomt.'

Judith leek niet echt overtuigd.

In de taxi begon Judith haar tekst te oefenen. Ze bespraken de details. Reuben speelde met een smal rolletje dubbelzijdig plakband, dacht na en werkte de beste aanpak uit. Hij vertelde haar over de moord op Joey Salvason, de onbewezen aantijgingen tegen Maclyn Margulis, Kieran Hobbs' verdenkingen, de handlangers, het gevaar, ontsnappingsplannen voor als alles misging. Judith bekeek Reuben vanuit haar ooghoeken. Hij was geanimeerd en levendig. Dit, wist ze, was waar hij voor leefde. Ze bekeek haar vingers, wetend dat ze over een paar korte minuten, in een dreigende sfeer, Reubens hand zou vasthouden. Beelden van gisteren bestookten haar weer. Judith streek met haar hand over haar spijkerbroek, duwde het vocht in het materiaal terwijl haar trouwring haperend over de stof gleed.

Terwijl ze naar de straten keek die ze passeerden, vroeg Judith zich af wat de dag zou brengen als haar dienst begon, en ze voelde de spanning nu al toenemen. Ze zag haar man voor zich die in een kantoor zat, zijn haar grijs, zijn kleren grijs. Judith bad dat hij het nooit ontdekte van Reuben. Katholieke families hadden het niet zo op echtscheiding. Toen ze opkeek, zag ze dat ze in Covent Garden waren aangekomen. Veldwerk, had Reuben dit genoemd. Judith besefte dat dat een milde term was. Ze stapten uit de taxi en liepen naar het café. Reuben reikte naar haar hand, aarzelde even en kneep er toen in. Ze voelde een tinteling in haar buik, die ze met moeite onderdrukte. Zijn handpalm was vochtig, en dat baarde haar zorgen. Even ving ze hun spiegelbeeld in een venster op: geliefden die samen op straat liepen aan het begin van de lunchperiode. Terwijl ze de deur naderden, wendde hij zich tot haar en zei: 'Kom, we gaan dit doen.'

Judith slikte moeizaam. Ze liepen naar een tafel, zigzagden tussen stoelen door, nog steeds stevig hand in hand. Zoals ze hadden geoefend riep en zwaaide Reuben naar twee mannen achterin. Ze liepen naar hen toe, glimlachend, met verraste gezichten. 'Kieran, jij ouwe makker!' zei Reuben. 'Hoe gaat het, kerel?'

Kieran Hobbs opende zijn poortachtige wimpers, stond op en glimlachte naar hen terug. 'David.' Hij grijnsde. 'Lang niet gezien.'

'Dit is Annalie.' Reuben maakte een gebaar en trok Judith naar voren.

'Kieran,' zei ze stralend, terwijl ze haar armen om hem heen sloeg en hem op beide wangen kuste, 'David heeft me zo veel over je verteld.'

'En wat doe jij tegenwoordig?' vroeg Reuben.

'Je weet wel, een beetje van alles...' Kieran draaide zich om, op het punt een onbehaaglijke introductie te doen. 'Sorry, dit is Maclyn, een zakenrelatie van me.'

Reuben stak zijn hand uit, en Maclyn Margulis deed met tegenzin hetzelfde. Hij was gebruind en knap, met een vierkante kaak en een Romeinse neus. Zijn haar was ravenzwart, zijn ogen zwembadblauw. Over Maclyns schouder zag Reuben drie potige mannen, die rondhingen achter in het restaurant en alles nauwlettend gadesloegen. Een van hen stond op en kwam dichterbij. Hij boog zich naar voren en liep langzaam, zigzaggend tussen de eters door. Reuben schuifelde dichter naar Judith toe. Maclyn Margulis bewoog zijn hoofd een stukje en stak zijn hand op. De oppasser bleef stilstaan, draaide zich schoorvoetend om en liep terug naar zijn kameraden. Reuben glimlachte onbenullig naar Maclyn Margulis. Klaarlichte dag, in een chic restaurant, omgeven door zijn bodyguards. Dit was me een voorzichtige klootzak. 'Hallo, David,' zei Maclyn op een toon die klonk als 'tot ziens'. 'En Annalie.'

Judith bukte zich en kuste hem stijfjes op beide wangen, met haar handen op zijn schouders.

'Hoe gaat het met je moeder, David?' vroeg Kieran aan Reuben.

'O, je weet wel, ze houdt vol,' antwoordde hij.

Maclyn Margulis schoof heen en weer in zijn stoel. Zijn mannen staarden naar hen met een dreigende mengeling van minachting en vijandigheid. Nu pas merkte Reuben aan de andere kant van het restaurant een paar leden van Kierans bende op. En hij vroeg zich af of, ergens ongezien, de gemeentepolitie ook aandachtig toekeek.

'Luister.' Kieran glimlachte. 'Laten we binnenkort een keertje bijpraten. Ik zit hier midden in een zakelijke bespreking.'

Reuben probeerde teleurgesteld te kijken. 'O, tuurlijk. We moeten de heren maar met rust laten.' Hij sloeg zijn arm om Judith heen en kuste haar op de wang. 'Kom, lieverd, we gaan iets eten.'

'Nou, ik ben van gedachten veranderd. Zullen we in plaats daarvan iets drinken?'

Hij haalde verontschuldigend zijn schouders op naar Maclyn en Kieran. Vanuit zijn ooghoeken zag hij dat beide oppassers bleven kijken. 'Best. Ik weet wel een leuke pub. Ik bel je binnenkort, Kier.' Ze liepen het restaurant uit en terug naar de taxi, die om de hoek stond te wachten. Dertig meter voordat ze er aankwamen ving Reuben een spiegelbeeld in een etalageruit op, met zijn arm om Judiths middel. Hij liet haar bijna schuldbewust los. En toen zei hij: 'Loop de taxi voorbij.'

'Hoezo?' vroeg Judith.

'We hebben een pub op een hoek nodig, en snel.'

Een van Maclyn Margulis' oppassers liep achter hen aan. Reuben controleerde het nog eens.

'Daar.' Judith knikte.

Op de kruising tussen twee wegen in Covent Garden stond een pub getooid met bloemen en zatlappen. Reuben en Judith gingen naar binnen, waar hun ogen moesten wennen aan het halflicht. Terwijl hij Judith naar binnen dirigeerde, luisterde hij of hij de deur achter hen opnieuw hoorde opengaan. Hij hoorde niets en leidde haar door de achterdeur naar buiten, waardoor ze uitkwamen op de straat erachter. Reuben wuifde energiek naar een zwarte taxi, die met piepende banden tot stilstand kwam. Ze reden weg en hij riskeerde een blik achterom.

'Reuben, wat is er verdomme aan de hand?'

'Problemen,' antwoordde hij. Door de achterruit was de oppasser weer te zien. Hij schreef het registratienummer van de taxi op.

'Shit,' zei Judith, die een pincetje uit haar zak haalde en haar rechterhand bekeek. Er waren kleine stukjes dubbelzijdig plakband aan haar vingertoppen geplakt. Daarop zaten een paar dikke zwarte haren. Reuben gaf haar het sigarettenpakje aan, en ze liet de haren in de buisjes die daarin zaten vallen. Ze zwegen, terwijl de taxi doorreed en werd opgeslokt in de drukke galop van het verkeer in de stad. Na een paar minuten liet Reuben de chauffeur stoppen. Ze stapten uit en hielden een andere taxi aan. Later vroeg hij: 'Denk je dat hij het doorhad?'

'Nee. Ik heb zijn kraag maar heel even aangeraakt.' Judith keek naar het gezicht van haar baas, vroeg zich af wat hij de vorige dag had gevoeld en of hij het ook liever een vergissing noemde.

Reuben zag de digitale meter tikken met stappen van twintig cent, terwijl ze heen en weer schoven over de vinylbekleding van de achterbank doordat de chauffeur kortere wegen zocht door verwarrende straten die niet breder waren dan stegen. 'Luister,' zei hij, 'moet ik je op je werk afzetten? Of daar in de buurt?'

Judith wendde zich af van het raam en keek op haar horloge. Ze was verloren geweest in haar eigen reis. 'Ja, doe maar,' antwoordde ze. 'Het kan geen kwaad om wat vroeger te zijn, me op de hoogte te stellen van de stand van zaken. Wat die ook is. Je weet nooit, misschien is er zelfs wel een doorbraak geweest.'

'Alles is mogelijk.'

Reuben gaf nieuwe aanwijzingen aan de chauffeur, die zachtjes vloekte voordat hij een U-bocht maakte. De rest van de tocht zwegen ze. Toen Judith uit de taxi stapte, een paar straten bij GeneCrime vandaan, gaf ze het sigarettenpakje aan Reuben en zei: 'Dat was wel genoeg opwinding voor één dag.'

Reuben trok een grimas. 'Tot ziens,' mompelde hij terwijl de taxi wegreed, met het onmiskenbare gevoel dat de opwinding nog maar pas begon.

5

Hoofdinspecteur Phil Kemp stond dicht achter Jez Hethrington-Andrews, die door een lange lijst van computergegevens scrolde. Ondanks de airconditioning voelde Jez nog altijd een bedompte vochtigheid van zijn baas af stralen. Zijn nabijheid was onbehaaglijk, een inbreuk op de veilige afstand die Jez liever tussen zichzelf en zijn collega's hield. Namen en details flitsten langs op het scherm, en Jez opende mappen en bekeek de inhoud ervan. Er hing een onplezierige stilte in de gerecirculeerde lucht, alleen verstoord door Phils ademhaling en het dubbelklikken van Jez' muis.

'Zeg,' zei Phil, die ongeduldig wachtte op de informatie die hij had opgevraagd, 'wanneer komt je broer eigenlijk vrij?'

'Dat duurt nog een jaar,' antwoordde Jez, terwijl hij aandachtig naar het scherm staarde en in zijn droge ogen wreef. De huid eronder was rood en ontstoken, diepe wallen die de afgelopen paar kwellende dagen bijna rauw waren gekrabd.

Kemp schraapte zijn keel. 'Je beseft toch wel dat we dan misschien een probleem hebben? Als we de regels strikt interpreteren.'

'Hoezo?'

'Naaste familie betrokken bij criminele activiteiten. Er zijn richtlijnen voor dat soort dingen. Ik weet dat dokter Maitland je heeft aangenomen in de volle wetenschap van het strafblad van je broer, maar strikt genomen had hij dat niet moeten doen. En terwijl je broer in de gevangenis zat was de situatie, zeg maar, stabiel. Maar zodra hij weer vrijkomt zou er belangenverstrengeling kunnen ontstaan, denk je niet?'

Jez draaide zich een stukje om op zijn stoel en probeerde het gezicht van zijn baas te peilen. 'Ik geloof niet...'

'Kom op. Een forensisch agent en een draaideurcrimineel. Stel dat hij deze keer wat ernstigers doet dan inbraken plegen? In het gunstigste geval kan je verantwoordelijke positie een onderzoek compromitteren.'

'Nogal onwaarschijnlijk, als ik het zeggen mag, meneer.' Jez drukte zijn vinger diep in de wal onder zijn oog, duwde hem omhoog tot hij op zijn oogbol drukte. Even verloor hij zichzelf in de matte pijn en het ongemak. 'Ik bedoel, ik kom niet eens in de buurt van het front. En de kans dat Davie een moord pleegt, of iemand verkracht, of...'

Phil haalde zijn schouders op. 'Dat soort dingen gebeuren.'

'Luister, hij is niet achterlijk. Hij is alleen in aanraking gekomen met drugs. Davie is niet bepaald een carrièrecrimineel.' Jez vond eindelijk de map die hij zocht en wees ernaar. 'Is dat hem?'

'Ja.'

'Bovendien zag hij er een stuk beter uit toen ik de laatste keer bij hem op bezoek ging.' Jez huiverde bij de herinnering aan die plek, een kille herinnering die in zijn maag klauwde. 'Hij zegt dat Belmarsh hem een lesje heeft geleerd en dat hij vast van plan is nooit meer terug te gaan.'

Phil snoof. 'Dat zeggen ze allemaal. De universele mantra van junks alom. "Ik ga nooit meer terug. Ik ben niet meer dezelfde persoon."' Hij leunde over Jez' schouder, en zijn wijde witte overhemd streek langs Jez' kruin. 'Kun je alle fotobestanden tegelijk openen?'

'Ik zal ze weergeven als miniaturen.'

'Maar jij en ik kennen allebei de cijfers over recidive en de terugval naar vroeger drugsgebruik. Tel die twee bij elkaar op en je hebt dynamiet. Of vind je dat onredelijk van me?'

Jez klemde zijn kaken op elkaar en zweeg.

'Daar, dat is hem,' zei Phil, wijzend naar een kleine afbeelding. 'Maak hem een klein beetje lichter en laat hem op het volledige scherm zien.'

'Zo goed?'

'Perfect.' Phil tuurde er nog even naar. 'Ja, dat is hem. Nee, ik vrees dat we je betrekking zullen moeten heroverwegen als je broer wordt vrijgelaten. Niet mijn regels, dat begrijp je vast wel. En voor wat het waard is, ik vind het lullig. Maar er is hier pas een richtlijn over uitgegeven, en het is mijn plicht om die serieus te nemen. Oké. Maak daar even een kleurenafdruk van.'

Jez klikte op het pictogram om het bestand af te drukken, de beweging van zijn muis snel en woedend. Hij staarde naar het scherm, kauwde op zijn kiezen, tuitte zijn lippen, en zijn hart sloeg sneller dan normaal. Phil griste de afdruk van de printer en bekeek hem. 'Zo, mijn oude vriend Reuben,' hij fronste zijn voorhoofd, 'wat is er verdomme met jou gebeurd?'

6

'Lloyd Granger,' fluisterde Reuben in zichzelf. 'Wat heb ik gedaan?' Het telefoontje kwam van Judith, die aan het begin van haar dienst op de hoogte was gebracht van de ontwikkelingen. Reuben begroef zijn gezicht in zijn handen. Hij kreunde lang en melancholiek, een geluid dat door het verlaten lab galmde. 'Arme drommel.' Reuben inhaleerde diep en blies de warme, vochtige adem door zijn vingers. Hij kreunde nog een keer en strekte zich uit op de bank waarop hij had gezeten. Tegen zijn zij voelde hij de warmte van een platte ABI 377 sequentieermachine zo groot als een rotsblok. Op het scherm, dat tegen zijn spijkerbroek drukte, werd het DNA van Maclyn Margulis base voor base samengesteld tot streepjescodes in kleur, die later zouden worden ontcijferd door licentieloze software.

Sinds hun vertrek uit het restaurant had Reuben drie uur besteed aan het verwerken van Maclyn Margulis. De dreiging van de lijfwacht had hem gezelschap gehouden toen hij DNA onttrok aan de vier zwarte haren en parallelle sequentiëringsreacties uitvoerde. Terwijl de machine blindelings doorwerkte, hadden Judiths twee nieuwtjes hem doen verstijven. Ze had alleen maar gezegd: 'Ik heb slecht nieuws en nog slechter nieuws.'

'Geef me het slechte nieuws maar,' had hij geantwoord.

'Weer een dode. Heb je wel eens gehoord van ene Lloyd Granger?'

Reuben had geprobeerd achteloos te klinken. 'Ik geloof van niet.'

'Lage forensisch wetenschapper bij een particulier onderzoekslab ergens in SE6. Mogelijke bewijzen van foltering.' Judiths stem klonk vermoeid van de schok. Haar stem zei: Weer een collega van ons dood, en dat kan ik nu niet aan. 'Phil en Sarah weten niet goed wat ze ermee aan moeten. We gaan er over een paar minuten naartoe.'

'Bel je vanaf je werk?' had Reuben zachtjes gevraagd.

'Ja, hoezo?'

'Hou het gesprek kort. En bel de volgende keer mobiel.'

'Waarom?'

'Lang verhaal. Maar goed, laat me raden naar het nog slechtere nieuws.'

'Ga door. Maar je gaat het nooit...'

'Een nieuwe verdachte?'

Judith blies langdurig, somber haar adem uit. 'Ja.'

'Mijn eigenste ik?'

'Heeft iemand je gewaarschuwd?'

'Niet nodig,' verzuchtte Reuben. 'Je hoeft geen genie te zijn om te snappen dat we niet met genieën te maken hebben.'

'Maar weet je wat dit betekent?'

'Ik heb wel een paar ideeën.'

'Je zult voorzichtig moeten zijn.'

'Jij ook. Vat dit niet verkeerd op, Jude, maar zeg niets meer. Bel me mobiel als je weet wat er gaande is. Maar hou voorlopig je periscoop omlaag.'

Reuben had zijn telefoon dichtgeklapt. Seconde na seconde had hij het punt bereikt waarop op zijn werkbank gaan liggen de enige verstandige aanpak leek. En nu brandde er een tl-vermoeidheid door zijn gesloten oogleden. Het gezoem van gemechanischeerde activiteit trilde in zijn oren. In zijn maag begon zich een misselijkmakende overtuiging samen te ballen. De dood van Lloyd Granger veranderde alles. Reuben besefte met lethargisch verdriet dat hij de enige ter wereld was die dit wist. GeneCrime en het CID hadden het hele punt over het hoofd gezien.

Reuben blies zijn kruipende verdriet uit en geeuwde. Alweer foltering. Lange uren van hulpeloze pijn, van in en uit het bewustzijn glippen, van zien hoe je huid wordt opengescheurd, hoe het mes langzaam en opzettelijk naar binnen dringt, van voelen hoe het koude metaal in je vlees brandt, van volkomen kwetsbaarheid, van alleen maar dood willen gaan. Reuben sliep een paar uur onrustig, een gedeprimeerde halve bewusteloosheid geplaagd door pijn en lijden. Toen hij wakker werd, tuurde het gezicht van Moray Carnock op hem neer. Moray at een boterham en nam slokken uit een blikje Pepsi. Van dichtbij waren kleine donkere haartjes te zien die aan de poriën rondom zijn neus ontsproten.

'Lig je lekker?' vroeg hij met zijn vette Aberdeense accent.

Reuben duwde zich op zijn ellebogen omhoog. 'Als op een spijkerbed,' antwoordde hij.

'Kijk, dat krijg je van die wetenschappelijke hocus pocus.' Hij nam een gigantische hap van zijn late lunch. 'Je percepties worden verstoord.'

'Dat is al een levenslang probleem.'

'Dus ik neem aan dat je Maclyn Margulis te pakken hebt genomen,' schatte Moray, zwaaiend met zijn blikje fris in de richting van de sequentieermachine.

'Ja. Over een paar uur weten we of Kieran Hobbs' intuïtie klopt.' Reuben kwam in beweging en schudde het afgrijzen over Lloyd Grangers dood van zich af, hoewel hij wist dat het snel genoeg weer zou terugkomen en hem zou vinden. Maar nu wilde hij scherp zijn. Hij moest Morays verstand gebruiken. 'Het is alleen een beetje raar.'

'Hoezo?'

'We hebben voorspellende fenotypering uitgevoerd op DNA-monsters die we van Hobbs' onderbevelhebber Joey Salvason hebben genomen. Alleen herkende Hobbs de FenoFit die we hem gaven niet. En toch bleef hij ervan overtuigd dat Maclyn Margulis achter de moord zat.'

'Dus?'

'Dus het klopt niet. De FenoFit wijst erop dat Kieran Hobbs het mis heeft en dat die man is vermoord door een of meerdere onbekende personen. Normaal gesproken zou ik aanbevelen de identiteit van de verdachte te gebruiken om door databases met DNA- en fotogegevens te doorzoeken en hem dan te pakken. Maar Hobbs wil in plaats daarvan dat ik deze confirmatietests doe. Het gaat tegen mijn gevoel in. Ik bedoel, wat weet je eigenlijk over Kieran Hobbs?'

Moray dronk zijn blikje leeg, en zijn dikke keel bewoog toen hij de laatste resten wegslikte. 'Ik weet alleen wat jij ook weet. Grote misdaadbaas, loyaal aan zijn mensen. Maar wat betreft een verborgen agenda, wie zal het zeggen? Je zei dat het CID belangstelling had.'

'Run zei dat ze er meer aandacht aan besteedde. Maar ik vermoed dat ze op het moment andere prioriteiten hebben.'

'Er kunnen natuurlijk problemen bestaan tussen Kieran en Maclyn Margulis.'

'En dat vind ik beangstigend.'

'Dat, mijn vriend, is het risico van de diensten die jij levert. Suggereren dat iemand een moordenaar is kan soms persoonlijk worden opgevat.'

'Ik heb wat dat betreft wel een idee.'

'Wat dan?'

'Over hoe ik een paar schulden kan vereffenen. De forensische wetenschap is nog niet klaar om Kieran Hobbs te grijpen, maar ik zou kunnen helpen.'

'Waarom staat me dit niet aan?'

'Luister, ik bevind me in een unieke positie. Het CID kan niet dicht bij hem komen, maar ik wel. Als Hobbs heeft betaald, nou, dan vervalt de garantie, zullen we maar zeggen.'

Moray leek extreem niet onder de indruk. 'Doe geen domme dingen.'

'Ik doe dit voor mezelf, Moray. Mijn carrière draaide om het vangen van misdadigers. Dat is wie ik ben, dat is wat ik doe.'

'Dit zijn geen mensen met wie je moet klooien. Je zit er nu al diep genoeg in.'

'Trouwens...'

'Wat?'

'Raad eens wie de nieuwe hoofdverdachte van de moorden op de forensisch wetenschappers is.'

Moray trok zijn borstelige wenkbrauwen op. 'En hoe hebben ze die geniale gedachtesprong gemaakt?'

'Dat wil je niet weten. Maar er is nog iets anders, iets veel ergers.'

'Ga door.'

Reuben draaide zich om en sprong van de bank. Hij ijsbeerde een tijdje door het lab. Moray keek aandachtig naar hem. Reuben leek zichzelf aan te moedigen. 'Er is een derde sterfgeval. Een middelmatige particuliere forensisch wetenschapper die Lloyd Granger heet.'

'Dat meen je niet.'

'Helaas wel.'

'Shit.'

'Dit verandert de zaak. Voorheen, met Run en Sandra, ging het om GeneCrime.'

'En nu?'

Reuben draaide zich naar Moray om en keek hem aan. 'Nu gaat het om mij.'

'Hoezo?'

'Lloyd had geen relatie tot GeneCrime. Hoofdinspecteurs Kemp en Hirst weten dit niet, maar Lloyd en ik waren bevriend. We hadden elkaar een paar jaar geleden op een congres leren kennen. Hij was...' Reubens ogen traanden en hij wendde zich van Moray af, dwong zichzelf om niet in te storten waar hij bij was, voelde de pijn in zijn mond die hij al iets meer dan vier maanden niet meer had gevoeld. Hij klemde zijn kaken op elkaar en drukte zijn nagels in zijn handpalmen, beseffend dat te veel afzondering en te weinig slaap hem parten speelden. 'We hadden wat gemeenschappelijke interesses. Hij schilderde ook.' Reuben draaide zich met een emotieloos gezicht weer naar Moray toe. 'We spraken soms in het weekend af. Of hij kwam naar mijn huis toe. Je weet wel, elke paar weken. Dan bleven we de hele nacht op en schilderden alleen maar, probeerden de perfecte lippen te krijgen, of neus, of wat dan ook...' Ondanks zijn inspanningen waren Reubens ogen vochtig van het bewijs van droevige nostalgie. 'Hij heeft maar één of twee mensen van GeneCrime ontmoet, en dat was via mij. Dus dit verandert het hele scenario. De moordenaar heeft het helemaal niet op GeneCrime voorzien.'

'Nee?'

'Hij zit achter mij aan.'

Moray zweeg en verwerkte die informatie. Hij leek erg serieus voor zijn doen. Nu Reuben zweeg, merkte hij dat hij niet kon ophouden met door hetzelfde stukje van de ruimte te ijsberen, turend naar zijn schoenen, krabbend aan zijn voorhoofd. Een stukje van zijn boterham was tussen zijn tanden blijven zitten, en hij peuterde er met zijn tong aan terwijl hij nadacht. Een trein rommelde boven hen langs. 'Oké, dus je hebt een motief. Ze hebben sterke forensische bewijzen tegen je. Dat is voor de meeste rechters goed genoeg. Hoe zit het met alibi's?'

'Je doet alsof je denkt dat ik schuldig ben.'

'We moeten net zo denken als zij. Waar was jij ten tijde van het overlijden van Sandra, Run en Lloyd?'

'Ah, dit zul je leuk vinden. Ofwel in mijn eentje hierbinnen, of anders...'

'Ja?'

'Bij jou.'

'Je bent de lul.' Moray bleef staan en mompelde: 'Schimmige kerels zoals ik zijn geen goed alibimateriaal. En om redenen van beroepsmatig overleven zou ik niet bijzonder geneigd zijn om je te helpen.'

'Bedankt.'

'Dus met een sterk motief, duidelijk forensisch bewijs en geen alibi...'

'Ja?'

'Ik zou voorlopig maar ondergedoken blijven, als ik jou was.' Moray trommelde met zijn vingers op de rugleuning van een labkruk. Zijn vettige gezicht was naar dat van Reuben gewend om zijn reactie te peilen. Reuben keek weg. Met trillende vingers opende hij de sequentieermachine en haalde de zware glazen platen eruit. Terwijl hij de platen uit elkaar trok en een bijna onzichtbare laag acrylamide van het oppervlak schraapte, schoof Moray een envelop over de werkbank en verliet het lab. Reuben sloeg zijn armen stevig om zichzelf heen. Hij kneep hard, alsof hij de angst kon wegdrukken die vat kreeg op zijn ingewanden. Iemand zat achter hem aan. Iemand die steeds opnieuw had gemoord. Iemand die zijn leven wilde verwoesten.

7

De gevarieerde straten rondom GeneCrime waren precies zoals hij ze zich bijna elke dag inbeeldde. De omgeving van GeneCrime was afwisselend groezelig, exclusief, commercieel, woonomgeving, vermoeid en nieuw. Toen hij vertrok was het mei en begon de zomer net te ontwaken. Nu was het begin september, en de zon straalde met felle opstandigheid neer. Reuben koos de open kant van de weg, zoog als een uitkomende vlinder de warmte en het licht op. Onder het lopen voelde hij zijn schouders naar achteren gaan, zijn armen uitrekken, zijn lippen opkrullen en zijn lichaam tot leven komen. Hij was bijna vergeten hoe fijn de zomer kon aanvoelen.

Reuben trok een honkbalpet uit zijn achterzak en schoof zijn zonnebril langs zijn glibberige neusbrug omhoog. GeneCrime lag maar een straat verderop. Hij stak over en ging een steeg in waar een restaurantje lag. Binnen stonden gedekte tafels met elk twee houten stoelen erbij. Op een van de stoelen, aan een van de tafels, zat hoofdinspecteur Sarah Hirst. Maar hij moest voorzichtig zijn. Hij tuurde het steegje door, op zoek naar politie in burger, speurend naar waakzaam werkvolk, naar een valstrik. Twintig meter van de deur zag Reuben een lid van GeneCrime en bleef staan. Hij keek snel achterom of er een uitweg was, maar die zag hij niet. De man kwam recht op hem af. Reuben hoopte maar dat dit toeval was. De man scheen hem op te merken, en toen weer niet. Reuben vermoedde dat hij met zijn pet en bril niet was herkend. Hij keek naar links en naar rechts en nam een gok. ‘Jez,’ siste hij.

De man draaide zijn hoofd, maar liep door.

‘Jez!’ riep Reuben wat luider, terwijl hij zijn zonnebril afzette. ‘Ik ben het.’

Jez Hethrington-Andrews keek nerveus om, keek nog een keer, en kwam met tegenzin tot stilstand. ‘Reuben,’ zei hij zachtjes. ‘Ik had je niet gezien.’

‘Zal wel door de vermomming komen.’

‘Noem je dat een vermomming?’ spotte hij toen Reuben zijn pet wat lager trok.

‘Wat had je dan verwacht? Een lange baard?’

‘Op z’n minst.’ Jez staarde langs Reuben naar de voorbijgangers. ‘Luister... Ik weet niet... Ik zou hier niet moeten zijn. Wat doe je zo dicht bij...’

‘Ik heb een afspraak.’

'Juist, juist.'

Reuben zag dat Jez niet op zijn gemak was. Zijn normaal zo speelse houding was weggeknaagd. Reuben kon zich voorstellen dat de gebeurtenissen bij GeneCrime zelfs de meest ontspannen wetenschappers op de zenuwen werkten. Hij scheen wanhopig graag weg te willen, en plotseling begreep Reuben zijn conflict. 'Komen jullie achter me aan?' vroeg hij.

'Ja,' antwoordde Jez emotieloos.

'Wanneer?'

'Binnenkort.'

'Jez, wie kan ik vertrouwen?'

'Niemand.'

'Sarah?'

'Nee.'

'Phil?'

'Nee, niemand.'

'Helemaal niemand?'

'Vooral niet Sarah of Phil. Er zijn een hoop dingen gaande die... Ik weet niet, het is een zooitje geworden. Ik kan er niet over praten. Ik wou dat het kon, maar het kan niet. Sorry. Echt. Luister, het is beter als we niet samen gezien worden. Ik meen het. Ik moet weg. Ik moet ergens zijn.'

'Maar, Jez...'

'Reuben, ik zal je één ding zeggen.' Jez klonk onbewogen en zijn ogen waren groot, alsof hij net iets vreselijks had gezien wat hij maar half kon beschrijven. 'Ga je verstoppen. Verstop je goed. Blijf daar zitten en kom niet naar buiten. Dat is het enige wat je kunt doen. Je beseft niet... Je hebt geen idee hoeveel gevaar je loopt. Echt geen idee.' Jez liep door. 'Ga weg,' smeekte hij. 'Verstop je. Er zijn dingen...' Hij draaide zijn hoofd en liep weg.

Reuben bleef met zijn ogen staan knipperen in het zonlicht. Aan de ene kant was het restaurant waar hij met Sarah had afgesproken; aan de andere kant was Jez Hethrington-Andrews, die zich snel uit de voeten maakte met een uitdrukking op zijn gezicht die tot Reubens adrenalineklieren sprak. Jez' woorden galmden nog na. 'Vertrouw niemand. Vooral niet Sarah of Phil.' Hij zag voor zich hoe Sarah met een glimlach zijn FenoFit overhandigde aan Phil Kemp, terwijl de fijne lijntjes rond haar ogen uitwaaierden van tevredenheid. Reuben bleef staan. Hij kon de restaurantdeur zien. Aan het eind van de straat zou het maar een paar minuten duren om een taxi aan te houden. De zonnige kant of de schimmige kant. Blijven of weggaan. Op veilig spelen of gokken. 'Schijt aan,' fluisterde hij binnensmonds. Reuben nam een besluit. Hij draaide zich om.

8

Sarah zat aan een tafel in de kelder van het restaurant. Reuben liep langzaam en behoedzaam naar haar toe, terwijl hij de andere gasten opnam. Hij besefte dat zijn acties grensden aan roekeloosheid en dat zijn nieuwsgierigheid hem wederom in gevaar bracht. Even zag hij voor zich hoe Moray tussen mondenvol voedsel door tegen hem preekte.

Sarah was onverwacht bleek en hij voelde aan dat ze te veel binnen zat, achter haar computer, terwijl feiten en getallen van haar beeldscherm straalden en haar huid bleekten. De mouwen van haar hemelsblauwe blouse waren opgestroopt en onthulden slanke, haarloze polsen. Reuben schoof de stoel tegenover haar achteruit en ging zitten. Voordat hij tijd had om iets te zeggen, drentelde er een ober naar hen toe en stak de kaars op tafel aan. Reuben keek om zich heen in de armoedige ondergrondse ruimte. Stellen opeengepakt aan tafeltjes, naar voren gebogen, hand in hand, met kringels kaarsrook dansend door hun gesprek.

'Leuke tent,' zei hij.

'Intiem,' antwoordde Sarah.

Reuben bestelde iets te drinken en mompelde: 'Ik was bijna niet gekomen.'

'Waarom ben je er dan?'

'Ik wilde je spreken, *face to face*.'

'Nou, hier zijn we dan. *Face to face*.'

Reuben keek Sarah aan, die naar hem glimlachte. Het was een glimlach van volkomen controle, en Reuben voelde aan dat dit niet eenvoudig zou zijn.

'Misschien had je niet moeten komen,' zei ze.

'Nee?'

'Nee.' Sarah nam een lange, trage slok van haar rode wijn. 'Je weet toch dat we op je jagen?'

'Dat heb ik gehoord.'

'Ik zal je zeggen hoe ik het zie. Je bent ofwel heel dapper, of heel dom.'

'Misschien kan ik een gratis maaltijd gewoon niet weerstaan.'

'En Phil begint eindelijk te geloven dat jij het echt bent.'

'O ja?'

'Ik probeer hem te beïnvloeden.'

'En wat denk jíj?' vroeg Reuben, die haar blik vasthield.
'Dat jij de moordenaar bent.'
'Waarom ben je daar zo zeker van?'
'Door van alles. Kom op, Reuben, je kunt me de waarheid wel vertellen. Gooi de last van je af.' Sarahs ogen fonkelden ondeugend. 'Geef het maar toe.'
'Als je zo zeker van je zaak bent, waarom arresteer je me dan niet gewoon?'
'Wie zegt dat ik dat niet ga doen?'
'Omdat afspraak afspraak is. Ik heb gezegd dat ik jou zou helpen, en jij hebt mij een gunst beloofd. En nu wordt het tijd dat je je aan de afspraak houdt.'
'Maar je vertrouwt me niet, hè, Reuben? Nooit gedaan ook.'
Reuben zweeg en liet de stilte voor hem antwoorden.
'Wat voor gunst wil je dan?'
'Daar kom ik nog op. Maar eerst moet ik weten wat jij weet.'
'Vertrouwelijk. Dat begrijp je vast wel.'
'Anders kan ik je niet helpen.'
'Je beste hulp bestaat eruit om niemand meer te vermoorden.'
'Soms krijg ik de indruk dat je alleen maar met me speelt.'
'Waarom zou je denken van niet?'
Reuben schudde zijn hoofd en hield het naar achteren, alsof hij werd aangevallen. Als je met Sarah praatte, rotzooide ze altijd met je hoofd. Ze kon er binnenkomen zonder er ook maar haar best voor te doen. Maar net als in de pub was er ook nu nog iets anders in haar ogen te zien. Onderdrukt, vermomd, maar toch lekte het erdoorheen. Reuben besloot Sarahs eigen spelletje te spelen.
'Ik vraag me af wat een politiepsycholoog ervan zou denken dat je hebt besloten met me af te spreken in een romantisch restaurant.'
'Dat ik een gestoord gevoel voor humor heb.'
'Of anders...'
'Wat?'
'Je weet wel wat ik bedoel.'
Reuben staarde haar aan. Het was te zien. Een heel licht spoortje van een blos die zich omhoog worstelde. Als ze zomers bruin was geweest, zou hij het niet eens hebben gezien. Maar Sarah was bleek, en Reuben had goede ogen.
'Ik denk van niet.'
Reuben kauwde op een ijsblokje. Hij had zojuist iets waardevols ontdekt. 'Ik kan dit ook.'
'Wat kun je ook?'

'Warm en koud. Duwen en porren. Aardig en akelig. Noem het wat je wilt.'

'Luister, wat wil je weten?' vroeg ze ongeduldig.

'Vertel me wat je hebt,' zei hij.

'Alleen een paar moorden. Een forensisch team waarvan de leden een voor een worden gefolterd. Een wetenschapper die iets tegen zijn vroegere collega's heeft. En wat denk je? Alle DNA-bewijzen duiden erop dat hij de moordenaar is.'

Reuben reikte over de tafel en pakte Sarahs hand. 'Ik meen het. Hou op met dat geouwehoer. Wees voor de verandering een keertje eerlijk.' Een paar stellen keken onopvallend hun kant op. Even zag Reuben wat zij zagen: twee geliefden die ruzieden in een restaurant, probeerden hun relatie te redden. Hij liet Sarah los en nam een koele slok wodka.

Sarah streelde peinzend over haar lange vingers. Haar voorhoofd fronste en de glimlach verdween. Een oprechte blik van medeleven trok over haar gezicht, alsof ze zich ervan bewust was dat ze Reuben te veel onder druk had gezet. 'Wat ik ga zeggen is volkomen vertrouwelijk en mag nooit boven water komen, oké?' Reuben knikte. 'Oké.' Ze zuchtte. 'Jij bent de hoogste prioriteit op onze lijst, maar er staan er nog meer op. Drie anderen. Ze hebben allemaal relevantie, op wat voor manier dan ook.'

'Wie?'

'Geen namen. We hebben er net één gekoppeld aan vierentwintiguurssurveillance. De andere twee lopen vrij rond, maar we hebben camerabeelden die bewijzen dat ze op of rond de tijd van de moorden in de stad waren. We hebben van een van hen geen DNA, maar wel van de ander. De omschakeling naar Lloyd Granger bracht ons even van de wijs, maar we denken dat we een doorbraak hebben.'

'Hoe dan?'

'Kan ik niet zeggen, daarvoor is het nog te vroeg. Maar ik denk dat je het al weet.' Sarah liet de wijn in haar glas rondwalsen en nam een slokje. 'Dus we hebben ons opgesplitst in twee teams, speurend door oude veroordelingen, camerabeelden, meerdere profielen. Het forensische team draait dubbele diensten in een poging het bij te houden. CID-agenten kloppen overal aan, controleren laatste verblijfplaatsen, zoeken naar getuigen. Phil en ik wroeten door gegevens, dragen ideeën aan, plannen de tactiek. Heel GeneCrime werkt zich in het zweet om iets te doen wat we nog nooit hebben gedaan.'

'En dat is?'

'Een zaak in real-time oplossen. Een moordenaar grijpen terwijl hij nog aan het moorden is.' Sarah stond op. 'Ik kom zo terug,' zei ze.

Reuben keek haar na toen ze naar het toilet beende. Sarah Hirst was niet onkwetsbaar. Hij bestelde nog een wodka en genoot van de smaak van het koude niets. 'Luister,' zei hij toen ze weer ging zitten. 'Ik wil dat je iets voor me doet.'

'Hou je in,' antwoordde Sarah. 'Je hebt niet bepaald een sterke onderhandelingspositie.' Het was duidelijk dat ze haar tijd op het toilet had gebruikt om haar zelfbeheersing te herwinnen. Haar foundation was plotseling dikker, haar wangen gekleurd. Ze had de deur dichtgeslagen, bang voor hoeveel van haar erdoorheen lekte. 'Hoofdverdachten krijgen maar zelden de kans om het verloop van een onderzoek te bepalen.'

'Ik kan misschien helpen.'

'Dat heb je al gedaan. Je hebt jezelf aangewezen als de moordenaar.'

'Ik bedoel echt helpen.'

'Hoe dan?'

'Ik wil betrokken zijn bij het onderzoek. Laat me de lichamen onderzoeken.'

'Dat meen je niet.'

'Dat is de gunst die ik wil. Kom op, Sarah. Je vertrouwt mij net zo weinig als ik jou vertrouw. Maar de moorden stapelen zich op. De druk zit op de ketel. De hoge heren zullen je wel in de nek hijgen. En je weet dan in ieder geval een paar uur lang waar je hoofdverdachte uithangt.'

Sarah staarde koel en berekenend in Reubens gezicht. Hij zag haar haar ogen toeknijpen terwijl ze haar mogelijkheden afwoog. Een ijle glimlach bracht haar pas gestifte lippen in beweging. Haar ogen werden weer groter, de pupillen openden zich als bloemen. 'Best,' zei ze. 'Dat zou wel eens kunnen werken.' Haar glimlach verbreedde zich. 'Voor ons allebei.'

9

Mina Ali huivert lichtjes als ze de parkeergarage van GeneCrime verlaat. Het is altijd koel in het gebouw, wat de buitentemperatuur ook is, en koud in de ondergrondse garage nu de zon onder is. Terwijl ze naar de bushalte loopt, denkt ze aan haar oude Polo die ergens moederziel alleen in een garage staat nadat hij de hele dag is geplaagd door een reeks onverschillige monteurs. Ze schudt haar hoofd en hoopt dat hij op tijd is gerepareerd voor haar ochtenddienst.

Haar voeten doen pijn van een dag lang achter de werkbank staan, en naar de andere kant van de garage is het bijna een kilometer lopen. Ze kijkt op haar horloge en vloekt. Het is bijna één uur 's nachts. Mina wacht hoopvol bij de bushalte. Terwijl ze in haar portemonnee zoekt naar kleingeld, beseft ze dat haar vingers en pols bijna evenveel pijn doen als haar voeten. Het is een lange dubbele dienst geweest, waarbij ze honderden monsters van de plaatsen delict van Sandra en Run in pipetten heeft gezogen. Erger nog, de eerste batch van specimens van Lloyd Granger betekent dat alle forensische wetenschappers aan één stuk door werken.

Een nachtbus verschijnt en Mina stapt dankbaar in. De reis naar de zuidkant van de stad duurt twintig minuten, doordat het verkeer rustig is op dit tijdstip. Als ze uitstapt, denkt ze alleen maar aan een lang, warm bad. Mina steekt de sportvelden van de school over waarachter haar flat staat. Het is zo donker en ze kent de weg zo goed dat ze amper de moeite neemt om haar ogen te openen. Ze hoort het achtergrondgeroezemoes van de late uurtjes van Londen, en een lichte bries draagt het lawaai van een autoalarm naar haar toe. Boven de rusteloosheid van de stad uit beseft ze plotseling dat ze niet alleen is. Ze heeft sterk het gevoel dat er nog iemand in het park is. Mina loopt snel door in de richting van de straat en kijkt om zich heen. Ze ziet niemand in het donker, maar ze is ervan overtuigd dat er iemand in de buurt is. Er schiet haar iets verschrikkelijks te binnen. *Zij is de volgende.* Ze begint blindelings te rennen. De straat is vijftig meter verderop. Links achter haar hoort ze iemand meerennen.

Ze bereikt de straat en gaat rechtsaf, weg van het geluid, maar ook weg bij haar flat. Ze kijkt om naar de sportvelden, maar ziet niemand. Mina blijft rennen, voortgedreven door een enkele gedachte. In de schemering ziet ze beelden voor zich van Sandra, Run en Lloyd. Honderd meter achter zich hoort ze duidelijk snelle voetstappen. Ze draait zich met een ruk om. Vijftien auto's achter haar komt een man op haar af. Hij rent in volle vaart, voorovergebogen, met een wolfachtige honger in zijn bewegingen. Ze rent verder, neemt haar omgeving in zich op, strijdt tegen haar paniek. Ze wordt omgeven door opeengepakte rijen huizen die bochten maken en elkaar doorsnijden. Mina vertraagt haar pas en kijkt naar de straatnamen. Er zijn drie keuzes verderop: links, rechts of rechtdoor. Achter haar steekt de donkere gedaante snel de straat over, veertig meter achter haar, maar steeds dichterbij. Ze hoort hem hijgen, voelt bijna het geklets van zijn schoenen op de stoep. Ze weet dat de politie hier niet snel genoeg zal zijn. Een plotseling ijzig voorgevoel knijpt haar longen samen. Ze heeft een andere strategie nodig. Iets wat sneller is dan de politie. Ze smeekt haar hersens om hulp.

Kijkend op een straatnaambordje kiest ze links en hervat haar sprint. De straat wordt steeds leger. Dichtgetimmerde vensters worden de norm. De weg maakt een bocht naar rechts. Ze pakt haar telefoon zodra ze de bocht om is en niet meer te zien is. Als er wordt opgenomen, zegt ze alleen maar: 'Dunkirk, Tiverton Avenue. Herhaal, Dunkirk.' Mina stopt het toestel weer in haar jaszak. Verderop houden de huizen op. Dertig meter daarachter houdt ook de weg op. Bij een hoge bakstenen muur met vervagend graffiti. Mina houdt vaart in. Ze draait zich om en loopt achteruit verder, met haar gezicht naar hem toe. Zijn voetstappen galmen door de straat. Ze ziet zijn schaduw. En uiteindelijk zijn gestalte.

Hij is behoedzaam, wil zeker weten dat ze geen kant op kan. Ze kan zijn gezicht niet zien. Ze raakt in paniek. Het licht is slecht. Kapotte lantaarns die ver uit elkaar staan. Ze trekt zich zo ver mogelijk terug. Voelt de muur achter zich. Die is scherp en oneffen. Hij lijkt vertrouwen te winnen. Zijn gezicht wordt verborgen door een mond-en-neusmasker. Ze ziet dat hij onder zijn jas kleding van de technische recherche draagt. Hij loopt naar haar toe. Ze zit in de val. Hij heeft latexhandschoenen aan. Ze zet zich schrap, onderdrukt de neiging om te gillen. Haar ogen zijn groot, haar ademhaling snel, haar borst verstrakt. Hij is tien passen weg. Ze staart hem aan, probeert zijn lengte te schatten, zijn postuur en zijn uiterlijk te zien. Pas even later beseft ze dat het licht te vaag is en dat hij zich heeft voorbereid. Zijn masker beweegt heen en weer met zijn ademhaling. Ze beseft dat ze tijd moet rekken.

Hij kijkt eens goed om zich heen en stapt dan naar voren. Hij haalt iets uit zijn tas. Mina ziet dat het een witte doek is. Zelfs van drie meter afstand herkent ze de geur. Die ruikt ze bijna elke dag. Maar nu, in de koele buitenlucht, wordt ze bang van de zoete lucht van chloroform. Ze ziet haar lot. Ze uit een enkel vragend woord: 'Reuben?' De man blijft verstijfd staan. En dan komt hij weer naar voren. Plotseling baadt de smalle straat in het licht. Een lawaaiige cavalerie. Het gerommel van zeker tien dieselmotoren. Zwarte taxi's stromen op hen af. Hij staart haar aan. Dwars door de verhullende kleding die hij draagt bespeurt ze woede en verbazing. Hij draait zich om en rent recht op de taxi's af. Twee ervan moeten uitwijken. Hij springt over een hek en verdwijnt in de duisternis. Mina merkt op dat hij ondanks zijn forse postuur atletisch is. Ze pakt haar telefoon en belt de politie. Terwijl ze het voorval meldt kan ze alleen maar denken: Ik had hem bijna. Ik had hem bijna in de val. Chauffeurs stappen uit hun auto's. Sommige hebben wapens. Ze naderen elkaar verwonderd. Mina's vader stapt uit een van de taxi's. 'Wat doe je hier, verdomme?' vraagt hij nors. Gevolgd door: 'Is alles goed?' Mina knikt alleen maar. De adrenaline laat een tinteling achter. Ze trilt. Door de ruiten van een paar taxi's ziet ze passagiers zitten; vragende gezichten die condens op het glas maken.

'En jij hebt zeker die Dunkirk doorgebeld?' vraagt hij, terwijl hij zijn arm om haar heen slaat.

'Er was een man... Hij was...'

'Het is al goed, kindje,' troost hij, terwijl hij haar zachtjes knijpt.

Mina staart de duisternis in, tevergeefs zoekend naar sporen van hem. Door de nachtlucht komt het geluid van naderende sirenes. 'Bedankt, pap. Het gaat alweer, echt.'

Isad Ali gebaart naar de chauffeurs die uit hun taxi's zijn gesprongen in de verwachting dat een van hun collega's in de problemen zat. Ze stappen weer in en blazen met veel motorgeronk de aftocht uit de doodlopende straat. Chauffeurs en passagiers staren naar haar terwijl ze wegrijden.

'Oké,' begint Mina's vader. 'Ik breng je naar huis.'

Mina schudt haar hoofd. 'Nee, dat kan niet. Ik moet hier blijven. Ze moeten weten waar ze moeten zoeken naar de man die me achtervolgde. Zij zorgen wel voor me.' Ze blijft staan in de omhelzing van haar vader, huiverend en wachtend tot de politie eindelijk komt. Aan het geluid van de sirenes te horen zitten ze allemaal in zijstraten, zoekend naar de doodlopende weg.

'Ze pakken hem vast wel,' zegt Mina's vader.

'Nee, hij is allang weg,' zegt ze. Mina heeft een bijna overstelpende behoefte om te huilen, maar ze vecht ertegen. Ze heeft al een paar jaar niet meer gehuild in het bijzijn van haar vader, en dat wil ze zo houden. Een paar minuten later komt de eerste politiewagen in Tiverton Avenue aan.

10

Phil Kemp stak een krant omhoog en liet die in een boog van honderdtachtig graden rondgaan. Het was een kwaliteitskrant, en hij was opengevouwen bij een verhaal van een halve pagina op bladzijde vijf. De kop kondigde aan: 'Wetenschapper in verband gebracht met forensische moorden.' Phil worstelde de krant dicht en pakte een roddelblad. Hij zweeg, maar zijn woede sprak duidelijk uit de stramheid van zijn bewegingen. Hij liet die krant op dezelfde manier zien. Op de voorpagina schreeuwde de kop: WETENSCHAPPER-MOORDENAAR OP VRIJE VOETEN. Phil liet de aanwezigen zijn woede voelen. Het was een techniek die hij tijdens jaren van verhoren had geleerd. De geïmpliceerde dreiging, het sluimerende geweld. Hij sprak zachtjes, en de aanwezigen luisterden aandachtig naar elk woord. 'Ik wil weten wie er contact heeft gehad met de pers.' Hij keek woest naar de aanwezigen in de kamer, waarvan het merendeel zijn blik vermeed. 'Als ik straks terugkom in mijn kantoor zet ik mijn computer aan. Als ik vandaag geen e-mail krijg van de stomme *idioot* die details naar buiten heeft gebracht, pluis ik de hele afdeling uit tot ik erachter ben.' Hij liet zijn stem wat luider worden, spoog sleutelwoorden uit die door de kamer weerkaatsten. 'Is dat duidelijk?' Er volgde zwijgende bevestiging. 'Dit soort gedrag *tolereer* ik niet. Journalisten zijn *tuig*. Zodra ze een verhaal gaan verdraaien, *verneuken* ze een onderzoek. Nu is alles *openbaar*. Het ligt op *straat*, verdomme.' Hij loerde rond met dezelfde trage draaiing waarmee hij de kranten had laten zien. Een of twee mensen schraapten hun keel. De airconditioning sloeg af. Phil keek naar de rug van zijn handen. Adertjes kronkelden als boomwortels over de rug. De knokkels van zijn gespannen vingers waren kwaad en wit. 'Zo,' gromde hij. 'En nu hebben we ander werk. Jullie hebben wel gezien dat Mina er niet is. Voor degenen van jullie die het nog niet hebben gehoord: Mina is gisteravond bijna slachtoffer nummer vier geworden.' Hoofdinspecteur Kemp wendde zich tot een jonge CID-agent. 'Keith?'

'Dat klopt,' zei Keith, die onbehaaglijk opstond. 'Dokter Ali is naar huis gevolgd in de vroege uren van vanochtend, nadat ze een late dienst had gehad. Ze had kennelijk ronduit CID-assistentie geweigerd, om redenen die we nog niet helemaal begrijpen. Als ze niet snel had nagedacht, nou, dan is het heel waarschijnlijk dat...' Phil Kemp gebaarde om hem ter zake te laten komen. De agent keek op een vel papier in zijn hand. 'Nou, nu hebben we een signalement van onze man.' Hij zweeg even, met lichtjes trillende vingers, zich bewust van de aandacht die op hem was gericht. 'Hij was langer dan gemiddeld, goed gebouwd en atletisch. Donkere kleding.'

Er viel weer een stilte, die wat langer aanhield.

'En?' vroeg Helen Alders, een blonde rechercheur met een wipneus.

'Dat is alles.'

'Is dat het beste wat ze kon doen? Ik bedoel, ze is nota bene een serieuze forensisch agent. Blunketts hond had verdomme nog meer details kunnen geven.'

'Ter verdediging van Mina: het was donker, ze stond op het punt aan mootjes te worden gehakt en ze is gewend om te gaan met mensen die niet langer in staat zijn om haar door de straten achterna te rennen.' Phil trok zijn wenkbrauwen op naar de rechercheur. 'Vertel ze dat andere, Keith.'

'Het punt is dit. Het signalement is beperkt doordat de man een masker droeg. Volgens Mina droeg hij ook een soort labkleding onder zijn overjas, en nylonhandschoenen. Hij had zelfs schoenhoesjes.'

Er viel een rusteloze stilte. Wetenschappers, CID-leden en ondersteunend personeel lieten hun gedachten afdwalen. Elk van hen zag een eigen reeks beelden, trok een eigen reeks conclusies. Phil haalde diep adem voordat hij het woord weer nam. 'Ik vrees dat we hier iets ongemakkelijks onder ogen moeten zien. Ik weet hoe slecht op ons gemak we ons een paar dagen geleden allemaal voelden na het bekijken van de FenoFit van Reuben Maitland. En dat begrijp ik. In feite heb ik waarschijnlijk de meeste twijfels gehad van ons allemaal. Maar met alles bij elkaar genomen, en als we volkomen objectief zijn... Ik bedoel, het droevige feit is dat we niet kunnen negeren wat we voor onze neus zien. Motief. Bewijs. Signalement. Ik vind het verschrikkelijk, maar we moeten transparant en eerlijk zijn. Als dit iemand anders was, iemand die we geen van allen kenden, zouden we dan ook zo zwijgzaam zijn?'

Bernie Harrison stond langzaam op. Hij wist dat het forensische team achter hem stond, en hij putte vertrouwen uit de stilte die op Phils woorden volgde. 'Intuïtie,' zei hij ferm. 'Wat we hier nodig hebben, is intuïtie.'

'Hoe bedoel je?'

'In de wetenschap kan de logica je maar beperkt helpen.' Hij veegde met de rug van zijn hand over zijn voorhoofd. 'Transpiratie is prima, maar zonder inspiratie behaal je nooit echte doorbraken.'

'Allemachtig,' mompelde een potige CID-agent.

Phil Kemp fronste naar hem. 'Bernie, wat wil je eigenlijk zeggen?'

'Mijn intuïtie vertelt me dat Reuben geen moordenaar is. Om te beginnen hebben we geen onafhankelijke forensische bewijzen. Dokter Maitland heeft misschien zijn eigen redenen om ons een FenoFit van zichzelf te sturen, hij speelt misschien spelletjes, probeert ons van de wijs te brengen of zoiets, maar hij slacht ons echt niet af. We hebben onze eigen gegevens nodig.'

'En daarin ligt het probleem. Als juist de wetenschappers die de monsters van de moordenaar verwerken worden vermoord, dan zal de toevoerketen gebrekkig zijn. Bovendien snap ik niet wat je bedoelt. We hebben al forensische bewijzen van Run en Sandra die door Reuben zijn verwerkt...'

'Waarmee hij zichzelf verdacht heeft gemaakt. Maar zoals ik al zei, dan ben je afhankelijk van de bewijzen van een ontslagen personeelslid, bewijzen die logischerwijs juist niet hem als dader zouden moeten aanwijzen. En hoe zit het met Lloyd Granger? Hij had geen relatie tot GeneCrime. Hoe verklaar je Reubens betrokkenheid daarbij?'

Phil Kemp zuchtte diep. 'Omdat we nieuws hebben over Lloyd. We denken dat we een doorbraak hebben.' Phil friemelde een paar seconden met een projector, schakelde hem in en probeerde hem scherp te stellen op het whiteboard. 'Hoewel we nog geen interne forensische gegevens hebben, zouden die in de komende vierentwintig uur moeten binnendruppelen, als Mina weer aan het werk gaat. Maar wat we wel hebben gevonden – goed werk, Helen Alders – was een naam en adres in het adresboekje van de overledene.' Phil tuurde naar het scherm en toen weer naar zijn publiek, waarbij hij een paar tellen bij Bernie bleef hangen. 'We hebben dus een link gelegd. Tot op dit moment had Lloyd Grangers dood een koerswijziging kunnen betekenen. Maar Bernie, je zult zien dat hoewel de moord op Lloyd niet rechtstreeks met GeneCrime in verband staat, hij wél in verband staat met een voormalig personeelslid. Zoals je ziet staan Reubens naam, samen met die van zijn vrouw en zoon, hun vorige adres en hun telefoonnummer, allemaal prominent onder de "R". Niet onder de "M" van Maitland. Lloyd en Reuben kenden elkaar goed. Het wordt tijd, vrees ik, dat we rekening houden met de onplezierige mogelijkheid dat Reuben Maitland betrokken is bij de moorden.'

Bernie ging zitten. Hij keek naar de gezichten van zijn collega's, op zoek naar steun, maar vond daar weinig van. De CID-leden bogen zich naar voren in hun stoelen, mompelden, vergeleken aantekeningen. Hij benijdde hun samenhang. De intellectuelen van de forensische afdeling daarentegen waren somber, evenzeer van het andere personeel geïsoleerd als van elkaar. Phil Kemp, hoofd van de forensische afdeling, scheen langzaam terug te keren naar de formaliteit, een ouderwetse rechercheur die een spoor rook en hongerig de achtervolging inzette. De ondersteunende staf van programmeurs, statistici en databasebouwers bleef neutraal, bijna ongeïnteresseerd. Er was, zo besefte hij droevig, een gebrek aan samenhang. En de moord op forensisch wetenschappers verenigde hen niet, maar dreef hen uiteen, bracht wrijving tussen ongelijksoortige carrières, opende oude wonden.

'Judith,' zei Phil, 'ik geloof dat jij de laatste bent die met Pathologie heeft gesproken.'

Bernie liet zijn blik over Judith gaan, die op de een of andere manier tegelijkertijd beheerst en ongerust leek. 'Pathologie zegt dat de verwondingen van Granger geheel overeenkomen met die van Run en Sandra. Een klein, scherp mes, meerdere snijwonden. Maximale pijn terwijl het slachtoffer in leven werd gehouden.'

'Verder nog iets? Hebben we een boodschap?'

'We hebben de vertaling net binnen. Maar we weten niet wat we ermee aan moeten.'

'En wat is die?'

'Het is maar één woord, heel simpel.'

'En dat is?' vroeg Phil ongeduldig.

'Lifter.'

Phil liet zich zwaar op zijn stoel vallen. Er werden blikken uitgewisseld in de kamer. Een paar oudere CID-agenten trokken hun wenkbrauwen naar elkaar op.

'Wat?' vroeg dokter Paul Mackay. 'Wat is er?'

Phil Kemps telefoon ging, en hij liep de kamer uit. Niemand zei iets.

11

'Voordat ik je vermoord, wil ik dat je het begrijpt.'

Jimmy Dunst, barman van de Lamb and Flag pub, staarde woest in de schemering. Een hand was om zijn mond geklemd en een luid scheurend geluid doorboorde de stilte in de slaapkamer. Seconden later trok de hand zich terug en werd er een lang stuk tape om zijn hoofd en over zijn gesloten lippen gewikkeld. De snelheid en kracht van de handeling lieten onmiddellijk herkenning door de wazigheid van de verstoorde slaap heen dringen. Jimmy Dunsts tong begon te kloppen bij de herinnering aan zijn laatste ontmoeting met deze man. Dit was geen inbreker die de code van de kluis wilde hebben en de opbrengst van die avond wilde meenemen. Nee, dit was veel erger.

Het leeslampje bij het bed werd aangeknipt en de nachtmerrie van de barman werd bevestigd. De man boog zich over hem heen en vroeg: 'Weet je wat ik denk?'

Jimmy schudde doodsbang zijn hoofd.

'Dat de waarheid alles is. Dus moet je de waarheid kennen voordat je sterft.'

De barman verzette zich grommend en hijgend. Een grote hand drukte op zijn borst en pinde hem vast op de matras.

'Je hebt me bedreigd met een bajonet. En je hebt de politie gebeld. Weet je nog?'

Een stijgende paniek zorgde ervoor dat Jimmy onwillekeurig trilde.

'Dat is de belangrijkste reden waarom ik weer terug ben.' De man zakte zwaar op het bed neer en liet zijn greep een beetje verslappen. 'Mijn moeder is vermoord door een politieman, weet je.'

'Mmm.'

'En weet je wie die politieman was? Nee?'

Jimmy schudde heftig zijn hoofd.

'Het was mijn vader. Dat was een heel brute kerel. Sadistisch en genadeloos. Schopte het ver bij de politie. Maar natuurlijk heb ik nooit geweten dat hij de moordenaar was.' Hij praatte langzaam en zachtjes, bijna in zichzelf. 'Hij loog tegen me over het overlijden van mijn moeder. Tot vlak voordat hij zelf overleed. Hij zei dat ze het had verdiend, dat ze, hoe zeg je dat, bipolair was, schizofreen. Ze was gek, had vaak verschrikkelijke woedeaanvallen en stemmingswisselingen waarbij ze mijn vader uitdaagde, bespotte, zelfs bedreigde. Begrijp je?'

Jimmy probeerde te smeken, maar de tape om zijn mond en de nog verse hechtingen in zijn tong beperkten zijn inspanningen tot een grom.

'En later besefte ik dat ik het had moeten weten. De keren dat hij me had geslagen, alleen omdat ik op mijn moeder leek. Onvoorspelbaar, zei hij dan. Grillig. Nooit wist hij wat ik dacht. Onmogelijk te peilen.' Hij bekeek de barman aandachtig. 'Vind jij me moeilijk te peilen? Nee? Ik hoop van niet. Ik hoop dat ik me heel duidelijk maak. Mooi. Nu moet ik je een paar vragen stellen, en ik weet dat ik je het spreken moeilijk heb gemaakt. Dus wat ik ga doen, heel voorzichtig, is met mijn mes een opening maken in de tape over je mond.'

Jimmy's ogen werden groot en hij begon zich te verzetten tegen de verpletterende druk op zijn borst.

'Ik zou je aanraden stil te blijven liggen. Als ik uitschiet, belandt het mes in je nek. Net als die bajonet die jij een paar dagen geleden in me stak. Dus blijf heel stil liggen.' Hij zette een klein, scherp mes boven de tape en sneed er een gat in, voorzichtig en langzaam, waarbij hij het lemmet erdoorheen en in de mond van de barman stak voordat hij het terugtrok. 'Zo,' zei hij, 'en zeg nu sorry.'

'Sorry,' zei Jimmy zachtjes.

'Dat ik je heb bedreigd met een mes en toen de politie heb gebeld.'

Jimmy herhaalde de woorden zo duidelijk mogelijk.

'Mooi. Laten we het nu hebben over die andere gebeurtenis. Hoe lang is het geleden? Een jaar of negen, tien?'

'Ja.'

'En dat heeft je ertoe aangezet mij een paar dagen geleden aan te vallen, nietwaar?'

'Ja.'

'Vertel me wat je met eigen ogen hebt gezien. Niet wat de politie heeft ontdekt of wat er tijdens de rechtszaak is gesuggereerd, maar precies wat je je zelf herinnert.'

'Het is lang geleden.'

'Ik ga nergens naartoe. Dus praat me er maar vanaf het begin doorheen.'

De twee daaropvolgende uren beschreef Jimmy wat hij had gezien, en de man ontleedde zijn antwoorden, zette hem herhaaldelijk onder druk, scheidde feiten van aannames en waarheid van beweringen. Jimmy begon in te zien dat hij een kans had, als hij hem maar lang genoeg aan de praat kon houden. Het was vijf voor vijf 's morgens. De schoonmaker kwam om zeven uur, de leverancier kort daarna. Als er niemand opendeed, zouden ze argwaan krijgen. Misschien zelfs voldoende om de politie te bellen. Hij kreeg iets meer vertrouwen. Hoewel de man lastig te peilen was, kon Jimmy zien dat hij vriendelijker werd, warm bijna, terwijl het verhoor doorging.

'En de dode man, die je je vast nog levendig herinnert, lag hij op zijn rug of op zijn zij?'

'Zijn zij, denk ik. Hoewel de dokter hem kan hebben verplaatst.'

'Hoe verplaatst?'

'Omgerold.'

'Je zei dat er bloed om zijn hoofd heen lag?'

'Ja. Als een omtrek, of een schaduw of zoiets, een grote ronde plas...' Jimmy Dunst zweeg. Er was iets veranderd. Het gezicht van de man was plotseling anders. De ogen waren star, de oogleden opengesperd, de pupillen enorm. Zijn wangen waren rood aangelopen, zijn lippen bleek. Jimmy staarde naar hem. Het was bijna alsof hij drugs had gebruikt. Zijn kaken bewogen, spieren in zijn wang trilden terwijl hij op zijn kiezen kauwde. De ogen bleven groot en afwezig, alsof ze iets zagen wat Jimmy niet zag.

Hij besloot verder te gaan met zijn verhaal, tijd te rekken, in de hoop dat het hem weer bij zou brengen. 'En het lekte in de vloerbedekking. Ik weet dat nog doordat ik heb geprobeerd het eruit te poetsen met...' Hij stopte weer. De man staarde hem recht aan, zijn ogen boorden in zijn gezicht. Zonder waarschuwing dook het mes net boven de elleboog in Jimmy's arm. De barman schreeuwde, blies lucht uit door het gat in de tape over zijn mond, kronkelde op het bed. Een tweede aanval waarbij het mesje zijn bovenbeen doorboorde. En toen gleed het vlijmscherpe lemmet over zijn been omhoog, snijdend door vlees in de richting van zijn kruis.

'Wat is de code van de kluis?' vroeg de man, terwijl hij het mes terugtrok.

'Kut, kut, kut!' krijste Jimmy.

Hij duwde hem hard op het bed en sneed een ondiepe opening in Jimmy's opgezwollen lichaam, net boven de streep van zijn boxershort. 'De code, verdomme.'

'Elf, veertig, elf, zestien.'

Jimmy Dunst had geen tijd om zich af te vragen wat er was veranderd. Hij zag alleen dat de man in vuur en vlam stond; manisch, intens en overstelpend sterk. Er lag een kracht in hem die die van normale menselijke spieren leek te overstijgen. Nog een wond opende zich, en Jimmy schreeuwde. Hij had plotseling de indruk dat de ondervraging alleen maar tijdvulling tot aan dit moment was geweest.

'Hoeveel kassalades passen er in de kluis?'

Jimmy had al geleerd om meteen te antwoorden. Ondanks de brandende pijn van zijn verwondingen hijgde hij: 'Drie.'

De man stopte even en bekeek zijn slachtoffer zoals een kat een muis bekijkt die hij bij de staart vastheeft. Jimmy zag het genoegen, de spanning van de jacht, de verwachting in zijn ogen. Er lagen honger en behoefte in, en voor het eerst wist hij met volkomen overtuiging dat hij zou sterven. Met een misselijkmakend voorgevoel zag hij dat hij in de kluis van de pub zou worden gedwongen, of daar nu gebroken botten voor nodig waren of niet, en dat zijn gekreukelde lichaam pas over enkele dagen zou worden gevonden. Terwijl Jimmy het mes bekeek, voelde hij iets warms langs zijn benen lopen, dat begon te prikken toen het zich vermengde met bloed en in een wond terechtkwam. Hij vroeg zich af hoe de man er mentaal aan toe was, dacht in snelle flitsen terug aan wat hij had gehoord. De sadistische vader, de schizofrene moeder, de moord, de leugens. En terwijl het mes langzaam en doelgericht naar zijn neus zakte, kende Jimmy Dunst plotseling en eindelijk de waarheid van die avond tien jaar geleden. En de waarheid beangstigde hem bijna net zozeer als de naderende foltering.

GCACGATAGCTTACGGG
AATCTA**ZEVEN**ATTCGC
GCTAATCGTCATAACAT

1

Reuben keek naar de monitor. Het was een toestand van traag opkomend begrip, van het oplossen van een puzzel, van het inzien van de inherente schoonheid van een raadsel. 'Hebbes,' fluisterde hij naar de pieken van kleur in een enorm uitgestrekte grafiek, 'jij sluwe klootzak.' Hij schakelde naar de FenoFit en slaakte een lange, tevreden zucht. 'Deze ronde wordt gewonnen door de opvoeding.' Reuben bleef naar het scherm kijken en drukte op een toets op zijn telefoon.

'Moray,' zei hij, 'ben je met iets bezig wat je niet kunt laten vallen? Kun je komen? Waar ben je? Oké, ik zie je over een paar uur.'

Met zijn vrije rechterhand scrolde hij door een scherm dat vol stond met opeengepakte cijfers, sommige rood en sommige blauw. Terwijl hij dat deed belde hij met links een ander nummer.

'Kieran, met Reuben,' begon hij. 'Ik geloof dat ik nieuws heb dat je wel zal interesseren. Niet over de telefoon. Ik stuur Moray Carnock naar je toe. Kun je me een locatie geven? Oké. Drie uur. En hij zal volledig betaald moeten worden.' Reuben ademde in en fronste zijn voorhoofd terwijl hij snel rekende. 'Alles bij elkaar zesduizend. Ja. Dan ziet hij je daar. Dag.'

Reuben schudde langzaam zijn hoofd en zwaaide zijn benen van de kruk. Hij rekte zich uit, haalde diep adem en hield die in. 'Slim, slim, slim,' gromde hij, terwijl hij de lucht uitblies en de lange periode van droge concentratie liet wegebben. Werken voor gangsters als Kieran Hobbs was walgelijk en verlagend, een parasitische noodzaak, maar af en toe, zoals vandaag, leerde hij iets wat hij bij de politie nooit had kunnen leren.

Hij wreef in zijn ogen, werkte door en pakte een vel papier uit zijn zak. Een paar seconden hield hij zijn hoofd schuin, woog mogelijkheden af. Bijna met tegenzin voerde hij het nummer dat op het papiertje stond in zijn mobiel in. Toen er werd opgenomen, ging hij rechtop staan.

'Hallo. Ik probeer iemand op te sporen die Aaron heet... Ja... O ja? Hoe lang geleden? Heeft hij een nieuw adres achtergelaten? Een telefoonnummer? Wat dan ook? ... En, is hij terug geweest om zijn post op te halen? ... O, juist ja.' Hij zweeg een paar seconden. 'Ja, zo te horen is hij dat. Goed dan.'

Reuben liep naar het doek waaraan hij nog werkte en liet zijn blik erover dwalen. Tot nu toe waren er twee irissen, een vage indruk van een Aziatische neus en een lichtelijk omlaag gebogen mond. Een eenzame lok zwart haar stak recht omhoog. Run Zhang bleek lastig. Reuben kauwde op zijn lip en belde een ander nummer van het papiertje. 'O, hallo. Ik probeer Aaron te vinden. Dit is een van de nummers die ik had gekregen van... Nee, ik ben zijn broer... En wanneer was dat? Luister, ik ben alleen maar zijn broer... Bent u daar nog? De lijn is slecht... Hallo? ... Sorry, ik dacht dat u me niet kon horen. Maar weet u waar hij nu is? ... Hallo? Hallo?' Reuben trok de telefoon weg bij zijn oor en keek op het schermpje. VERBINDING VERBROKEN stond met zwarte letters op het scherm. 'Zeg dat wel,' fluisterde hij. Hij stak zijn botte potlood diep in het doek, dwong het tussen de ruw geweven vezels door, doorboorde ze, opende een gat waar een donkere iris was geweest.

Een paar peinzende minuten later greep Reuben met plotselinge haast zijn jas en sleutels en liep het lab uit, over het industrieterrein, langs de lange, zielloze weg die ernaartoe leidde en naar de relatieve beschaving. Hij liep snel, met een grimmige vastberadenheid, een honkbalpet diep over zijn ogen getrokken. Twintig minuten later ging hij een metrostation binnen, waarna hij via de ondergrondse magie in een ander deel van de stad werd gedeponeerd. Reuben stormde de ingang van een glazen gebouw binnen, negeerde de receptioniste en rende de trap op naar de derde verdieping. Hij beende door een lange gang met afgesloten kantoren voordat hij er bij een stopte en de deur openduwde.

'Niet de beveiliging bellen,' zei hij, terwijl hij naar binnen stapte.

Lucy Maitland keek op van haar bureau. 'Reuben! Wat doe jij verdomme...'

'Ik wil een paar antwoorden.'

'Ik dacht dat ik laatst al duidelijk had gemaakt dat als ik klaagde, je ernstig in overtreding zou zijn.'

'Wat kunnen ze me nog meer aandoen? Ik heb niet veel meer te verliezen.'

'Ze zouden je opsluiten. En voor zover ik in de krant heb gelezen...'

'Waarom heb je het dan niet gedaan?'

Lucy zweeg een paar tellen. Reuben zag dat ze haar kapsel veranderd had; het was stijf en glanzend als gewreven hout.

'Luister, er zit me iets dwars, iets wat de hele tijd maar door mijn hoofd blijft spoken. Ik moest je spreken. Zonder hem.' Reuben ging zwaar ademend op een stoel tegenover zijn vrouw zitten. 'Ik begrijp niet waarom Shaun mijn leven heeft gered.'

'Het was niet zijn bedoeling.'

'Nee?'

'Nee.'
'Nou, wat dan?'
'Hij wilde je aanvallen.'
'Aanvallen?'
'Hij ging voorom om zeker te weten dat hij je zou tegenkomen. Sinds die aanval van jou doet hij een cursus zelfverdediging. Heel fanatiek. In feite vind ik dat hij een beetje doordraaft.'
'Maar hoe is het met die man afgelopen?'
'Ik vermoed dat hij is bijgekomen met enorme hoofdpijn, zonder er iets van te snappen, en naar huis is geslopen.'
Voor het eerst merkte Reuben in de kamer ernaast een secretaresse op. Ze tuurde over haar bril naar hem en keek hem in de ogen. 'Wilde hij me echt te grazen nemen?'
'Je laat hem arresteren en in elkaar slaan, dan stomp je hem in zijn gezicht, en uiteindelijk ga je ons bespioneren. Wat moest hij dan?'
'Dus waarom...'
'Hoe kwaad hij ook is over jouw acties, hij wilde niet toekijken hoe je werd vermoord. Misschien besefte hij dat ik er te zeer door van streek zou raken. Misschien is hij gewoon een beter mens dan jij...'
'Zou je erdoor van streek zijn geweest?'
'Niet zoals jij denkt.'
'Ik mis ons,' mompelde hij, bijna in zichzelf, terwijl zijn drijvende energie afzwakte. Hij wist dat hij dat niet had moeten zeggen. 'Ik bedoel, ik mis ons als gezin. Jou, mij en Josh.'
Lucy zuchtte en verstrengelde haar vingers onder haar kin. Ze staarde een lange seconde in Reubens ogen. Na een tijdje keek ze weg en zei: 'Het is nu anders.'
'Luister, drie mensen die ik ken... Ik mis het om met iemand samen te zijn.'
'Maakt niet uit met wie?'
'Je weet wat ik bedoel.'
Lucy tuurde langs hem heen de gang in. 'Dit helpt niet.'
'Wat helpt dan wel? Mij bedriegen?'
'Reuben...'
'Ik moet het weten.' Iets in Reubens beheersing knapte, zijn pijn brak erdoor en tuimelde naar buiten. Hij boog zich naar voren in zijn stoel. De seks met Judith had de kwestie van ontrouw weer scherp in beeld gebracht. 'Waarom heb je me belazerd?' vroeg hij kwaad. 'Waarom? Waarom kon je niet gewoon van me houden? Waarom kon je niet gewoon gelukkig met me zijn? Waarom kon je het niet gewoon menen toen je zei dat je van me hield?'

'Reuben... je was er nooit. Je was altijd bezig met misdaden, of interviews...'

'Maar waarom moest je iemand anders neuken?' Reuben stond op. 'In óns bed, verdomme?' Hij zette een stap naar haar toe. 'Waarom vond je dat je dat moest doen? Waarom kon je niet met me praten?'

'Dat heb ik geprobeerd...'

'En hoe zit het met Joshua?' Reuben sloeg met zijn vuist op het glazen bureau. 'Waarom heb je verdomme het geluk van ons kind op het spel gezet?' Hij schreeuwde nu. 'Áls hij mijn kind al is.' Hij voelde een andere aanwezigheid. Een krijtstreeppak in de deuropening.

'Problemen, Lucy?'

Lucy wendde haar blik van Reuben af en schudde haar hoofd.

'Lucy, ik moet het weten. Ik vraag het je. Alsjeblieft. Is hij van mij?' De secretaresse reikhalsde om hem te zien. Het krijtstreeppak schuifelde naar voren, de kamer in. 'Lucy? Moet ik de beveiliging bellen?' vroeg hij.

'Ik ben haar man, verdomme,' spoog Reuben.

'En ik ben haar baas.'

'Is hij van mij, Lucy?'

'Ik sta ervan te kijken dat je nog geen bloedproef of zo hebt gedaan.'

'Ik kan me er niet toe zetten. Ik wil het eerst van jou horen. Van jou persoonlijk. Vertel me alsjeblieft de waarheid.'

Lucy staarde ijzig voor zich uit en ontweek met opzet zijn blik. De secretaresse pakte de telefoon en belde snel een nummer. Het krijtstreeppak liep verder naar binnen en ging achter Lucy staan.

'Ik vraag je wat.'

Nog steeds weigerde ze te antwoorden.

'Ik denk dat je beter kunt gaan.'

Reuben voelde zich plotseling bloot, zijn gevoelens uitgespuugd als onhandige woorden die de oren van vreemden hadden bestookt. Hij besefte dat er beveiligingsagenten de trap op kwamen rennen om hem te halen. Reuben draaide zich om en liep naar buiten. Hij nam de trap omhoog naar de vierde verdieping en ging toen met de lift naar beneden. Daarna beende hij zonder achterom te kijken Lucy's gebouw uit. Hij vervloekte zichzelf omdat hij zich zo had laten gaan en verlangde naar de rust in zijn laboratorium.

2

Terug in het lab ging Reuben somber achter zijn computer zitten en opende de oorspronkelijke FenoFit. Toen pakte hij Judiths make-upspiegeltje uit de la. Zijn keel zat dicht en zijn hartslag was snel en hol. Hij wilde het liefst met zijn hoofd tegen de muur van het lab lopen. In plaats daarvan ging hij voor het scherm zitten en hield met zijn rechterhand de spiegel schuin voor zijn gezicht. Zijn fronsende ogen liet hij tussen het geprojecteerde beeld en de spiegel heen en weer gaan. Hij verzamelde en vergeleek, stelde scherp en liet vervagen, hield vast en negeerde. Hij herinnerde zich dat hij wel eens Aaron was genoemd, en zijn broer wel met Reuben werd aangesproken. Hij zag foto's van de tweeling voor zich, hun armen stijf om elkaars schouders geslagen, beiden terugdeinzend voor de intimiteit. Hij zag hen in identieke schooluniformen, footballhemden, begrafenispakken. Hij herinnerde zich de aanvankelijke verwarring op het gezicht van mensen, aarzelend, waar mogelijk namen vermijdend. Hij zag de latere jaren: verschillende kapsels, andere kleren, niet langer met elkaar verwisseld. Hij liet zijn ogen heen en weer schieten, terugkerend naar het heden. Hij had zijn broer al drie jaar niet meer gezien, maar hij wist dat zijn gezicht net zozeer zou zijn veranderd als dat van hem. Hij bekeek de mond, lippen, oren en ogen. Terwijl hij overpeinsde wat hij moest doen, ging de deur open en kwam de forse gestalte van Moray Carnock binnen. Reuben legde de spiegel terug in de la en schoof die dicht.

'Hoe bevalt die nieuwe mascara, kerel?' vroeg Moray.

Reuben trok zijn wenkbrauwen op en probeerde op te vrolijken. 'Ik wist niet dat het je iets kon schelen.'

'Ach. De lange uren, het nauwe contact, de intieme telefoontjes. Hoe kan ik anders?' Moray schoof de helft van zijn achterwerk op een kruk. 'Bovendien val ik op gevaarlijke bandieten.'

'Geweldig. En ik hou van mollig en stevig.'

'Zware botten, noem je dat. En trouwens, het komt door mijn stofwisseling.' Moray klopte tevreden op zijn buik. 'Die me nu eenmaal opdraagt om kolossale hoeveelheden taart te eten.' Moray maakte zijn stropdas wat losser, waarvan de knoop er al bijna uit was. 'Maar genoeg gekird. Wat is er voor nieuws?'

'Dit zul je leuk vinden,' begon Reuben.

'De wonderen zijn de wereld nog niet uit.'

'Maclyn Margulis. Hij is ofwel ontzettend slim, of gewoon ongelooflijk ijdel. Je weet nog wel dat Kieran Hobbs niet bepaald onder de indruk was toen onze FenoFit de moordenaar van zijn rechterhand Joey Salvason niet identificeerde. En dat hij vervolgens opperde dat we Maclyn Margulis moesten testen, zijn hoofdverdachte?'

Moray haalde een worstenbroodje uit zijn zak en begon het liefkozend uit te pakken. Reuben had hem in de afgelopen maanden al een grote verscheidenheid aan voedingsmiddelen uit zijn jasje zien halen. Het was een draagbare voorraadkast vol junkfood. 'Ik weet nog dat je daarover klaagde, ja.'

'Nou, Kieran heeft me een waardevol lesje geleerd. Soms maakt technologie de zaken te ingewikkeld. Soms is de boodschap simpel, eenvoudig en voor de hand liggend.'

'Hoezo?'

'Toen ik de haarzakjes van Maclyn Margulis onderzocht, kwamen die overeen met de DNA-monsters die we op Joey Salvason hadden gevonden. Je hebt Maclyn Margulis wel eens gezien, van een afstandje?'

'Ik zou niet graag te dichtbij komen, maar inderdaad.'

'Hier, kijk eens naar de FenoFit.' Reuben sloot de foto van zichzelf en opende een andere. 'Wat zie je?'

'Een vrij lelijke, rossige man met een grote neus en een paardengebit.'

'En wat concludeer je daaruit, Holmes?'

'Je FenoFit is waardeloos.'

'Of de Maclyn Margulis met pikzwart haar, een rechte neus en een prachtig gebit heeft meer te danken aan zijn kapper, plastisch chirurg en tandarts dan aan zijn genen. Kijk nog eens.' Reuben typte een paar commando's in op de computer en het haar werd donkerder, de wenkbrauwen werden zwarter, de huid werd minder bleek, de neus kromp, de tanden gingen recht staan. 'De opvoeding wint het van de genetische aanleg.'

'En jij denkt dat het opzet is?'

'Ik denk dat hij gewoon een rijke gangster is die op een bepaald moment in zijn verleden besloot zijn uiterlijk drastisch te verbeteren.' Reuben rekte zich nog eens uit. 'Het was een openbaring: de haren die Judith had gevonden waren zwart, maar het DNA zei dat ze rood waren.'

'En nu wil jij zeker dat ik dat allemaal ga uitleggen aan Kieran Hobbs?'

'Ja. Maar wees voorzichtig. Hoe meer ik erover nadenk, hoe minder het me bevalt om tussen mensen als Kieran en Maclyn te komen.'

Moray tikte met het worstenbroodje tegen zijn neus. 'Voorzichtig zijn, dat doe ik als de beste.'

Reuben bekeek de kruimeltjes die op Morays gezichtshuid waren achtergebleven. Achter hem draaide de klink, en de deur ging langzaam open. Judith kwam binnen met een koffertje. Ze naderde de twee mannen behoedzaam. Haar kleren en gezicht zagen er vermoeid en gekreukeld uit. Er schoot Reuben één woord te binnen terwijl hij naar haar keek: nasmeulend. Ze knikte zwijgend naar Moray voordat ze zich tot haar vroegere baas wendde, die slecht nieuws voelde aankomen. 'Wat is er?' vroeg hij.

'Het is eindelijk gebeurd. Het is bekend, Reuben. Je ligt op straat. In de krant. Op het nieuws. Er wordt over je gepraat.' Ze friemelde met het handvat van haar koffertje. 'Je gaat de stad door als een retrovirus.'

'Hoe precies?'

'Je bent een krantenkop geworden.'

'En die is?'

'"Forensisch wetenschapper vermoordt forensisch wetenschappers."'

'Shit. Wie heeft er gelekt?'

'Geen idee. Phil Kemp was hels. Luister, Reuben, we wisten van het begin af aan dat ik risico's zou moeten nemen, en dat was mijn keus. Het leek me de moeite waard. Maar nu is het risico veel te groot geworden.'

'Waarom?'

'Ik ga om met de hoofdverdachte in een seriemoordzaak, en de rest van de tijd ben ik bezig hem op te sporen. Dat is nog eens gestoord.'

'Maar als je me nu in de steek laat...' Reuben brak zijn zin af. 'Sorry. Jij zit in een onmogelijke situatie en ik denk alleen maar aan mezelf.' Hij trok zijn wenkbrauwen op en zijn ogen werden groot. 'Maar bekijk het eens van mijn kant. Ik word door iemand in de hoek gedrukt. Mijn enige hoop is erachter te komen wie dat is. Zonder jou binnen GeneCrime maak ik geen schijn van kans.' Hij wees naar Judith. 'Jij bent mijn forensische team.' En toen naar Moray. 'Jij bent mijn politieapparaat. En jij denkt dat jíj bang bent.' Reuben hoopte op steun, maar er was iets in Judiths gezicht te zien – misschien twijfel – wat hij daar nog niet eerder had gezien. 'Ze gaan me opjagen. Ze komen naar me toe. Het bewijs is sterk genoeg.' Hij keek om zich heen in het lab. 'Ze sluiten me voor altijd op. Als je me honderd procent vertrouwt, help me dan alsjeblieft.'

'Honderd is veel.'

'*Et tu*, Judith?'

Judith haalde enkel haar schouders op.

'Dus je helpt me?'

Ze staarde diep in de ogen van haar vroegere baas. Reuben hield haar blik een paar seconden vast. Het was een verontrustend andere blik dan die van verlangen en behoefte die ze nog maar eergisteren hadden uitgewisseld.

Hij wendde zich tot Moray. 'En jij?'

'Zolang je me blijft betalen, kan het me niet schelen wie je vermoordt.'

Judith opende langzaam en aandachtig haar koffertje en haalde er een paar krantenartikelen uit. 'Je kunt net zo goed lezen wat ze over je schrijven.' Reuben bekeek de artikelen vluchtig en gaf ze door aan Moray als hij ermee klaar was. Om je eigen naam zo afgedrukt te zien voor publieke consumptie... Hij begreep plotseling hoe het moest voelen als je DNA werd onderzocht en gepubliceerd.

Moray slaakte een diepe, rommelende lach waardoor zijn buik schudde. '"De politie roept het publiek op de wetenschapper-moordenaar Reuben Maitland niet zelf te benaderen..." Wie schrijft die troep?'

'Colin Megson van de *Sun* was de eerste die met het verhaal kwam,' antwoordde Judith.

Moray bekeek een artikel en las hardop voor.

> Hoofdinspecteur Sarah Hirst van de politie in Euston bevestigt dat haar team graag wil spreken met dokter Maitland, die in mei uit een elitaire forensische eenheid in Noord-Londen is ontslagen. De eenheid, GeneCrime, die pioniert in de vooruitgang in detectietechnieken, is amper bekend buiten de hogere kringen van de gemeentepolitie. GeneCrime heeft echter zijn beleid van het publiceren van doorbraken in wetenschappelijke tijdschriften niet gewijzigd. Dokter Maitland, 38, droeg voorheen regelmatig bij aan media-analyses van misdaden en stond aan het front van de forensische wetenschap in het Verenigd Koninkrijk, voordat hij werd ontslagen om redenen van vermeend machtsmisbruik...

'Vermeend? Grof misbruik, eerder,' mompelde Moray.

Reuben keek niet op. Hij ging op in een artikel in de *Daily Express*. Judith had het hem zwijgend en met een vragende blik aangegeven. Het werd gedomineerd door het woord EXCLUSIEF, in wit op zwart, een onheilspellend kader dat boven de kop zweefde. 'Verdomme,' fluisterde Reuben in zichzelf. Hij bekeek het artikel met een radeloze hoop, maar die vervaagde al snel. Iemand had diep gegraven. De feiten klopten bijna allemaal. Politiedossiers waren doorgespit en zelfs de agenten die hem hadden aangehouden waren geïnterviewd. Reuben voelde een Arctische kou in zijn botten, een metalen klem om zijn hoofd. Zijn eigen waarheden waren opgespoord met dezelfde vurigheid die hij op anderen toepaste. Gebeurtenissen die waren geabsorbeerd, opgeborgen, verbloemd en ontkend waren nu onthuld. Daden die maar bij één andere persoon bekend waren. Tot nu toe, althans. Hij liet het papier uit zijn vingers glippen, zag het als een veer omlaagdwarrelen, over de vloer schuiven toen het landde, omhoogkomen en uiteindelijk blijven liggen. Reuben hield de werkbank met beide handen vast, met zijn armen recht en zijn hoofd gebogen. Moray raapte het artikel op, keek naar Judith en las het. Hij floot.

'Is dit waar?' vroeg hij.

Vanuit zijn ooghoeken zag Reuben dat Judith aandachtig naar hem keek.

'Een deel ervan,' mompelde hij.

Moray floot opnieuw. '"Gezochte wetenschapper is veroordeelde drugsdealer." Is er verder nog iets wat we moeten weten?'

'Het ligt wat ingewikkelder.'

'Hoe dan?'

Reuben staarde naar een bruin flesje fenol op het schap voor hem. 'Ik weet niet of ik er wel over wil praten.'

'En de straf?'

'Het was maar drie maanden, geen zes zoals daar staat. Maar verder, ja. Brixton. Een van de mooiste in het land.'

Judith, die had gezwegen, schraapte haar keel. 'Je kent de regels. Geen strafblad. Als een journalist erachter kan komen... Wat is er gebeurd, Reuben? Je kunt geen carrière maken bij de politie met een strafblad, laat staan als ex-gedetineerde. Dit kan toch niet waar zijn?'

Reuben draaide zich om en keek haar aan. Er lag een verontrustende mengeling van emoties op haar gezicht. Haar ogen duidden op verraad, haar mond op nieuwsgierigheid, haar neus op walging. Hij wilde haar de waarheid vertellen, eerlijk tegen haar zijn, wat dan ook, als ze maar niet meer zo naar hem keek. Hij voelde zich gedwongen om open kaart te spelen. 'Zoals in het artikel staat, heet ik niet echt Maitland. Ik heb mijn naam veranderd. Een klein beetje maar. Achtergrondchecks zijn vluchtig, zoals je weet. Mijn vader overleed aan cirrose toen ik negentien was, en mijn moeder nam haar meisjesnaam weer aan, vooral om vrij te zijn van de herinnering aan hem. Er was niet veel tegenstrijdig bewijs.'

'Maar cocaïne... Waar was je mee bezig?'

'Lang verhaal. Verkeerde plek op het verkeerde moment, de verkeerde broer helpen. Luister, ik zie niet in hoe dit iets verandert...'

'O nee?' Judith sloot haar koffertje. 'Snap je niet dat dit allemaal om de waarheid ging? Altijd de waarheid. Daarom aanbad je team je. Je was een purist.' Haar ogen waren vochtig, ze draaide zich om om het lab te verlaten. 'En toch... dit is meer dan hypocrisie. Hierdoor ga ik me zorgen maken om een heleboel dingen. Jezus, als je nagaat hoeveel macht, vertrouwen, loyaliteit je had. En al die tijd was je een leugenaar, een voormalig gedetineerde.' Ze trok de deur open. Haar gezicht was verhit, haar stem geknepen. 'Wie ben je, Reuben?'

'Judith...'

'Heb je enig idee wat ik voor jou op het spel heb gezet? Ik heb mijn carrière in gevaar gebracht. Mijn collega's ondermijnd. Ben achter hun rug om gegaan. Ik heb van binnenuit voor jou gewerkt.' Judith keek naar Moray. Er stonden tranen in haar ogen. 'Nog afgezien van al het andere.'

'Ik weet dat het lijkt...'

'En hoe noemde je me ook alweer? Haasje?'

'Maar...'

'Nou, dit haasje gaat ervandoor.'

'Judith...'

'En ze komt niet meer terug.'

De deur sloeg dicht. Reuben beet hard op zijn lip. Hij vertrok zijn gezicht en wreef met zijn knokkels over zijn voorhoofd. Hij wendde zich naar Moray, die zijn schouders ophaalde en ook naar de deur liep. 'Ga slapen,' zei hij, terwijl hij de laatste hap van zijn worstenbroodje nam. 'Je zult je rust nodig hebben.'

3

Mark Gelson zat ineengedoken achter een overvolle gele container, die zwanger voor een gerenoveerd huis in Dulwich stond. Ongebruikte deuren waren over de hele lengte in de container gepropt, en ze konden ieder moment breken door de druk van de uitpuilende inhoud. Vanuit zijn positie onder het licht overhangende gedeelte kon Mark Gelson de weg, de korte oprit en de voordeur van het huis in de gaten houden. Belangrijker nog, aangezien de container vlak tegen een bakstenen muur stond was hij niet te zien.

Oorspronkelijk was hij van plan geweest simpelweg in zijn auto te gaan zitten wachten, maar dit was veel beter. Buiten in de frisse lucht, met de ondergaande zon die het asfalt nog verwarmde, dat was leven. Hij keek omhoog, boven het huis, langs de glanzende nieuwe goten, en zag dat de lucht langzaam betrok. Wolken kwamen aandrijven en parkeerden als oude Amerikaanse auto's. Een lichte bries speelde met een lege cementzak die uit de container bungelde. Mark Gelson ritste zijn jack dicht en keek op zijn horloge. Het was bijna halfacht. Hij wreef ongeduldig in zijn handen en vroeg zich af waarom het CID in vredesnaam zo veel uren werkte voor zo weinig salaris.

Om de tijd te doden, er zeker van dat hij niet kon worden gadegeslagen, opende Mark Gelson de sporttas aan zijn voeten en riskeerde een blik naar binnen. Hij zag de veelbetekenende knipoog van een mes. In het schemerlicht zag hij ook een mondprop, een pistool, een snoer, handboeien en een potje pillen. In elk ervan zag hij procedures en protocollen, en spelletjes. Zoals altijd ambitieus wat betreft zijn arsenaal, stond hij op en bekeek de container. De gezwollen ingewanden spraken van reparatie en vervanging, van doe-het-zelven en moderniseren. Oude schroten, kozijnen en haardbeplating waren eruit getrokken om, ongetwijfeld, te worden vervangen voor minder versierde, functionelere exemplaren. Even bedroefde het hem dat dingen die na honderd jaar huishoudelijke dienst werden weggegooid nu niemand meer van nut zouden zijn. Mark Gelson speurde in de container tot hij iets vond wat hij kon gebruiken, een voorwerp dat hij kon redden van de futiliteit. Tussen de bakstenen, tegels en stukken hout zag hij de ideale kandidaat liggen. Hij pakte een dikke glasscherf onder een lichtarmatuur vandaan. Ernaast vond hij een stuk doek met verf erop. Hij wond het materiaal om het botte uiteinde van het glas om er een handvat van te maken en stopte het in zijn tas.

Toen Mark Gelson weer neerhurkte, knarsten zijn knieën en schuurden zijn dijbeen en scheenbeen ongelukkig langs elkaar heen. Het tempo van zijn leven vrat aan zijn botten. Zijn zevenendertig jaar had hij geleefd met een snelheid die mindere mannen zou hebben uitgeput. Hij had meer drugs gebruikt, was op meer plekken geweest, had meer wanhoop gezien en meer geld verdiend dan een heel stadje vol gewone mensen. Het was een bestaan van extremen geweest, van bruutheid, van wanhoop. Op dit moment vertelde het geklaag van zijn skelet hem dat hij nu extremer, bruter en wanhopiger was dan ooit tevoren. En terwijl hij luisterde naar de jammerklacht van zijn lichaam, zwoer Mark Gelson dat zijn stormloop binnenkort voorbij zou zijn. Hij zou even gemakkelijk verdwijnen als hij was opgedoken, met de beenderdiepe tevredenheid die alleen echte vergelding kon brengen.

Een auto die van rechts kwam minderde vaart en Mark Gelson ritste de sporttas dicht. Zijn botten voelden onmiddellijk weer sterk en levendig nu ze werden gegrepen door verstrakkende spieren en gretige pezen. Hij verplaatste zijn gewicht en keek toe terwijl een zilverkleurige Vectra de oprit opreed. Het was een politiewagen, een onopvallende, dat zag hij al van een kilometer afstand. Hij feliciteerde zichzelf omdat de laatste ondervraging de waarheid had opgeleverd. Hier was de volgende schakel in de keten. Deze keer een CID-agent. Een koersverandering. Hier werd alles wat interessanter. Met de informatie die een smeris kon leveren was er niemand die hij niet kon bereiken. Mark Gelson keek nog eens op zijn horloge. Het was even na acht uur. Hij had geen plannen tot de volgende ochtend. Het zou een lange nacht worden, vooral voor de CID-agent, die nu vermoeid uit zijn auto stapte. Mark zag hem met een stapel dossiers en papieren naar de voordeur lopen. Wederom verwonderde hij zich over de toewijding van een smeris aan zijn zaak. Hij liet de agent zijn voordeur openmaken en die achter zich sluiten. Mark Gelson telde langzaam tot honderd. Hij wilde dat de CID-man zijn huiswerk had gedumpt, zijn das had losgemaakt, zijn schoenen had uitgeschopt en vervolgens ongeduldig naar de deur zou lopen zonder door het spionnetje te kijken. Een beetje ergernis zou hem minder op zijn hoede laten zijn. Vijfennegentig. Hij stond op. Zesennegentig. Hij rekte zich een beetje uit. Zevenennegentig. Hij stapte naar de voordeur. Achtennegentig. Hij balde en ontspande zijn vuisten een paar keer. Negenennegentig. Hij trok zijn pistool. Honderd. Hij belde aan.

4

Reuben en Moray lieten de auto bijna een kilometer van GeneCrime vandaan staan. Ze zwegen allebei. Reuben zwaaide met een slank attachékoffertje, Moray met een opgevouwen paraplu. Een fijne zomerse motregen bevochtigde hun voorhoofd, de vochtige lucht slokte hun gedachten op. De stoep weerspiegelde het weinige licht als een vettige spiegel. Reuben kende deze straten bijna tot in microscopisch detail. Terwijl hij de hoek omging, zag hij de plek waar hij Jez Hethrington-Andrews was tegengekomen. Reuben keek naar het restaurant waar hij Sarah had gesproken, en hij verwachtte half dat ze er zou zijn. Maar het was gesloten, net als alle winkels, kantoren en cafés. Ramkraakbestendige luiken omzoomden de straat, zodat het bijna voelde alsof ze door een stalen buis liepen. Reuben keek op zijn horloge. Op dit uur sliep zelfs Londen. Moray deed een knoop van zijn jas dicht en gromde. 'Laten we het maar doen,' zei hij. Hij tilde zijn enorme paraplu op en opende die. Reuben sprong de stoep op en kwam in de luwte van de paraplu lopen. Moray hield hem vlak boven hun hoofd.

'Gelukkig regent het,' zei Reuben. 'Ik ben die honkbalpetten zat.'

'Ik heb de pest aan paraplu's.'

'Vind je dat je er met een plu verwijfd uitziet?'

'Ja.'

Reuben keek naar Morays slonzige gestalte. 'Luister, kerel, zelfs met een roze parasolletje zou jij er nog niet verwijfd uitzien.'

'Ik zal proberen dat als een compliment op te vatten.' Moray veegde het vocht van zijn gezicht. Het was het soort motregen dat overal doorheen ging, door je kleding sijpelde, door je paraplu lekte. 'Maar weet je dit allemaal wel zeker? Ik bedoel, het is het hol van de leeuw.'

'Ik ben nergens zeker van.' Verderop zag Reuben de ononderbroken achterpui van GeneCrime. Er zaten geen ramen of deuren in. Hij diende enkel als scheidingswand, ter afsluiting van een doodlopende weg. De hele dag liepen er mensen zonder het te beseffen langs. Reuben en Moray sloegen vijftig meter ervoor scherp af, een zijstraat in die te smal was voor auto's maar goed werd verlicht. Boven hen en om hen heen werd hun voortgang gevolgd door een zwerm beveiligingscamera's. 'Iets wat Sarah Hirst zei klonk logisch.'

'Dus nu zijn jullie ineens vriendjes?' vroeg Moray, die de paraplu dieper over hun hoofden trok.

'Bij lange na niet. Maar afspraak is afspraak. Ze is me een gunst schuldig en ik verwacht dat ze woord houdt, net zoals ik woord heb gehouden en haar de resultaten van de Voorspellende Fenotypering heb gestuurd. Ze had me kunnen laten arresteren toen ik haar trof in het restaurant, maar dat heeft ze niet gedaan. Wie weet, misschien speelt ze eerlijk spel.'

'Misschien. Of misschien is dit een valstrik.'

'En daarom ben jij bij me.'

'Juist,' fluisterde Moray, 'want ik krijg alle glamourklussen. Oké, blijf jij hier. Hou die plu laag. Er is een nis twintig meter verderop die niet op camera te zien is. Ik blijf wel even weg. Als ik over een uur nog niet terug ben, ga dan naar huis en zorg dat niemand je volgt.' Moray haalde een radio-ontvangertje en een digitale warmtegevoelige camera uit zijn zak. Reuben keek hem na toen hij langzaam door de steeg liep, draaiend aan knoppen op de camera en luisterend naar de ontvanger. In zijn omgeving van verborgenheid was Moray veranderd in een professional, iemand die je met je leven zou vertrouwen.

Reuben probeerde nog een laatste keer af te wegen of hij dit juist aanpakte. Hij zag voor zich hoe Sarah met hem had gespeeld in het restaurant, het toenemende enthousiasme in haar gezicht, het onverwachte gemak waarmee ze had toegestemd in de door hem gevraagde gunst. Hij herinnerde zich de waarschuwing in Jez' ogen, die hem had verteld dat hij niemand moest vertrouwen. Hij overpeinsde dat Judith Meadows steeds meer afviel, dat haar vesten te wijd werden en haar truien niet meer zo strak zaten. Hij dacht aan de krantenkoppen. Hij beeldde zich de geruchten in die zich verspreidden door de forensische teams in de hoofdstad. Hij zag de CID-vergaderingen voor zich, Phil Kemp die op tafel sloeg en spuugde terwijl hij sprak. Hij zag printers die zijn foto uitbraakten, zijn foto die werd verspreid, zag dat hij de man werd waarop werd gejaagd. Hij overwoog zijn gevoelens over zijn lab, eerst als toevluchtsoord en toen als gevangenis. Hij herbeleefde het zwevende moment waarop hij voor het eerst aan Voorspellende Fenotypering had gedacht, en het verpletterende moment waarop het hem in de val had gelokt. Hij concludeerde dat hij weinig keus had. Terugbijten. Hun spelletje meespelen. Slim zijn. Vóórblijven. De vaardigheden gebruiken die zij hem hadden geleerd. Denken zoals zij dachten, handelen zoals zij handelden. Hen van binnenuit begrijpen en van buitenaf verslaan. De opzichter die stroper werd. En nu stond hij op het punt bij GeneCrime naar binnen te gaan, het episch centrum van de organisatie die op hem joeg.

Een gestalte verscheen en passeerde. Het bleef stil. Reuben rilde. Enkele minuten later kwam er iemand anders de steeg in, een dronken kerel die langszwalkte en hem amper opmerkte. Hij besefte dat er een grote kans op een valstrik bestond. Reuben stelde zich voor wat hij zou doen als hij weer terug zou moeten. Die drie maanden waren verschrikkelijk geweest, maar hij wist dat het deze keer nog zwaarder zou worden. Hij zou er nu naar binnen gaan met het etiket van een politieman. Het maakte niet uit dat hij voor de burgertroepen werkte. Hoeveel medegevangenen waren opgesloten op basis van forensisch bewijs, vroeg hij zich af. En hoeveel van hen had hij er persoonlijk naartoe gestuurd? Hij huiverde weer. Deze keer zou het dodelijk zijn. Reuben balde onwillekeurig zijn vuisten. Toen herkende hij de ronde gestalte van Moray. Hij keek op zijn horloge. Moray was veertig minuten weggebleven. 'De kust is vrij,' zei hij, terwijl hij onder de paraplu dook.

'Zeker weten?' vroeg Reuben.

'De kust is vrij,' herhaalde Moray. 'Binnen een kilometer afstand geen politiecommunicatie, niemand in het mortuarium behalve hoofdinspecteur Sarah Hirst.' Hij wiebelde met de infraroodcamera. 'Nou, niemand die leeft, in ieder geval. En er hangt niemand op straat rond in een geparkeerde auto. Zullen we?'

Ze liepen verder. Rechts van hen, om een hoek, stonden twee hoge metalen hekken die toegang gaven tot een pleintje met keien. De hoofdstad zat vol met dergelijke anonieme plekken, die wie weet wat verborgen. Het hek ging open toen ze ertegen duwden, en Reuben en Moray liepen naar een deur. Reuben stak zijn hand uit naar het metalen toetsenbord, maar Moray greep zijn pols.

'Vingers,' zei hij.

'Sorry, macht der gewoonte. De combinatie is –'

'Niet zeggen,' onderbrak Moray hem. Hij tuurde vanuit een paar verschillende hoeken naar het paneeltje. 'Het is twee zeven negen vier.'

'Twee negen vier zeven,' corrigeerde Reuben.

'Bijna goed.' Moray voerde de getallen in.

'Hoe deed je dat?' vroeg Reuben.

'Bedrijven maken die panelen maar zelden schoon. Daardoor hebben de toetsen van de juiste combinatie de neiging vet te worden. En nummer twee zag er het vettigst uit. Ik zou het binnen een paar minuten hebben uitgezocht.'

Reuben schudde zijn hoofd. 'Regel nummer één van een schimmig bestaan. Nooit met opzet inbreken bij politiebureaus.'

'Zo,' zei Moray, die de deur openhield. 'Zullen we?'

Reuben voelde de koude beet van formaline die hem tegemoetkwam. Achter het ondoorzichtige raam bewoog een gestalte. Een vermoeide klok aan de muur in de gang zei dat het kwart over drie ’s nachts was. Reuben haalde diep adem. ‘Wat kan er nou misgaan?’ antwoordde hij terwijl hij het mortuarium binnenliep.

5

Mina Ali zit rechtop in bed, met haar armen om haar knieën geslagen, wakker geworden van weer een bonzende nachtmerrie. Ze kijkt naar de bloedrode digitale cijfers: 03.15 uur. Het huis kraakt en kreunt als een zwaar meubelstuk. Door de muur naast haar bed komt het gesnurk van haar vader. Ze vindt wat troost in de zware trillingen en overtuigt zichzelf ervan dat weer bij haar ouders wonen een goede zaak is, in ieder geval voorlopig. Mina tuurt in het halfduister door de kamer. Het behang en de gordijnen zijn veranderd sinds zij het huis uit is. Ze hebben haar kamer onpersoonlijk gemaakt, beseft ze wat laat. Mina raakt haar voorhoofd aan, dat plakkerig is. Ze strijkt met haar vingers langs haar neus en voelt het vet dat door haar nachtmerrie naar buiten is gekomen. Een enkel LED-streepje verandert de tijd in 03.16 uur. Ze slaat haar armen weer om haar knieën en sluit haar ogen terwijl ze probeert iets te bedenken om haar gedachten af te leiden van hun nachtelijke achtervolgingen.

Bernie Harrison bevindt zich in en boven op zijn vrouw. Hij heeft vagelijk de indruk dat ze doezelt, maar daar zit hij niet mee. Hij kon niet slapen en weet dat hij zijn vrouw heeft gedwongen tot seks. Ze biedt hem troost in de vorm van penetratie. Hij versnelt zijn bewegingen. Zij is stil. Hij opent zijn ogen in het donker. Telkens als hij ze sluit, ziet hij dingen die hem angst aanjagen. Zijn vrouw begint dieper adem te halen, en even is hij bezorgd dat ze echt slaapt. Maar ze grijpt zijn handen stevig beet, een teken dat ze haar hoogtepunt nadert. Hij dwingt zijn ogen open en fantaseert over een vrouwelijke CID-agent die naakt is, vooroverbuigt en zich aanbiedt. Bernie begint te komen. Het is bijna meteen voorbij, een zwak orgasme, gedwongen, opgeroepen, een fysieke oplossing voor een mentaal probleem. Zijn vrouw fluistert dat ze van hem houdt. Hij trekt zich langzaam terug, met tegenzin, en gaat op zijn rug liggen. De lichtgevende wijzers van zijn horloge zeggen hem dat het kwart over drie is. Hij zucht. Zijn vrouw begint te snurken. Bernie sluit zijn ogen en probeert met haar mee te gaan.

Paul Mackay steekt zijn hand in de lucht. Boven hem wordt de rook massief gemaakt door lichtjes en doorboord met lasers. De man die achter hem danst, wrijft met zijn kruis tegen hem aan. Een vloed van xtc valt samen met het contact met de vreemde. Pauls spieren zijn gespannen, het contact tussen hen zo hard dat ze bijna terugstuiteren. Het bonzende, dreunende geluid versmelt in een tweede ritme, even subliem. De dj, geconcentreerd over zijn paneel gebogen, springt van de ene snelle track van een plaat naar de volgende. De bas vibreert met een heerlijke warmte in Pauls borst. Hij voelt zich goed. De vreemde slaat van achteren zijn armen om hem heen. Paul heeft zijn handen nog omhoog, reikt door de lichtjes naar het onzichtbare dak van de nachtclub en verder, omhoog en weg bij zijn problemen. De polsen van de vreemdeling glanzen en zijn bijna haarloos. Paul ziet de tijd op het horloge van de man. Hij danst met hernieuwde manie, voelt zich opgewonden en vrij. De club blijft nog drie uur open. Tot die tijd bestaat de buitenwereld niet.

Birgit Kaspar is aan de telefoon. Ze tikt tegen haar sigaret. Er liggen meerdere peuken in het plastic bekertje dat ze als asbak gebruikt. De sigaret krijgt geen moment de kans om een askegel te krijgen, want ze tikt hem bijna doorlopend af. Birgit spreekt Zweeds. Ze draagt een uniseks pyjama en sloffen versierd met wollen schaapjes. Af en toe wrijft ze met haar wijsvinger en duim over de huid onder haar ogen, met de telefoon tussen haar schouder en kin geklemd. Ze heeft gehuild. Onder het luisteren neemt ze een lange haal en gloeit het rode uiteinde van haar sigaret behoeftig op. Nu en dan doorspekt ze haar zinnen met korte woorden in het Engels. De magnetron in haar studio geeft de tijd weer. Birgit merkt die op en spreekt snel. Ze beëindigt het gesprek met het woord 'ciao', laat zich achteroverzakken in haar stoel en opent een nieuw pakje Marlboro Lights.

Simon Jankowski voert een reeks letters in op zijn computer. Hij leest ze af van een vel papier en kijkt geen moment naar het toetsenbord. Twee vingers zweven boven de letters A en C, en twee andere raken de G en de T. Hij zit in de woonkamer van zijn zit-slaapkamer. De eettafel ligt vol papieren, foto's en bewijsformulieren. Een FenoFit van Reuben Maitland hangt met plakband aan de muur. Hij kauwt op een balpen en is volkomen geconcentreerd. Simon schakelt om naar een ander scherm met sequentiegegevens en vervolgens naar een openbare database met gentoegangsnummers. De speakertjes van zijn laptop geven een cd van de Stone Roses ten gehore, en dat doet hem denken aan zijn studietijd in Manchester. Rechts onder aan zijn scherm staan vier kleine cijfertjes. Vanuit zijn ooghoeken ziet hij dat ze 03.15 uur aangeven. Hij houdt op met typen en rekt zich uit, voelt pas hoe moe hij is nu hij weet hoe laat het is. Simon slaat zijn werk op, staat op en rekt zich nog eens uit. Hij kijkt naar zijn bed, aarzelt even en gaat dan weer zitten. Hij gaat verder met zijn werk, typend, ordenend, vergelijkend en bevestigend met schoorvoetende discipline.

Judith Meadows zit op de rand van haar bed en huilt zachtjes. Haar man ligt naast haar, diep in slaap. Ze werpt een blik op hem voordat ze zich weer omdraait en uit het raam staart. Een oranje straatlantaarn aan de overkant schijnt droevig door de nacht, zijn kop gebogen alsof hij naar zijn voet kijkt. Judith snuit haar neus in een tissue. De tranen blijven uit haar ogen stromen en over haar wangen biggelen, van haar kin op haar blote benen vallen. Ze schrikt van een geluid. Een kat verschijnt op de vensterbank, miauwend omdat hij naar binnen wil. Judith haalt haar schouders op met een halve glimlach die snel vervaagt. Ze richt haar blik op een paar pas aangebrachte sloten die het raam dichthouden. Ze draait zich om om te kijken of de kat haar man heeft gewekt. Hij mompelt iets onverstaanbaars en slaapt door. Judith staat op en loopt naar de pas opnieuw ingerichte kamer ernaast. Ze slaat de koude lakens van het logeerbed open en stapt erin.

Phil Kemp slaapt achter zijn bureau in het gebouw van GeneCrime. Zijn linkerwang steunt op een stapeltje kranten, en twee lege flessen Shiraz liggen op hun kant op tafel. Overal liggen formulieren, papieren en bewijzen. Zijn armen zijn gespreid, alsof hij op het punt staat alle informatie die voor hem ligt bij elkaar te vegen. In een pennenbakje op zijn bureau zit een klein analoog klokje waarvan de korte, stompe wijzers over elkaar heen kruipen en allebei naar de drie wijzen. Zijn computermonitor vertoont de startpagina van een online pokerclub. Phil tilt zijn hoofd op en draait het naar de andere muur. Zijn linkerwang draagt uitgesmeerde letters van kranteninkt. Hij gromt en glijdt weer weg in zijn ondiepe sluimering.

Jez Hethrington-Andrews zit naar de televisie te staren. Hij kettingrookt joints, drinkt sterk bier, staart en staart. Zijn ogen zijn glazig, zijn gedachten heel ver weg van de film die op tv is. Hij hoort iets. Hij draait zijn hoofd langzaam opzij en kijkt naar de voordeur van zijn flat. Het is een gebaar van berusting en acceptatie. Jez hoort nog een geluid, luider deze keer, en weg bij de deur. Hij blijft zitten, neemt een diepe haal van de joint; zijn vingers trillen zo hevig dat het brandende puntje flikkert in de gloed van de televisie. Drinkend uit zijn blikje mompelt Jez in zichzelf. 'Dit is zo gestoord,' zegt hij. 'Dit is zo gestoord.' Hij pakt de afstandsbediening en drukt op een toets. De film gaat over in teletekst. Een van de koppen is WETENSCHAPPER-MOORDENAAR NOG STEEDS OP VRIJE VOETEN. Zo gestoord. Jez neemt nog een haal en blijft in zichzelf praten. 'Zo gestoord,' herhaalt hij. 'Zo hartstikke gestoord.'

6

'Zo, dokter Maitland keert terug naar zijn plaats delict.' De ogen van Sarah Hirst zijn groot, al gewend aan het felle licht. Ze draagt een labjas met dichtgebonden mouwen en een gesloten kraag.

'Hallo, Sarah,' antwoordt Reuben. 'Dit is een vriend van me, die hier is om te zorgen dat me niets overkomt. Als er problemen zijn, vertrekken we.'

Sarah knikt een lauwe begroeting naar Moray. 'Ik heb hier een hoop regelingen voor moeten treffen,' zegt ze. 'We hebben niet lang – maximaal een uur – en we zullen alles zo moeten achterlaten als het was.' Zoals altijd voelt Reuben zich aangetrokken tot haar air van afstandelijkheid, een imitatie van de eeuwige ontkoppeling die hij voelt. Gescheiden van vrienden, familie, Joshua, de samenleving. In Sarahs isolatie ziet hij zijn eigen afzondering. 'Eerst een paar regels. Je mag geen grote monsters zoals huidmonsters nemen. Niets wat zichtbaar is. De lijken blijven in de lades. We hebben geen tijd om ze naar de autopsietafel te verplaatsen. Je moet geruisloos werken – er zijn een paar CID-leden die nachtdienst hebben in het gebouw hierboven, en denk je eens in hoe blij die zouden zijn om jou te zien. En je vriend mag niets aanraken. Oké?'

'Ik zou 't niet in mijn hoofd halen,' antwoordt Moray vlak.

'Mooi, dan denk ik dat we maar moeten beginnen.' Sarah stapt naar wat lijkt op een langgerekte stapel archiefkasten. Reuben loopt achter haar aan. Hij is nerveus, ongerust over zijn reactie als hij de lijken ziet, bang dat dit nog altijd een valstrik kan zijn. 'Ik moet je waarschuwen,' voegt Sarah Hirst eraan toe, 'dat ze er niet best uitzien.'

Reuben gromt. Hij zet zijn koffertje op de vloer en maakt het open. Hij haalt er een paar operatiehandschoenen, een tang, een rekje buisjes, enkele afsluitbare plastic zakken, een rolletje plakband en een pakje wattenstokjes uit. Reuben heeft al vele lijken gezien, maar hij weet dat dit anders is. Hij heeft gevoelens voor deze mensen. Hij bedenkt dat hij ze alleen maar hoeft te onderzoeken alsof hij ze nog nooit heeft ontmoet. Reuben probeert dit te doen, vreemden van hen te maken. Maar het lukt niet helemaal. Sarah trekt aan een glanzende stalen la en Reubens adem stokt even.

Naakt op de tafel ligt het lichaam van Sandra Bantam. Ook al zijn haar wonden schoongemaakt, haar bovenlichaam zit onder de snijwonden, beten en brandplekken van sigaretten. De ziekelijke bleekheid van haar huid contrasteert met de roodbruine wonden. Haar gezicht, enigszins opgezwollen, vertoont hier en daar zwellingen en kneuzingen, snijwondjes als druppels over haar lippen en neus. Een oorlel ontbreekt, een hapgroot stuk waar misschien een oorbel in heeft gezeten. Er zitten blauwe plekken van vingers op haar bovenarmen en hals. Reubens ogen dwalen over de rauwe toestand van haar knieën, de pluizigheid van het bosje schaamhaar, de sereniteit van haar navel, de donkere kleur van haar tepels, de kneuzingen op haar voorhoofd, de warrigheid van haar haar. Hij ademt zwaar terwijl het zweet hem over de rug loopt. Sarah kijkt naar hem. Hij weet nu dat ze zijn reactie wilde zien. Ze is er nog altijd niet uit. Hij pakt een wattenstaafje en een flesje blauwe kleurstof en beseft dat dit iets goeds is.

Reuben veegt met korte bewegingen de oplossing rondom de beetwonden en zoekt naar DNA-kleuring. Hij ziet dat dit al is gedaan, maar heeft de routine nodig om zich te hernemen. De geur van Sandra is misselijkmakend, en hij probeert die niet in te slikken. Hij herinnert zich het parfum dat ze altijd droeg. Reuben hurkt neer en laat zijn blik over haar huidoppervlak gaan. Hij hoort de bijna-stilte, alleen verstoord door de klok in de gang. Moray heeft zich omgedraaid en prutst met zijn camera om zich met minder akelige dingen bezig te houden. Reuben ziet dat Sarah zijn lichaamstaal blijft observeren. 'Meer dan genoeg DNA,' mompelt hij tegen haar.

'Run had de leiding over het verwerken van Sandra. Hij had al vrij vroeg DNA.'

'Beten. Een grote forensische vergissing. Ik neem aan dat jullie gebitsgegevens hebben opgezocht?'

'Natuurlijk.'

'En?'

'Een beetje vaag, dus we hebben er niet te veel aandacht aan geschonken.' Sarah grijnst op een manier die problemen voorspelt. 'Maar de bijtwonden kloppen met jouw gebit.'

'Hoe ben je daarachter gekomen?'

'Je had een bitje in je kluis achtergelaten, ik neem aan uit je tijd bij de berucht matige Forensische Rugbyclub. We hebben een gietsel van de binnenkant gemaakt en dat vergeleken met de beten. Pathologie was er vijftig procent van overtuigd.'

Reuben wendt zich af van Sandra's huid. 'Daar moet ik maar niet te veel over nadenken.'

'Nee,' zegt Sarah.

'En weet je waar ze, behalve die verdachte tanden, precies DNA vandaan hebben gehaald?'

'Niet precies. Volg de blauwe kleurstof maar.'

Reuben fronst zijn voorhoofd. 'Ik bedoel, hebben ze inwendige monsters genomen?'

Sarah bladert door een stapel papieren en formulieren. 'Vaginaal, anaal, buccaal.'

'Goed zo. Run was zo grondig als...' Reuben zwijgt en kijkt naar de metalen laden. Hij huivert. Runs lichaam komt hierna.

'Luister, dokter Maitland, wat denk jij te vinden dat wij niet al hebben gevonden?'

'Weet ik niet,' antwoordt hij. 'Maar laten we de volgende ook maar doen.'

Sarah strijkt met haar vinger piepend over een rij metalen deuren totdat ze stopt bij een naam. Reuben kijkt naar haar. Hij kijkt naar Moray, die bleek ziet. Sarah trekt aan de la en schuift Run Zhang in het ongenadige licht naar buiten. Reuben zet zich schrap. Hij weet dat dit moeilijk zal worden. Doe alsof het een vreemde is, zegt hij opnieuw tegen zichzelf. Doe alsof je niet ieder moment kunt overgeven. Doe alsof de dood van Run niet al vele slapeloze nachten lang aan je knaagt. Reuben stapt langzaam naar voren. Het eerste wat hij ziet zijn de letters, met korte, fijne, hoekige sneetjes gemaakt. Hij spant zijn kaakspieren, dwingt zichzelf objectief te blijven. Hij laat zijn tegenstribbelende ogen over het hele lichaam gaan, van voeten naar hoofd, merkt de gladheid van de huid op, de betrekkelijke onbehaardheid, de botbreuken en het lekken van inwendige verwondingen. Brandwonden, snijwonden en kneuzingen liggen verspreid over het losse oppervlak. Hier en daar gaapt de huid open als kleine mondjes, met rode lippen van vlees en witte tanden van vet. In hun keel bevindt zich een dieprode zwartheid die op het punt lijkt te staan het licht in te druppelen. Overal eromheen zitten langzaam opkomende blauwe plekken die net voor de dood zijn ontstaan en zich een weg zoeken door het vet om op te bloeien aan de oppervlakte. Reubens vochtige ogen worden teruggesleurd naar de plek met de meeste schade. Over de mollige borst liggen meerdere sneden in kruispatronen, in Run gekerfd terwijl zijn leven wegebde. Reuben kijkt even naar Sandra's gezicht.

'Waren de ogen bij Sandra en Run dicht ten tijde van hun dood? Of heeft Pathologie ze gesloten?'

'Ze waren dicht. Ik ben op de plaatsen delict geweest.'

'Hmm,' bromt Reuben.

Moray wendt zich af van zijn camera.

Sarah stapt naar voren. 'Wat is er?' vraagt ze.

'Dan hebben we misschien iets.' Reuben trekt Runs oogleden omhoog en voelt de kilte door zijn nylonhandschoenen heen. Een plotseling inzicht trekt hem weg bij het gevoel dat hij moet kokhalzen. 'Ik heb hier een keer over gelezen.' De pupillen zijn groot, moeilijk te zien in de donkere irissen. Hij pakt een nieuw staafje en doopt het in de oplossing voordat hij er voorzichtig mee over Runs oogbollen strijkt. Het katoen sleept over het oppervlak, en Reuben huivert. Hij opent Sandra's oogleden en voert dezelfde misselijkmakende handeling uit met een ander staafje. Als hij zich om beurten over hen heen buigt, zegt hij: 'Bingo.'

'Reuben...'

'Heb je gezien dat er geen blauw op het oogwit verscheen?'

'Min of meer.'

'Dus niemand heeft onder de oogleden getest. Tot nu toe.'

'En?'

'En misschien is dat belangrijk.'

Sarah loopt om en gaat tegenover hem staan, met Runs hoofd tussen hen in, omhoogstarend terwijl het wit van zijn ogen langzaam blauw wordt. 'Hoe dan? Het kan gewoon hetzelfde DNA zijn – jouw DNA – als op de rest van het lichaam.'

'Dat kan,' antwoordt Reuben. 'Maar denk hier eens aan. Ogen zijn net barnsteen. Ze houden het moment vast. Een vlieg in de hars van een boom fossiliseert en blijft daar eeuwig zitten.'

'Ik volg je nog steeds niet echt.'

'Wen er maar aan,' gromt Moray Carnock.

'De ogen zijn getuigen van de moord, wijd open van de shock. Dan gaan ze soms dicht. En als ze dichtgaan sluiten ze een eventueel monster, besmetting of wat dan ook, veilig op.' Reuben strijkt met een wattenstaafje over Runs iris en steekt het vervolgens in een plastic buisje met een heldere vloeistof. 'Maar heel weinig forensisch onderzoekers kijken naar de ogen, vooral niet als overal elders voldoende monsters te vinden zijn.' Hij voert hetzelfde zorgvuldige proces uit bij Sandra. 'Maar ik denk dat ik onze vlieg heb gevonden.'

7

Toen ze bij de auto aankwamen, die een paar straten bij GeneCrime vandaan geparkeerd stond, vroeg Moray: 'Dus Sarah gelooft je?'

'Helemaal niet. Ze was me alleen wat schuldig. En de belangrijkste reden dat ze me binnenliet was om te zien hoe ik op de lijken zou reageren. Klassieke procedure.'

'Oké, nou, dan kunnen we beter afstand houden.'

'Zolang het kan. Maar geloof me, Moray, iemand naait me.'

'Wie dan?'

'Geen idee. Behalve dat hij slim is en verstand heeft van forensische zaken.' De centrale deurvergrendeling maakte het geluid van een riem die snel door de binnenkant van de portieren werd getrokken. 'Denk er maar eens over na,' spoorde Reuben hem aan terwijl hij instapte. 'Drie wetenschappers sterven, elk van hen vol met DNA van mij. Iemand doet zelfs nog moeite om bijtwonden te planten. Denk je dat dat gemakkelijk is?'

'Ik heb er nooit over nagedacht.' Moray startte de auto en reed weg. De ruitenwissers ontleedden waterstroompjes en wierpen ze aan de kant. 'Hoe moet diegene aan jouw DNA komen?'

'Dat is niet zo moeilijk. Je kunt een heel kleine hoeveelheid vermeerderen, als je weet hoe het moet.'

'En je bitje?'

'Zoals Sarah zei, had ik dat kennelijk in mijn oude sportkluisje laten zitten. Ik weet niet hoe ze dat wist.'

'Maar hebben we het dan over iemand van GeneCrime? Iemand van binnenuit? Iemand met toegang tot dingen die de gemiddelde misdadiger nooit in handen zou krijgen?'

Warme lucht uit de autoverwarming blies het vocht uit Reubens ogen en hij knipperde met trage, droge oogleden. 'Inderdaad.'

'Ben je bang, kerel?' vroeg Moray.

'Zou jij dat zijn?'

'Ik zou in mijn broek schijten.'

Reuben zweeg een tijdje. 'Ja,' zei hij uiteindelijk. 'Als ik alleen ben. Dan zit ik maar te zitten en luister. Je weet wel, net als wanneer je 's avonds alleen thuis bent. Maar weten dat iemand het op me gemunt heeft, dat ze me iets willen aandoen... Ja, het vreet aan me.'

'Dus wat nu?'

Reuben tilde zijn hoofd op en keek Moray aan. 'Sandra is tien dagen geleden vermoord. Run vijf dagen geleden. Lloyd drie dagen, min of meer. Net als Run op het punt staat antwoorden te vinden over Sandra, wordt hij vermoord. Net als Mina bezig is Run te verwerken, wordt ze achtervolgd en ontsnapt op het nippertje.'

'En hoe zit het met Lloyd Granger?'

'Lloyd is een verandering van aanpak.'

'Schieten je namen te binnen?'

Reuben staarde droevig uit het raam. Het licht werd sterker terwijl de ochtend op het punt stond zijn bleke aanwezigheid kenbaar te maken. De ruitenwissers sleepten over de voorruit terwijl de mistachtige regen begon af te nemen. 'Een of twee. Maar de oogbolmonsters geven ons misschien een aanwijzing.'

'Wat ga je nu doen?'

'Het DNA uit de ogen van Run en Sandra fenotypisch karakteriseren.'

'En wat krijgen we dan?'

'Als alles goed gaat, het gezicht van de moordenaar.'

'Maar zijn die monsters niet besmet met het eigen DNA van Run en Sandra?'

'Dat zit wel goed. Toen Sarah even niet keek heb ik wangslijmmonsters van beide lichamen genomen, zodat ik het DNA van de moordenaar kan isoleren van de achtergrond.'

'Kun jij dat?'

'Je weet nooit. Waar ga je naartoe?'

Moray snelde de autoweg af en draaide de auto op een rotonde. 'Ik geloof dat we worden gevolgd,' zei hij, fronsend en worstelend met het stuur. De weg was vettig; Reuben zag een fijn laagje vocht voor zich dat het rubber van het asfalt scheidde. Hij keek in de zijspiegel. Honderd meter achter hen maakte een witte Fiesta vaart.

'Zie je wie het is?'

'Een man. Blank. Dat is het wel.'

'Shit.'

'Inderdaad.'

'Wat moeten we doen?'

'Zeg jij het maar.'

Reuben staarde nog een keer in de spiegel. De Fiesta begon op hen in te lopen. 'Hij is snel,' zei hij.

'Sneller dan dit gevaarte.'

Moray schakelde terug en trapte het gaspedaal in, en de motor gierde. De snelheidsmeter klom langzaam omhoog terwijl hij het stuur steviger vastgreep.

'Hij gaat ons inhalen.'
'De politie is uitgesloten. Geen andere optie,' gromde Moray.
'Dan wat?'
'Dan dit.' Moray scheurde om een volgend verkeerseiland heen. 'Basistraining voor beveiligingsagenten.' Hij rukte aan de handrem en draaide het voertuig een zijstraat in. Bijna meteen trok hij weer aan de handrem en keerde de auto honderdtachtig graden. Reuben greep zijn gordel vast toen hij heen en weer werd gesmeten op zijn stoel. De stank van verbrand rubber bereikte zijn neusgaten. Adrenaline spoorde zijn bloed aan om vanuit zijn buik naar zijn spieren te stromen, waardoor zijn maag gespannen en misselijk aanvoelde. Moray gaf gas. 'Klaar?'
'We gaan eraan, verdomme.'
Moray trapte het gaspedaal diep in de nylonmat. Hij speelde met de koppeling. De grote huurauto gierde. De brandgeur werd sterker. De witte auto zoefde langs. Moray liet de koppeling opkomen en de auto sprong de zijstraat uit, banden zwenkten de hoek om, gravend naar grip. Hij ging naar de tweede versnelling en Reuben werd achteruitgedrukt in zijn stoel. Derde versnelling, en de toerenteller dook even uit het rood voordat hij daar snel weer naar terugkeerde. Binnen enkele tellen reden ze achter de Fiesta. 'Hebbes, klerelijer.' Moray trok een grimas. Ze naderden het industrieterrein. De auto voor hen minderde vaart. Moray kroop naar de bumper toe. Hij vernielde de motor. De koppeling krijste, net onder het aanhaakpunt gehouden. Verderop splitste de weg zich.
'Rustig,' waarschuwde Reuben.
Moray gaf gas en botste tegen de auto aan. De bestuurder gaf ook gas, en Moray volgde. Hij probeerde de auto nog eens te rammen. Reuben zag de kapotte knipperlichten en remlichten. De Fiesta, kleiner en sneller, ontweek de tweede botsing. De kruising doemde op. Moray versnelde met de huurauto. Reuben controleerde zijn veiligheidsgordel en wierp een blik op zijn vriend. Moray was veranderd. Hij was nu gevaarlijk. Een reeks beelden verscheen voor Reubens geestesoog toen ze de honderddertig kilometer per uur overschreden. Moray die volgde en werd achtervolgd, die aanviel en werd aangevallen, op jacht was en werd opgejaagd.
Ze haalden de Fiesta in. De huurauto vrat met hogere snelheden het asfalt op. Reuben remde onwillekeurig, drukte zijn rechtervoet in de mat. Nog een paar tellen en ze zouden botsen. De splitsing kwam dichtbij. Schuine witte strepen markeerden een niemandsland tussen de twee bochten. De Fiesta zwenkte naar links. Moray volgde. En toen, meters voor het betonnen scheidingsblok, stuurde hij het voertuig naar rechts. Ze zagen de Fiesta wegscheuren, afgeslagen op een hogere weg. Moray

ademde zwaar. Het haar achter in zijn nek was vochtig. Hij minderde geen vaart. Reuben zag dat ze bijna honderdveertig gingen.

'Moray,' blafte hij.

Moray schudde zijn hoofd en volgde de richting van Reubens blik. Hij haalde zijn voet van het gaspedaal. De auto reed uit, de motor beroofd van brandstof, en minderde vaart over een halve kilometer. Na enkele zwijgende ogenblikken vroeg hij: 'Waar moet ik je afzetten?'

'Ik weet dat we dicht bij huis zijn, maar rij even naar een nachtapotheek. Ik heb een paar dingen nodig.'

'Hoe kom je dan thuis?'

'Met een taxi of de metro. Maak je geen zorgen, het is nog vroeg. Ik denk niet dat de politie om zes uur 's morgens de straten naar me uitkamt.'

Moray geeuwde nu de opwinding zijn lichaam verliet. 'Wees voorzichtig,' antwoordde hij. 'We willen de boel nu niet verpesten.'

'Jouw rijstijl overleven – dat was het zwaarste. De rest is makkelijk.'

Reuben voelde een rillerige vermoeidheid door zijn ledematen trekken. De weg was bijna droog. Ze reden langs een klein aantal taxi's en bussen, en af en toe een auto. Hij maakte in gedachten een lijstje van wat hij nodig had van de apotheek. Tandpasta. Zeep. Vochtige doekjes. Vaseline voor de sequentieplaten. Een pincet om monsters te prepareren. Paracetamol voor zijn hoofd. Hoestdrank voor een paar uur slaap. Hij zag een drukke dag van Voorspellende Fenotypering voor zich. En aan het eind ervan de beeltenis van een moordenaar. Moray minderde vaart en stopte. Reuben stapte uit en liep naar een nachtapotheek, als in trance, verloren in de mechanische handelingen van het speurwerk.

8

Dave Hillier, assistent-beveiligingsagent, rekte zich uit, kromde zijn rug, duwde zijn gezwollen buik naar voren en liet zijn hoofd over de rugleuning van zijn stoel zakken. Toen hij weer omlaagkeek, zag hij dat er oranje koekkruimels in de vouwen van zijn trui waren gekropen, die was opgerold als een extra vetlaag. Dave veegde ze weg, en ze belandden op zijn broek voor ze uiteindelijk naar de vinyl vloer werden doorgestuurd. Toen hij opstond knarsten de wieltjes van zijn stoel over het poederige afval.

Dave wandelde naar zijn kluisje in de hoek van de controlekamer. Het was blauwgrijs en rondom het slot zat roest. Hij pakte er een gehavend exemplaar van *Razzle* uit, waar hij op weg terug naar zijn stoel hongerig doorheen bladerde. Op de omslag werd een SPECIAL LEZERSVROUWEN aangekondigd. Dave pakte nog een koek en bekeek de bladzijden. Af en toe keek hij omhoog, turend naar de uitgestrekte rijen monitoren die hem omgaven als een elektrisch panorama. De schermen waren licht nu de zomerochtend begon, een stilte tussen de nachtelijke activiteiten en de ochtendhaast richting werk.

Dave besteedde veel tijd aan het bekijken van twee foto's. Er stonden verschillende vrouwen op, de een op haar rug, de ander op handen en knieën. Ze waren niet bijzonder aantrekkelijk en de foto's straalden een bijna opzettelijke ongekunsteldheid uit, maar hij raakte weer opgewonden. Dave stak de vingers van zijn rechterhand in zijn broekzak. Hij wist dat deze vrouwen dan misschien niet mooi waren, of geairbrusht, of geflatteerd door camerahoeken, maar ze waren daar buiten. Dave keek even naar de monitoren, liet zijn ogen een vrouw met een mooi figuur volgen die van de ene monitor naar de volgende sprong. Misschien zou een van deze vrouwen vandaag over zijn schermen lopen. Misschien hadden honderden vrouwen die voor de beveiligingscamera's paradeerden ook voor camera's in slaapkamers geparadeerd. Dat was de gedachte die hem gaande hield tijdens de steriele nachtdiensten en de kakofonische dagdiensten. Dat de vrouwen die door die televisievensters van zijn leven liepen naakt waren, behoeftig waren, in het geheim exhibitionistisch waren.

Een geluid hield hem halverwege een strelende beweging stil. Dave zag dat het bijna zes uur was. De volgende ploeg zou zo komen. Zo langzaam en natuurlijk mogelijk legde de bewaker zijn rechterhand op het bureau en streek met zijn vingers over de trackball. Dave greep het metalige joystickje met zijn linkerhand, zoomend en scannend, duikend in het leven van mensen, rondom kantoorgebouwen, achter snelrijdende auto's aan. Weer een dag van ononderbroken surveillance stond op het punt te beginnen. De deur ging open en zijn aflossing kwam binnen.

Dave knikte. 'Jim.'

'Dave,' antwoordde zijn vervanger.

Dave wilde de besturing liever niet uit handen geven. Hij had voornamelijk geen zin om op te staan voor hij veilig was. Hij trok zijn trui een stukje omlaag.

'Nog iets spannends gebeurd?'

'Knokpartij voor een cafetaria rond drie uur. Poging tot overval, een paar hoeren, je weet wel. Niks bijzonders.'

'Hebben ze die overvaller gepakt?'

'Nee. Veel te langzaam. Ik heb ze gebeld zodra het gebeurde, maar ze zeiden dat ze tien minuten onderweg zouden zijn. Dus ik volg hem over de schermen, maar ben hem kwijtgeraakt bij achttien, die niet meer heen en weer wil.'

'Wil hij niet meer? Hier, laat mij eens proberen.'

Dave stond op, blij dat zijn erectie was afgezakt. De nieuwe bewaker ging zitten en staarde aandachtig naar monitor 18, en hij viel de joystick en trackball aan met dikke, mollige vingers. 'Dat kloteding is kapot. Wat heb je ermee gedaan? Wijven gekeken?'

Dave grinnikte. 'Smeerlap,' zei hij. 'Moet ik dat blaadje voor je laten liggen?'

Jim bekeek de omslag en fronste zijn voorhoofd. '*Razzle*? Je bent ziek, man. Is je vrouw weer thuis?'

'Was dat maar waar,' antwoordde Dave met een oprechte uitdrukking van spijt op zijn gezicht. 'Maar goed, wil je nog koffie voordat ik ga?'

Jim knikte. 'Maar zet het...' Hij werd in de rede gevallen door een indringend gezoem van een van de schermen. 'Krijgen we nou?' vroeg hij.

Dave bleef staan. 'Patroonherkenning. De politie van Euston heeft een of ander experimenteel systeem geïnstalleerd dat mensen uit een menigte pikt. We hebben het een maand of vier geleden gebruikt om een kerel op te pakken.'

'En toen?'

'Er was wat gezeik over of we het wel hadden mogen gebruiken. Stront aan de knikker.'

'Hoezo heeft niemand mij dat verdomme verteld?'

'Het was eenmalig. En toen kwam vorige week ineens een of andere slappe zak van Euston CID langs en gaf het een nieuw gezicht om naar te zoeken.' Dave pakte de joystick uit de getatoeëerde hand van zijn collega. 'Schuif es op,' zei hij. De bewaker fronste, zoomde in met de camera, zijn tong tegelijk bewegend met zijn vingers, alsof die de touwtjes ervan bediende. 'En dat,' hij tuurde naar een close-up van het licht deinende gezicht van iemand die over de stoep liep, 'is degene die ze zoeken.' Dave pakte de telefoon en hield zijn gevangene in het oog, alsof die ieder moment aan het vierkante scherm kon ontsnappen. 'Druids Lane CCTV. We hebben een doelwit dat oostwaarts over Junction Road loopt, net over het zebrapad, in de richting van Somerset Ave. Gezocht door het bureau in Euston. Speciaal verzoek.' Het gezicht verdween en Dave volgde een hernieuwd gezoem van een volgend scherm. 'Ja. Hij gaat linksaf Somerset in. Ze hebben het gemeld als prioriteit één. Weet ik niet. Het ligt hier, wacht even.' Dave gebaarde naar Jim dat hij hem een logboek moest aangeven van de andere kant van het halfronde bureau. Hij trommelde met zijn vingers en bladerde toen snel door het boek. 'We hebben ene Reuben Mait... Reuben Mait-*land*. Dokter Maitland, staat hier.' Dave bekeek de rij monitoren. 'Ik zou zeggen in de richting van het Mayfield Centre. Maar hij is nog op Somerset.'

'Ziet er verrekte schichtig uit.' De man op het scherm keek behoedzaam om zich heen, alsof hij zich ervan bewust was dat zijn voortgang ineens werd gadegeslagen.

'Ja, ik heb net contact.' Een politiewagen sprong als een kat van scherm naar scherm, in de richting van de prooi. Hij maakte de bochten te ruim, haalde aan de verkeerde kant in, scheurde naar de man toe. 'Spijkerbroek zo te zien, licht gekleurd trainingsjasje, gympen. Je kunt hem niet missen, hij is de enige die er loopt.' Een tweede auto verscheen vanaf de andere kant, met knipperende blauwe lichten, en scheurde geruisloos over rotondes. 'Ik blijf erbij,' zei Dave in de hoorn. 'Zo'n dertig of veertig seconden, zo te zien.' De man liep gehaast, voorovergebogen, verwijderde zich snel. De twee voertuigen spoedden zich over rechte wegen, op elkaar af stormend als twee treinen. Tussen hen in bleef de man naar de straat kijken terwijl hij verder marcheerde.

'Shit.' Jim was de eerste die het probleem zag.

'Wat is er?'

'Er is daar een metrostation, verdomme,' zei hij. 'Vijftig meter.'

'We zien een metro-ingang,' zei Dave in de telefoon. 'Charing Cross. Zeg die jongens dat ze moeten opschieten.'

De bewakers zagen dat de man op zijn zakken klopte. Dat hij een kaartje tevoorschijn haalde. Ze tuurden naar de schermen, ongeduldig wachtend tot de auto's aankwamen. Ze waren nog enkele seconden weg. Een politiemotor had zich er ook bij aangesloten, maar die was te ver weg. De man kwam bij het station aan. Ze zagen dat hij de zwaailichten opmerkte die zijn kant opkwamen. Hij stapte snel naar binnen. 'Hij is naar binnen, hij is naar binnen,' riep Dave. De auto minderde vaart, aarzelde en stopte toen. Het bleef even stil. Ze zagen de agenten in hun radio's praten. De boodschap kwam geleidelijk door. Dave voelde zijn woorden door de draden kruipen, zich door schakelpanelen vechten, krakend overgaan in radiogolven en uit luidsprekers spugen.

'Kom op!' brulde Jim, die getatoeëerde vuisten balde en ermee op het bureau sloeg.

'Hij is het station in gegaan, verdomme!' schreeuwde Dave.

De politiemannen openden hun portieren en renden naar binnen. Dave en Jim keken elkaar aan, en Dave legde de hoorn op de haak. 'Wat denk jij?' vroeg hij.

'Als hij een kaartje heeft, is hij allang weg.' Ze keken somber naar het scherm. Een paar vroege toeristen vroegen de weg, terwijl ze bijna omvielen onder het gewicht van hun rugzakken. Een krantenverkoper riep onhoorbaar. Een zakenvrouw bekeek een vel papier terwijl ze het metrostation binnenging. De twee agenten kwamen door dezelfde ingang naar buiten, liepen terug naar hun auto, spraken in de radio. De motor stopte, en er voegde zich nog een auto bij.

'Nou, over die koffie gesproken,' mompelde Dave. Hij keek op zijn horloge en werd zich ervan bewust, nu de opwinding voorbij was, dat hij op het ogenblik niet werd betaald. 'Dan ga ik maar eens.'

Jim knikte. 'Melk en twee klontjes,' zei hij. 'En als ze hiernaar vragen...'

'Misschien doen ze dat. Vertel ze gewoon precies wat er is gebeurd.'

'Maar je zei dat de vorige keer...'

'Wacht even,' onderbrak Dave hem. 'Wacht eens even, verdomme.'

Op scherm 42 was een korrelig beeld van vervaagde kleuren te zien, even levenloos als de zijstraat die erdoor werd bewaakt. Een agent met een helm op kwam uit een andere uitgang van de metro. Hij hield zijn hoofd schuin en leek te praten in een schouderradio. Hij had de gevangene stevig bij zijn elleboog vast. Jim en Dave juichten, zagen de andere agenten de hoek om komen rennen. De man verzette zich niet. Hij liep met sombere gelatenheid mee. Binnen enkele tellen was hij omsingeld. Hij werd op de grond gedrukt, zijn armen werden op zijn rug gedraaid. Een agent fluisterde in zijn oor. Een andere drukte stevig zijn knie tussen zijn schouderbladen en boeide zijn handen. Een rechercheur fouilleerde hem, kloppend langs zijn benen, rond zijn bovenlichaam en langs zijn geboeide armen. Ze tilden hem op en sleepten hem naar een auto. Hij stootte zijn hoofd toen ze hem als een stormram op de achterbank duwden.

'Hebbes, dokter Maitland,' zei Dave triomfantelijk. 'Wie je dan ook bent.'

GCACGATAGCTTACGGG
GATCTA**ACHT**GGTTC
GCTAATCGTCATAACAT

1

Davie Hethrington-Andrews wond zijn wijsvinger om het spiraalsnoer van de telefoon, rolde het op en af, zag zijn vingertop wit worden wanneer het snoer verstrakte en tussendoor weer rood kleuren. Hij zag voor zich hoe het bloed afwisselend werd gevangen en weer bevrijd. Hij zat voorovergebogen. Het was stil in de gang. Behalve de grote man die naast hem stond was hij alleen.

Davie wist wat hij wel en niet mocht zeggen. Hij had de regels gehoord. Ze hadden hem speciaal gewaarschuwd tegen hints en insinuaties. Dit moest gewoon weer een wekelijks telefoontje worden, een zoon die vroeg naar de gezondheid en het welzijn van zijn moeder. De grote man leunde met rechte arm tegen de muur, iets te dichtbij. Davie rook de zure lucht van zijn oksel en zag de overtuiging van zijn tatoeages. Hij schraapte zijn keel toen er werd opgenomen.

'Hallo,' zei hij vlak. 'Is mijn moeder er?'

Een paar seconden later zei hij: 'Mam? Met Davie. Is alles goed?'

Hij wond het snoer strakker op, beperkte de bloedsomloop in zijn vinger en voelde de matte pijn van het zuurstofgebrek. 'Ja, je weet wel. Het gebruikelijke,' antwoordde hij.

En toen: 'Nou, wat had je dan verwacht? Het zou heus geen pretje worden.'

Terwijl hij geduldig naar het antwoord luisterde, liep zijn celgenoot Griff langs, die zorgvuldig oogcontact vermeed. Davie glimlachte, ademde nog wat scherpe lucht van recente lichaamsbeweging in, een geur die bescherming uitdroeg. De mensen waren nu bang voor hem. Niet rechtstreeks, maar vanwege de bagage die hij meedroeg. Het was echter een onbehaaglijk privilege. Meestal vreesde Davie de man die hem beschermde meer dan wie ook.

'Je weet dat ik daar niet over kan praten,' antwoordde hij. Vanuit zijn ooghoeken zag Davie dat de man aandachtig op hem neer loerde.

'Mam? Gaat het wel? Ik was alleen bezorgd dat ze...'

'Echt?'

'Nee, niet huilen. Het komt allemaal wel goed. Echt. Hij heeft garanties gegeven. Hij heeft ons nodig. Luister, mam, straks wordt alles weer normaal. Ik beloof het. En dan kunnen we vergeten... Dan zijn we weer samen. Allemaal. En ik blijf op het rechte pad.'

Zijn moeder praatte snel, bijna hysterisch, en Davie probeerde haar te kalmeren.

'Vertrouw me, mam. Hou gewoon vol. Het komt wel goed. Het komt wel goed.'

'Nee, nee, echt. Ik zie licht aan het eind van de tunnel.'

De geur van de man die was aangewezen om op hem te passen werd minder intens. Davie krabde met een lange nagel in het vervaagde groene pleisterwerk.

'Je weet dat ik daar niet over kan praten.'

Davie aarzelde. Zijn persoonlijke lijfwacht scheen zijn belangstelling te verliezen. Hij schuifelde weg, stak een sigaret op, doodde de tijd met een andere gevangene. Davie besloot dat dit zijn enige kans was.

'Ik heb Jez gesproken,' zei hij dringend en zachtjes, met beide handen om de hoorn heen, het spreekgedeelte omhuld als een vlammetje dat op het punt stond uit te gaan, 'en hij leek me... Ik weet niet... Ik ben gewoon ongerust om hem. Is het je gelukt?'

Hij keek behoedzaam naar zijn babysitter, maar die was nog steeds afgeleid.

'Luister, dit is misschien mijn enige kans om dit te zeggen, mam. Luister goed. Weet je waar dit allemaal om gaat? Weet je waarom ze je in de gaten houden? Weet je waarom ze afluisteren wat ik tegen je zeg en waarom je niet op bezoek mag komen? Het gaat allemaal om Jez. Hij heeft het enige wat ze...'

Davie viel naar voren, de vloer doemde op, zijn hoofd maakte contact, zijn tanden klapten op elkaar en zijn neus stond in brand. Hij krabbelde overeind. De babysitter stond over hem heen gebogen, met een sigaret in zijn mond en golvende spieren, de telefoon als een stomp voorwerp in zijn hand geklemd. Hij zwaaide zijn wijsvinger een paar keer heen en weer en vormde met zijn lippen het woord 'nee'. Davie voelde aan zijn neus, die niet bloedde. Hij spuugde een stukje van zijn voortand uit. De babysitter draaide zich om en liep terug naar de gemeenschappelijke zitkamer. Davie voelde aan zijn gezicht en knipperde geschrokken met zijn waterige ogen. Hij voelde een onaangename verdoving in zijn bovenlip. Hij keek naar de telefoon, vloekte binnensmonds en volgde.

2

'Zo, dokter Maitland. U begrijpt dat we u officieel nog niets ten laste leggen, maar dat we u hier houden terwijl het arrestatieregister wordt bijgewerkt? Het staat u vrij juridische bijstand te zoeken, en alles wat u zegt zal worden genoteerd... blablabla. U weet wel hoe het allemaal werkt.'

De arrestant zei niets. Hij bekeek hun gezichten, overwoog wat hij zou doen, berekende de beste mogelijkheden.

'Rechercheur Marsh en ik, rechercheur Gommershall, zullen u eerst verhoren, voordat we u overdragen aan uw oude team bij Euston CID. Is dat helder?'

Hij bleef onbewogen. Hij was hier eerder geweest, en hij wist dat zwijgen je een hoop tijd opleverde om na te denken.

'Zo, Reuben. Laten we maar beginnen. We hebben alleen de basisgegevens nodig. Vertel eerst eens je huidige adres.'

De arrestant verschoof op zijn stoel en voelde de koude klachten van toekomstige blauwe plekken. De arrestatie was ruw verlopen en zijn bovenlichaam werd stijf. Hij keek naar de twee agenten en schatte hen in als eeuwige verliezers. Hij had een reactie nodig, moest weten wat zij wisten voordat hij zichzelf vastlegde.

'Ik zal het nog eens vragen,' zei rechercheur Gommershall. 'Wat is je huidige adres?'

'Luister,' zei de rechercheur geruststellend, 'je hebt nu niks te winnen. We nemen geen verklaring op. We willen alleen je gegevens bevestigen aangezien je in onze wijk bent gearresteerd. Waar woon je, Reuben?'

De rand van de tafel was voorzien van een houtnerffineer. Langs de groeven zaten de zaagafdrukken van honderd paar verveelde handboeien. 'Kweenie,' antwoordde hij zachtjes.

'Juist. Oké,' antwoordde de rechercheur. 'Best.' Er klonk irritatie door in zijn korte woorden. 'En je geboortedatum?'

'Kweenie.'

'Geboorteplaats?'

'Kweenie.'

'Beroep?'

'Kweenie.'

'Weet je de datum van vandaag?'

'Kweenie.'

'We proberen je alleen maar te helpen, dokter Maitland,' zei de rechercheur, die zich naar voren boog. 'Zoals ik al zei, we hoeven alleen maar –'

'Hou op met dat gesodemieter,' onderbrak rechercheur Gommershall hem. Hij ging met zijn vingers langs zijn voorhoofd en door zijn fijne, donkere haar. Het was een lange nachtdienst geweest. Ze wilden alleen de basisgegevens van de arrestant hebben, dan konden ze hem overdragen en naar bed. 'Je verspilt mijn tijd, de tijd van rechercheur Marsh en die van jezelf. We klagen je toch wel aan. Ik vraag het verdomme nog één keer: geef me je huidige adres.'

'Kweenie.'

'Je weet niet veel, hè?'

'Ik weet niks tot ik met een advocaat heb gesproken.'

'Je hoeft alleen maar je naam en adres te bevestigen, dan regelen we bijstand voor je. Nu dan, hoe heet je?'

'Kweenie.'

Het automatische antwoord weerkaatste door de kleine, ondergrondse kamer, werd opgezogen door de bandrecorder, gemagnetiseerd op de dubbele draaiende wieltjes en galmde in de oren van de rechercheur. Hij sprong overeind en riep: 'Luister, etterbak, het kan me niet schelen wie je bent, of wie je ooit was. Als je met me blijft klooien zet ik dat apparaat uit en laat ik je alles zeggen wat ik wil dat je zegt. Dit is verdomme een serieuze aanklacht, dus hou op met je gesodemieter. Geef me je adres of je raakt een paar tanden kwijt, verdomme.' Rechercheur Gommershall wierp een zijdelingse blik op zijn collega, die oogcontact vermeed, en ging langzaam weer zitten, vechtend tegen zijn woede. Hij staarde naar zijn knokkels, die zo wit waren dat de botten bijna door de huid heen leken te komen. Toen hij weer opkeek, was de gezichtsuitdrukking van de arrestant veranderd. Hij vroeg hem, met merkbare beheersing in zijn stem: 'Waar woon je?'

De arrestant hoestte, een gedempt schrapen van zijn keel. Hij had de reactie opgeroepen waar hij op had gehoopt. Hij besefte echter dat de situatie erger was dan hij had gedacht. Hij moest snel nadenken. 'Ik zal je zeggen waar ik woon,' zei hij. 'Maar eerst moet ik je een paar andere dingen vertellen. En dan wil ik een advocaat spreken.'

'Zoals wat, dokter Maitland?' vroeg de rechercheur.

Hij aarzelde. Voor hem lag een reeks onplezierige vragen en situaties. Hij moest voorzichtig zijn. Hij had genoeg gezien om te weten dat er geen voordeel of bescherming lag in misleiding en dat de waarheid net zo gevaarlijk was. Hij was er bijna bij, maar misschien was er nog een uitweg. 'Ten eerste heet ik geen Maitland. Ik heet Mitland. Zonder de eerste A.'

'*Mit*-land?'

'Ja. En ik heet ook geen Reuben.'

'Nee?'

'Hoe dan wel?'

'Aaron.'

'Aaron Mitland.' *Mit*-land? Rechercheur Gommershalls ogen puilden weer uit. 'Ik dacht dat ik had gezegd...'

Er werd kort op de deur geklopt. Rechercheur Marsh liep ernaartoe en deed open. Op de gang klonk een korte, gespannen conversatie. Een vrouwelijke rechercheur kwam binnen. Ze was knap, op een fragiele manier. De arrestant merkte op dat haar irissen parelmoerblauwe schoteltjes waren met donkere randjes, die licht haar gezicht in trokken en het opslokten. Hij zag twijfel op haar voorhoofd, ongemak in haar gebaren, een aarzeling die hij een miljoen keer eerder had gezien. Terwijl hij haar gezicht bekeek, staarde zij hem aandachtiger aan. Het was net een ontmoeting tussen mensen met gedeeltelijk geheugenverlies. Een tweede agent kwam binnen. Hij was gedrongen, breed en zakelijk. Hij ging bij de vrouwelijke rechercheur staan, liet zijn bloeddoorlopen ogen over hem heen gaan. Er was iets verontrustends aan die starende blik, alsof zijn ogen informatie uitstraalden in plaats van opnamen.

'Wat denk jij, Sarah?' vroeg de agent, die bleef staren.

'Nogal een poseur, Phil.'

'Kom op, Reuben,' spoorde Phil Kemp hem aan, 'het is afgelopen.'

De arrestant glimlachte. 'Zoals ik al tegen de andere twee rechercheurs heb gezegd, ik ben Reuben niet. Ik ben Aaron Mitland. Reubens broer. Jullie wisten toch wel dat hij een broer had?' Hij zag de ontluikende teleurstelling op de gezichten van de twee nieuwe CID-leden en begreep dat ze dat inderdaad wisten.

'Hoe kunnen we dit nagaan?' vroeg hoofdinspecteur Sarah Hirst aan niemand in het bijzonder.

'DNA-testen heeft geen zin.'

'Precies. Als ze identiek zijn, zijn ze identiek.' Sarah wendde zich tot de arrestant. 'Jullie zijn toch een eeneiige tweeling?'

De arrestant haalde zijn schouders op. Terwijl hij nonchalante onverschilligheid voorwendde, holde en buitelde zijn geest, verzon verhalen en alibi's, graaide naar uitwegen. Hij moest precies weten welke bewijzen ze hadden.

'Luister, Aaron – als je Aaron bent – waarom heb je tot nu toe niks gezegd?'

'Ik kreeg niet bepaald de kans om in discussie te gaan.' Terwijl hij antwoordde, overpeinsde hij de implicaties, rilde om wat ze zouden kunnen ontdekken. 'Ze bespringen me in een metrostation, slepen me hierheen en beginnen met hun vragen. Ik dacht dat ik eerst maar eens moest uitvissen waar mijn broer van wordt beschuldigd.'

'Bedoel je dat je dat niet wist?'

'Nee.'

'En je hebt hier niks van op het journaal gezien?'

'Ik woon in een kraakpand.' Hij balde zijn vuisten onder de tafel, dacht aan zijn boeien, zag die in gedachten in de tafelrand zagen en bijdragen aan de verzameling krassen. 'We hebben geen tv.'

'Maar je moet toch met GeneCrime hebben gesproken?'

Aaron Mitland blies koele lucht uit de zijkant van zijn mond. 'Je zult harder moeten werken als je mij ergens op wilt betrappen.'

'Wacht even,' zei Sarah, die haar hand opstak met de abruptheid van een verkeersregelaar. 'Hoe is hij gearresteerd?'

Rechercheur Marsh, die onderuitgezakt tegen de muur had staan toekijken, ging rechtop staan. 'Gemeld vanuit CCTV. We kregen bericht over een soort patroonherkenning...'

Phil Kemp en Sarah Hirst wisselden een blik. Aaron Mitland keek aandachtig naar hun gezichten. De rechercheur zette haar handen in haar zij, onzeker of ze zich weer kon ontspannen. Rechercheur Gommershall zat te mokken op zijn stoel en weigerde met iemand oogcontact te maken. Aaron wachtte tot de aandacht naar hem terugkeerde. Hij zag zijn broer voor zich, excellerend, obsessief, een veer die iets te strak was gespannen. Terwijl hij keek naar de reacties van mensen die Reuben overduidelijk kenden en met hem hadden gewerkt, verlangde hij er even naar om met hen van plaats te ruilen, Reuben niet als broer te ervaren maar als een neutraal iemand, een normale persoon zonder bagage, zonder gedeelde geschiedenis van conflict en spanning, en zonder schuldgevoel. Toen trok hij zich terug. Hij trok zich terug naar de vier magnoliakleurige wanden, de dunne blauwe vloerbedekking, het kale plafond met de tl-balken. Bekend terrein. Weer een cel, weer een stel agenten.

'Laten we zeggen dat jij Reuben niet bent,' begon Phil, 'waar staat je kraakpand dan? Kun je ons een adres geven?'

Nee, man. Het stomste wat hij kon doen. 'Ik wil een advocaat. Nu.'

'En wat doe je voor de kost?'

'Van alles wat.' Aaron keek om zich heen in de cel. 'Vooral dit.' Hij probeerde de toenemende knoop in zijn maag te ontwarren, zich er plotseling van bewust in hoeveel gevaar hij verkeerde. Het was slechts een kwestie van tijd voordat ze zijn strafblad opvroegen, de details bekeken, zijn naam en signalement in hun databases met onopgeloste zaken invoerden, een paar overeenkomsten vonden, meer belangstelling voor hem kregen en zijn activiteiten uitpluisden. Hij moest hier weg, een tijdje verdwijnen. En dat betekende dat hij hun ervan moest overtuigen dat hij zijn broer niet was. Maar dat was link. Er doemde een grote valstrik op. Hij anticipeerde de volgende discussie, die met grimmige onvermijdelijkheid in de cel doordrong.

'Denk er eens over na, Sarah,' fluisterde Phil, zo luid dat Aaron het ook kon verstaan, 'we zijn geobsedeerd geraakt door Reuben. Maar als dit zijn eeneiige tweelingbroer is, dan heeft hij hetzelfde DNA als hij.'

'En dus hetzelfde DNA als de moordenaar.'

'Vergeet de FenoFit niet. En de patroonherkenning. Misschien hebben we onze man al.'

Kemp en Hirst draaiden zich tegelijkertijd naar hem om, bijna alsof ze die beweging hadden geoefend. Het effect ervan was onrustbarend, alsof je twee rijbanen van de waarheid frontaal naderde van om een blinde hoek. Aaron zag meteen dat dit geen mensen waren met wie je moest dollen. Ze waren anders. Iets onderscheidde hen van de doorsnee agenten die rechtstreekse vragen stelden om rechtstreekse misdaden op te lossen.

'Waar was je op de volgende data?' vroeg Phil Kemp, terwijl hij een paar getallen op een vel papier schreef.

'Of misschien kun je bewijzen dat je Reuben níét bent,' zei Sarah.

'Bel Vingerafdrukken,' droeg Phil aan rechercheur Marsh op.

'Ik zal een team zijn woning laten doorzoeken,' voegde Sarah eraan toe.

'Kom op, Reuben. Het spel is uit.'

'Ik ben...'

'We weten wie je bent.'

'Reuben. Aaron. Wat maakt het uit?'

'Jouw DNA zit op de slachtoffers.'

'Waar is je broer?'

'Wanneer heb je hem voor het laatst gezien?'

'Heb je hem geholpen?'

'Jullie deden dit samen.'

'Om elkaar te dekken.'

'Klassieke alibistrategie.'

'Altijd op twee plaatsen tegelijk.'

'Laten we de camerabeelden van vanochtend opvragen, uitzoeken waar je precies woont.'

'We werken wel terug vanuit je arrestatie, sporen je adres op.'

'Kijken wat mensen weten.'

Aaron Mitland keek naar hen op. Ze roken bloed. Ze dachten dat ze iets hadden. Als ze zijn bewegingen terug konden volgen naar het kraakpand, was hij de lul. Zijn broer was sowieso al de lul. Ze zaten allebei in de nesten. De vragen bleven komen. Hij probeerde erdoorheen te kijken. Hij moest nadenken, en snel ook.

3

Maclyn Margulis strekte zijn benen op de voorstoel van zijn BMW X5 en streek lichtjes met zijn vingers over het leren stuur. Vandaag had hij erop gestaan om zelf achter het stuur plaats te nemen. Er waren momenten om je te laten rijden en momenten om zelf te rijden. Hij keek via de achteruitkijkspiegel naar zijn partner, en maakte gebruik van de kans om naar zijn eigen profiel, zijn pikzwarte haar, zijn gebeeldhouwde kaaklijn te kijken.

'Mart,' zei hij, 'weet je dat adres zeker?'

'Ja.'

'Hoe zeker?'

'Vrij zeker.'

'In procenten?'

'Hoe bedoel je?'

Maclyn Margulis draaide zich een stukje om in zijn beklede luxe en trok zijn wenkbrauwen op naar de andere man, die onderuitgezakt in de passagiersstoel naast hem zat. 'Van de honderd.'

'Negentig. Min of meer.'

'En van wie is die info precies gekomen?'

'Bluey Jones. Hij is de partner van het doelwit gevolgd, een of andere vette Schot, die een afspraak had met Kieran Hobbs.'

'Werkt Bluey nog voor Hobbs?'

'Het lijkt erop.'

'Kun je hem vertrouwen?'

'Zo ongeveer.'

'In procenten?'

'Weer hetzelfde.'

'Ik snap alleen niet wat Hobbs hieraan heeft,' zei Maclyn Margulis, deels in zichzelf. 'Waarom geeft hij dit aan ons?'

'Misschien is die ouwe niet meer nuttig.'

'Misschien. Of misschien weet Reuben Maitland iets wat hij niet zou moeten weten.' Maclyn draaide zich naar de andere man toe, die breed en besnord was, met een benige hardheid in zijn gezicht en een gespierde bereidheid in zijn bovenlichaam. Zijn hoofd was zo gladgeschoren dat het bijna straalde. 'Maar goed, klinkt dat oké wat jou betreft?'

'Wat is de achtergrond?' vroeg de man emotieloos.

'Luister, we moeten raak schieten. Dat is alles. De details zijn niet belangrijk.'

'De details zijn het enige belangrijke. De vorige man die je had gestuurd... Er ging een gerucht...'

'Een van mijn eigen mensen. Een goeie kerel, een beetje sadistisch, maar een goeie jongen. Marcus Archer.'

'Ik heb gehoord dat hij een tik heeft gekregen.'

Maclyn Margulis zuchtte. 'Niet zo'n tik als jij denkt. Hij heeft een tik op z'n kop gekregen. In een steegje, van de klootzak waar hij heen was gestuurd om hem een lesje te leren. Daar blijkt uit dat hij voorkennis moest hebben gehad, of bescherming of zoiets. Waarschijnlijk heeft het wat verstand in z'n kop geramd.'

'Dus wat ik zeg: de details.'

Maclyn Margulis aarzelde. Hij keek langs zijn potige passagier en bekeek het puur exotische van de nieuwste wolkenkrabber van Londen achter hem. Het gebouw had al de bijnaam de Augurk gekregen. Voor Maclyn was het een enorme kogel die zijn punt in wolken van kruitdamp boorde. Het was niet zijn gewoonte om informatie met iemand te delen. Maar dit moest worden geregeld. 'Oké,' gaf hij toe. 'Reuben Maitland zat bij de politie, als forensisch agent. Hier is zijn politiefoto.'

'Waarom heb jij belangstelling?'

Maclyn Margulis haalde diep adem. Dit soort nieuwsgierigheid was meestal dodelijk. 'Ken je Kieran Hobbs' bende in West-Londen?'

'Een beetje.'

'Hobbs' onderbevelhebber, Joey Salvason, raakte betrokken bij iets waar wij mee bezig waren. Akelig stuk vreten, ging te ver. Wilde niet afnokken, dus moest ik er wat aan doen. Een flink pak slaag, maar een beetje te flink, als je snapt wat ik bedoel.' Hij glimlachte naar de man, maar kreeg geen reactie. 'Dus houden we ons een beetje gedeisd. We zijn een grote organisatie, maar we willen het niet tegen Kieran Hobbs opnemen. Heeft geen zin. Dan hoor ik dat een of andere stomme forensische agent om het lijk van Joey Salvason heen snuffelt, op een missie voor Hobbs. Dat gaat flink problemen opleveren. Dus stuur ik Marcus Archer naar hem toe om hem het zwijgen op te leggen. Alleen laat Marcus, zoals ik al heb verteld, zich bewusteloos slaan. Voor ik het weet maakt Kieran Hobbs een afspraak met me, in het openbaar zodat niemand iets overkomt, in een lunchrestaurant in Covent Garden of zoiets. Vertelt me dat hij zeker weet dat ik Joey Salvason heb vermoord.'

'O ja?'

'Ja. Dus tijdens het eten komt er een pooier aan lopen met een wijffie aan de arm, een oude vriend van Kieran. Naderhand stuur ik een oppasser achter ze aan om te gaan kijken, maar ze springen in een taxi. Ik sta er verder niet bij stil. Ik ontken dat ik die jongen heb aangeraakt, we gaan weg, en dan niks. Tot gisteren' – Maclyn Margulis sluit even zijn ogen – 'toen Hobbs bij mij thuis kwam opdagen. Hij heeft een foto in zijn hand. Die lijkt op mij, maar dan met rood haar, paardentanden, grote kin, je weet wel, een gebakkie.' Maclyn streek met zijn hand door zijn glanzende zwarte haar. Hij keek snel in de achteruitkijkspiegel naar zijn medewerker op de achterbank. 'Om een lang verhaal kort te maken, hij beschuldigt mij ervan dat ik de moordenaar ben. Zegt dat hij rotsvast forensisch bewijs heeft. Zegt dat DNA dat ze op Joey Salvason hebben gevonden het aantoont. Zegt dat die tests zijn uitgevoerd door die pooier in het restaurant die, zo blijkt dan, niet zijn oude vriend is, maar – je raadt het al – de ex-agent Reuben Maitland. Natuurlijk ontken ik. Ze staan daar met pistolen in de aanslag, en we zijn verdomme machteloos. En dan stapt Hobbs naar voren, duwt zijn pistool tegen de borstkas van Tony, mijn rechterhand, en schiet hem zo voor z'n flikker. Waar ik bij sta, nota bene. Zegt: "Oog om oog en nu staan we quitte," draait zich om en vertrekt. En Tony ligt te kronkelen op de grond en verdomme dood te bloeden.' Maclyn Margulis staarde bitter naar de man met zijn opvallende blauwe ogen. 'Denk je dat je die klus kunt afmaken?'

De man nam niet de moeite hem aan te kijken. 'Waarom heeft Hobbs je dan nu het adres van Reuben Maitland gegeven?'

'Wat kan mij dat nou schelen? Het enige wat ik wil weten, is of je de klus kunt doen.'

'Het is nog nooit mislukt,' antwoordde de man, terwijl hij met zijn hand over zijn geschoren hoofd streek en toen door zijn snor, alsof hij genoot van het contrast.

'Nou, ik heb goeie dingen over je gehoord. En je bent ook behoorlijk duur, als ik het zeggen mag.'

'Je krijgt waar je voor betaalt. Als je een commando wilt, moet je ervoor betalen.'

'Wanneer ga je het doen?'

'Binnenkort.'

'Zorg daarvoor. Laat dit niet te lang hangen. Ik wil het voor het eind van de week geregeld hebben.'

De man stopte de envelop in zijn jas. Hij opende het portier, stapte uit en liep zonder achterom te kijken weg. Maclyn Margulis keek hem na. 'Klus geklaard,' zei hij tegen Martin terwijl hij zijn hoofd omdraaide. Hij zag de man richting de Augurk lopen en opgeslokt worden tussen het in pakken geklede kantoorpersoneel. 'Eigenlijk, Martin,' zei hij fronsend, 'moet jij maar rijden.'

De zware zwarte X5 trok op met een dubbel spoor van uitlaatgassen, die oplosten in de warme lucht. Een paar tellen later gaf een onopvallende Ford Mondeo die er een paar honderd meter achter stond richting aan en volgde op discrete afstand, terwijl de CID-agenten erin de route van de BMW nauwlettend in de gaten hielden.

4

Judith Meadows rukte een la in de slaapkamer open en zocht vijf slipjes bij elkaar. Ze trok een la eronder open en haalde er vijf paar sokken uit. Toen propte ze alles in een zwartleren tas. Erbovenop legde ze twee spijkerbroeken en een paar dunne truien. Ze liep snel naar de kast en bladerde door klerenhangers als door een reeks lp's. Er was geen tijd om outfits uit te kiezen. Het was simpelweg zaak om wat kleren te selecteren die min of meer bij elkaar zouden passen. Terwijl ze zocht, keek Judith nerveus uit het raam. Ze was bleek en beverig, en haar ogen waren omringd met de bewijzen van slaapgebrek. Judith drukte op een toets op haar mobiel en zette hem tussen schouder en kin.

'Hoi,' zei ze toen er werd opgenomen, 'met mij.'

Aan de andere kant begon Reuben te zeggen: 'Je klinkt...'

'Het gaat prima,' zei Judith. 'Gewoon prima.' Ze trok een blouse van een hanger, die leeg heen en weer bleef wiebelen. 'Luister, Reuben, ik zal meteen met de deur in huis vallen. Ik heb over mijn situatie nagedacht, en ik heb een besluit genomen.'

'Dat klinkt als het eind van een relatie.'

'Is het ergens ook.'

'O ja?'

'Ja. Ik wil hier uit.' Judith schoof het gordijn een stukje open en speurde de straat af. 'Ondanks wat ik laatst zei, gaat het er niet om dat ik je niet vertrouw... Maar alles is gewoon vreselijk, verschrikkelijk...'

'Wat is er gebeurd?'

'Ik ben bij zinnen gekomen, realiseer me dat ik niet zo kan leven. Wat er in het verleden ook bij GeneCrime is gebeurd, het doet er nu niet meer toe. Er gaan mensen dood.' Ze gooide de blouse op het bed en zocht door de dicht opeengepakte jurken en shirts in haar kast. 'En straks komt er iemand achter mij aan. Die me wil martelen en vermoorden. Ik heb bescherming nodig, en toch bescherm ik de hoofdverdachte. Het moet ophouden. Ik moet partij kiezen. Dat begrijp je toch wel? Ik kan mijn baan kwijtraken, alles...'

Reuben zweeg even. 'Ik begrijp het,' zei hij.

'Luister, ik weet dat jij die dingen niet hebt gedaan, maar daar gaat het niet om. Jij hebt me altijd onderwezen over loyaliteit.' Ze trok een lichtblauw poloshirt van een skeletachtige hanger en propte die in haar tas.

'Nu moet ik mijn loyaliteit aan het team geven. We moeten in leven blijven en we moeten elkaar steunen. Ik kan de mensen die proberen de moordenaar te pakken niet dwarsbomen.'

'Zoals ik al zei, Jude, ik begrijp het.'

'En er is nog iets wat je moet weten.'

'Wat dan?'

'Je zult het nog wel niet gehoord hebben, maar ze... We hebben je broer gearresteerd.'

'Aaron? Jezus. Wanneer?'

'Eerder vandaag. Kennelijk een geval van identiteitsverwisseling.' Judith beende naar de badkamer en begon spullen in een toilettas te gooien. 'Ze dachten dat jij het was, Picasso.'

Reuben snoof in weerwil van zichzelf. 'Ik wed dat hij dat prachtig vond.'

'Het was raar om hem te zien. Hij was net een schichtige versie van jou. Ik moest mezelf er steeds aan blijven herinneren dat jij het niet was.'

'Dus... Shit! Ze zullen wel proberen het hém in de schoenen te schuiven.'

'O ja. We hebben immers DNA, monsters...'

'Waar zit hij?'

'Hoezo? Je kunt toch niet bij hem op bezoek.'

'Ik wil het gewoon weten.'

'Hij zit aan Ludgate Road. En tussen ons, ik krijg bepaald de indruk dat ze hem willen gebruiken om jou te pakken.'

'Hoe dan?'

'Dat weet ik niet. Maar denk er maar eens over na. Ze houden je broer vast, terwijl ze eigenlijk alleen maar jou willen hebben.'

Judith legde haar vlakke hand op een bus deodorant en een borstel en drukte ze in de krappe toilettas. De borstel maakte een klein bataljon van deukjes in haar hand. Ze dwong de rits botweg om de buitenrand van de tas heen en duwde onderwijl alle uitstekende voorwerpen naar binnen. Ze nam de toilettas mee, liep terug naar de slaapkamer en liet hem zwaar in de koffer vallen.

'Wat ben je aan het doen?' vroeg Reuben na een korte stilte.

'Spullen pakken,' antwoordde ze.

'Waar ga je heen?'

'Ik moet hier weg. Ik ben niet veilig. Het CID hoort zogenaamd op ons te passen, maar is niet bepaald onfeilbaar.' Judith moest moeite doen om rustig te blijven, en ze blies langzaam haar adem uit. 'En het gaat niet goed met Charlie en mij. Ik barst van het schuldgevoel, en ik ben bang dat hij iets begint te vermoeden.'

'Het spijt me.'

'O ja?'

'Natuurlijk.'
'Ik bedoel, spijt het je dat het is gebeurd, of...'
'Of wat?'
'Of heb je spijt van wat er vervolgens is gebeurd?' Judith zweeg en haar zachte ademhaling vulde de stilte.
'Ik snap niet wat je wilt vragen.'
'Ja, dat snap je wel, Reuben.'
'Luister, Jude...' Nu begreep Reuben het pas. Op dit moment, aan de telefoon, in wanhopige tijden, besefte hij dat hoe hecht ze ook waren geworden, ze niet waren voorbestemd om samen te zijn. Hij dacht aan Judiths lange jaren van loyaliteit. De bereidheid om hem te helpen, om risico's voor hem te nemen. Het was er altijd geweest, sluimerend. Hij wist dat omdat hij het ook had gevoeld. Maar toch besefte Reuben dat dit niets zou worden. Het was het verkeerde moment, de verkeerde plek, de verkeerde omstandigheden. 'Ik ben er gewoon niet klaar voor.'
'Het geeft niet,' fluisterde ze. 'Het is niets. Alles is een beetje gestoord, dat is het. Ik probeer niet in te storten.'
'Jude, ik heb echt geen spijt van wat er tussen ons is gebeurd. Ik wou...'
'Let maar niet op mij. Ik raaskal.'
'Ik weet niet wat ik moet zeggen.'
'Zeg dan niks.'
Reuben luisterde naar de dalende golven van haar ademhaling, sloot zijn ogen en snapte hoe bizar de hele situatie was geworden. Met hem, met Judith, met alles. 'Waar ga je naartoe?'
'Vrienden. Mensen die hier niets van weten. Mensen die voor me zullen zorgen.' Haar stem had een kille kracht gekregen, alsof ze alleen maar snel door het ongemak heen wilde.
Aan het andere eind van de lijn liet Reuben zijn hoofd hangen en staarde naar zijn voeten. 'Maar denk je niet dat je beter thuis...'
'En de volgende op de lijst worden? Vergeet het maar. Luister, ik zou je dit niet moeten vertellen, en dit is het laatste stukje *inside information* dat je van me krijgt, maar Jez wordt vermist. Hij is al een paar dagen niet gezien, en thuis doet hij niet open.'
'Ik bel hem wel mobiel.'
'Dus daarom zeg ik niet waar ik naartoe ga of bij wie ik ga logeren. Iemand weet waar we allemaal wonen. Mina is naar huis gevolgd. Run en Sandra zijn thuis aangevallen, en Lloyd... Ik weet gewoon zeker dat ik de volgende ben. Reuben, hij komt nu achter mij aan.'
'En de andere verdachten in de zaak dan? Wat gebeurt daarmee?'
Judith ramde twee paar schoenen aan de zijkant van haar tas en beproefde het gewicht ervan. 'Meer info krijg je niet, zei ik.'

'Oké. Het laatste.'

'We hebben geen verblijfplaats van de andere twee belangrijke verdachten, Lars Besser en Mark Gelson. We hebben camerabeelden en we weten dat ze in Londen zijn, maar dat is alles. Het is lastig geweest om ze in verband te brengen met de plaatsen delict en er is niet veel uit het buurtonderzoek in Lloyd Grangers straat gekomen. Maar er is ook goed nieuws.'

'Wat dan?'

'De forensische gegevens over Lloyd kunnen ieder moment binnenkomen. Over een paar uur hebben we een profiel.'

'Dat waarschijnlijk weer dat van mij zal zijn.'

'Niet deze keer. Sarah stelde voor om monsters van de oogbollen te nemen...'

'Ik vraag me af hoe ze daarop is gekomen.'

'En Mina denkt dat ze iets veelbelovends heeft. Dan kunnen we de databases afspeuren en zoeken naar eerdere veroordelingen. We hebben ook weer iemand van onze aanvankelijke vier kunnen uitsluiten – Stephen Jacobs – die heel goed bleek mee te werken, voornamelijk omdat hij was gezien terwijl hij rondhing bij scholen, en doodsbang was om weer de bak in te gaan. Dus dan blijven alleen Besser en Gelson over, die allebei op vrije voeten zijn. En natuurlijk Maitland.'

'Ik dacht dat ze zich alleen nog op mij richtten. Waarom kijken ze nog naar Besser en Gelson?'

'Ik heb de indruk dat Phil diep vanbinnen nog steeds niet honderd procent overtuigd is dat jij het bent.'

'Fijn om te weten.'

'Veel beter zal het niet worden.' Judith keek nog een laatste keer uit het raam. 'En dat, Reuben, is alles wat ik je kan vertellen.' Ze hees de tas over haar schouder en nam de telefoon in haar hand. 'Dus dat is het dan, denk ik,' zei ze bijna formeel.

'Ja.'

Judith liep met ferme passen de trap af, en het extra gewicht versterkte het bonzen van haar schoenen op de vloerbedekking. 'Pas goed op jezelf, Reuben,' zei ze, 'want niemand anders zal het doen.' Judith verbrak de verbinding en verliet het huis. Ze rende naar haar auto, stapte in en klikte op de centrale deurvergrendeling, controlerend of de portieren op slot waren voordat ze de motor startte. Onder het rijden hield ze de achteruitkijkspiegel in de gaten en vervloekte zichzelf. Hoewel ze rillerig en onzeker was, hield een loden gewicht van spijt zich aan haar vast en weigerde te vertrekken. Judith besloot dat het het beste was voor alle betrokkenen als ze voorlopig even verdween.

5

Reuben legde zijn telefoon op de werkbank naast zich neer. Jez' mobiele nummer was meteen doorgeschakeld naar de voicemail. Terwijl hij geconcentreerd omlaag staarde, zag hij voor het eerst een fijn laagje stof op de werkbank en een paar haren die naast een felgekleurd plastic rekje lagen. Hij sprayde 70% ethanol op een papieren zakdoekje en begon langzaam en methodisch de werkbank te poetsen, als een chirurg die zijn handen wast voor een operatie. Zelfs toen het oppervlak schoon was bleef hij wrijven, gesust door de beweging, getroost door de voorbereidende handelingen. De alcohol verdampte in fijne laagjes, het zakdoekje droogde op en begon piepend te klagen.

Reuben stopte met schoonmaken en begon te zoeken op de schappen, in het koelkastje onder de werkbank, in een staande vriezer ernaast, wederom de ingrediënten verzamelend die hij nodig had om te kokkerellen met moleculaire biologie. Hij bereikte een tranceachtige toestand, berekende hoeveelheden, schatte temperaturen, werkte concentraties uit, plakte etiketten op buisjes, krabbelde aantekeningen neer, programmeerde cycli, stelde platen samen, pipetteerde vloeistoffen, won nucleïnezuren, stelde apparatuur in, scande leesgebieden, schatte hoeveelheden, laadde reacties, monitorde electroforeses en initieerde algoritmes.

Hij dacht aan zijn broer, herhaalde de woorden die hij tegen Judith had gezegd, luisterde in gedachten naar haar korte, gehaaste zinnen, peinsde over Jez' verdwijning, probeerde te raden wat de oogbolmonsters hem zouden laten zien, at een boterham, etste het ongeschonden gezicht van Lloyd Granger op een nieuw, vierkant doek, belde Moray die vastzat in Finland, nota bene, ijsbeerde, keek naar de deur, krabde aan zijn stoppels, sliep, verprutste het schilderij en smeet het weg, dacht aan Kieran Hobbs en Maclyn Margulis, dacht aan de warme vloed van pure amfetamine, probeerde beelden van zijn alcoholistische vader buiten te sluiten, vroeg zich nogmaals af wie hem in die steeg had proberen te vermoorden, bladerde droevig door foto's van Joshua, onderdrukte gedachten aan Lucy en Shaun Graves die zijn zoon opvoedden, verdrong de gedachte dat Joshua de zoon van iemand anders zou worden, iemand gewapend met een honkbalknuppel, en vocht tegen het verstrakken van zijn keel en de koude pijn in zijn ribben.

Seconden, minuten en uren werden afgemeten in microliter, milliliter en liter. Elke keer als hij in een pipet kneep kroop hij naar een gelaatskenmerk toe; elke handeling van elke procedure bracht hem dichter bij het gezicht. Hij streed tegen een jeukerige, vettige, branderige vermoeidheid. Reuben ging over op een reeks van gedachteloze handelingen toen zijn mechanisme het overnam, de wetenschappelijke automatische piloot hem erdoorheen trok. Hij sloot de omgeving, de afleiding, de zorgen buiten en maakte zijn hoofd leeg. Er kwam een moment waarop denken hem juist zou belemmeren. Verloren in de puurheid van zijn procedures ging Reuben over tot de laatste stadia van de Voorspellende Fenotypering. Hij had opnieuw gesuspendeerd, geëxtraheerd, versterkt, gelabeld, gehybridiseerd en gespoeld. De inrichting was voltooid, met signalen die in cijfers zouden veranderen, die zouden worden vergeleken met reeks van gegevens, die door algoritmes zouden worden gesleept, die zouden verschijnen als tinten, kleuren, afmetingen, vlekken en karakteristieken. Reuben verplaatste de RNA-chipgegevens van de fluorescerende lezer naar zijn laptop.

Terwijl hij weer tot leven kwam, streek hij met zijn middelvinger, met de afgekloven nagel en de slanke botjes, over de trackball. Hij selecteerde de startknop, haalde nerveus adem en klikte erop. De harde schijf zoemde gretig, galoppeerde door de berekeningen en vergelijkingen. Wazige getallen scrolden omhoog, flitsten groen en rood op in het voorbijgaan. Reuben keek op zijn horloge. Het was elf uur 's morgens. Ergens was hij weer een dag kwijtgeraakt. De tijd glipte door zijn vingers terwijl hij zocht naar andermans waarheden. Het gezicht zou nog een halfuur op zich laten wachten. Nu al verscheen er een stellage, ruwe lijnen die het 3D-oppervlak uitzetten dat zou worden ingekleurd en uitgerekt tot een fotografische afbeelding. Reubens mobieltje ging en trilde over de werkbank naar hem toe. Het nummer van de beller werd niet weergegeven. Hij aarzelde, bedenkend dat telefoontjes uit Finland misschien door zijn toestel niet werden herkend. 'Hallo,' zei hij mat, terwijl hij in zijn ogen wreef.

'Reuben Maitland?' vroeg de stem.

Reuben rechtte zijn rug. 'Met wie spreek ik?'

'Ik denk dat je dat al weet.'

Hij stond onwillekeurig op, zijn buik vol met ijs. 'Zeg het maar.'

'Even wachten. Ik denk dat je eerst moet weten dat ik hier iemand heb.'

'Wie?'

'Jeremy Hethrington-Andrews. Je oud-collega, als ik het wel heb?'

'Jez? Ik wil hem spreken.'

De telefoon werd afgestaan, knetterde, werd stil en kwam weer tot leven. 'Help me, Reuben,' zei Jez ineens, en zijn woorden barstten uit het toestel tevoorschijn. 'Hij meent het. Ik ben de volgende. Hij gaat...'

Jez' ijle, angstige smeekbede maakte plaats voor een meer vastberaden, krachtige stem. 'Zo is het genoeg.'

De lijn viel even dood voordat Reuben het schrapende en moffelende geluid hoorde van de hoorn die werd teruggegeven.

'Wie ben jij?' vroeg Reuben bijna wanhopig. 'Zeg me dan in ieder geval je naam.'

'Ik zal ter zake komen. Je bent bijzonder ongrijpbaar geweest, dokter Maitland, en nu wil ik je ontmoeten.' De stem klonk rustig, gezagvol, bijna hypnotisch. Reuben besefte dat het laatste wat Sandra, Run en Lloyd hadden gehoord, de geruststellende toon was geweest van een man die troost putte uit de wanhoop van anderen. 'Als stimulans zal ik Jeremy terechtstellen als je er over een uur niet bent. We zijn in flat 113B, Alcester Towers, Penny Drive, Walthamstow. Zoals het nummer al aangeeft, zitten we op de elfde verdieping. Het zal niet moeilijk te zien zijn of je alleen komt of niet. En als je gezelschap hebt, zal Jeremy met grote vaart de stoep beneden gaan verkennen.' Reuben schreef paniekerig het adres op, trok de stekker uit zijn laptop, klapte hem dicht en greep zijn portefeuille en sleutels. 'Je hebt negenenvijftig minuten,' verklaarde de man. 'En dan kunnen we eindelijk zaken doen.'

Reuben keek woest om zich heen in het laboratorium en haastte zich toen met zijn computer onder zijn arm naar de deur. Hij rende door de ondergrondse gang die uitkwam in de verwoeste fabriek erboven en naar buiten, over het gebroken glas, het licht in. Hij sprintte over het langgerekte industrieterrein, waar een lange, rechte weg zonder stoep op uitkwam. Hij keek naar links en rechts voor hij rechtsaf ging. Ongeveer zeshonderd meter verderop was een drukke kruising. Onder het rennen keek hij op zijn horloge en draaide de duikring naar vijftig minuten. Hij had net genoeg tijd. Hij dacht aan Jez, met verwijde pupillen, wetend dat de dood binnen het uur kon komen.

Terwijl hij naar de kruising rende, voelde Reuben de warme laptop onder zijn oksel. Hij zag auto's vaart minderen en stoppen, maar geen taxi's. Hij zou er toch wel een kunnen aanhouden? Hij had geen tijd om te staan wachten. Net toen hij op zijn bestemming aankwam, hoorde hij het bekende motorgeluid van een zwarte taxi achter zich. Laat alsjeblieft het lichtje aan zijn, hijgde hij met brandende longen. Hij draaide zich om, stak zijn arm op en zag een flits van geel. De taxi reed voorbij en ging de kruising op. Reuben vloekte en speurde wanhopig de drie kruisende wegen af. Er waren geen andere taxi's in zicht. Toen zag hij dat de taxi omdraaide. Reuben besefte dat de chauffeur gewoon nergens had kunnen stoppen. De chauffeur claxonneerde en remde. Reuben stapte achterin en zei ademloos: 'Walthamstow. Snel. Vijftig pond als je het binnen een halfuur redt.'

De chauffeur reed weg en Reuben opende de laptop op zijn knie. Die zoemde nog; het gezicht was veranderd. Hij typte een paar commando's in en pakte zijn telefoon. Hij belde het nummer van hoofdinspecteur Sarah Hirst en zei: 'Kom op, kom op,' elke keer als de telefoon aan de andere kant overging.

'Dokter Maitland?' vroeg Sarah. 'Waarom ben je...'

'Geen tijd,' onderbrak hij haar. 'We zijn met het eindspel bezig. De moordenaar heeft me gebeld. Hij heeft Jez, en hij staat op het punt hem te executeren. Ik heb' – Reuben keek op zijn Dugena – 'vierenveertig minuten om in Walthamstow te komen. Hij wil me ontmoeten.'

'Waarom jou?'

'Ik neem aan dat we hiernaartoe werkten.'

'Ben je gewapend?'

'Nee. Ik wil dat je iemand naar me toe stuurt, ergens binnen anderhalve kilometer afstand van Penny Drive in Walthamstow. Een wapen, iets kleins zoals een S&W. Dan ga ik alleen verder.'

'Dat zal wat geregel vergen.'

De taxi zwaaide bochten om, de strakke vering hotsend over bulten, waardoor Reuben heen en weer schoof op de achterbank. Hij hield de computer stevig vast. 'Regel het, anders gaat Jez eraan.'

'Luister, geef me dat adres. We sturen er een team naartoe.'

'Geen tijd. En hij heeft beloofd dat hij Jez leert vliegen als hij iemand behalve mij ziet.'

'Waar ben je nu?'

Hij tuurde door het raam. 'Ik scheur door de achterafstraten van Bermondsey.'

'En denk je dat je het redt?'

'Het zou net moeten lukken.' Reuben zette zich schrap in de hoek van de bank. 'Bel je me met een adres voor dat wapen?'

'Ik voer nu de route in. Zie je straatnamen?'

Hij schoot over een T-splitsing. 'Jamaica Road.'

'Jamaica. Jamaica. Oké. Even kijken. Bermondsey. Kom op, kom op. Oké, hebbes. Ik zie min of meer waar je heen gaat. We zullen iets regelen en treffen je onderweg. Hoe lang nog?'

'Eenenveertig minuten.'

'Shit.' Reuben hoorde galmende voetstappen en besefte dat Sarah door een gang bij GeneCrime rende. Hij was bij haar toen ze een deur openduwde en een trap afrende naar de Incidentenkamer. 'Reuben,' zei ze ademloos, 'geen heldendaden. Je bent geen politieman. Je schiet niet op mensen.'

'Ben ik ook niet van plan,' antwoordde hij.

'Ik moet ophangen. Phil – we hebben een probleem. Reuben zit in een taxi op weg naar de moordenaar. Ja, hij hangt aan de lijn. Bermondsey. Wil je hem spreken? Phil zegt: "Succes." Oké. Reuben, denk aan wat ik heb gezegd. Ik zie je aan de overkant. Dag.'

Reuben vormde het woord 'dag' met zijn lippen en stopte de telefoon weer in zijn zak. Hij staarde gebiologeerd naar het scherm, met knetterende zenuwen, een kolkende maag, een bonzend hart, verkrampte vingers en een bezweet voorhoofd. Het beeld begon echt te worden. Gelaatstrekken die voorheen nog maar ontloken, kwamen nu tot bloei. Het programma was van constructie overgegaan op tweaken. Het was, besefte hij, alleen maar aan het spelen, dingen aan het uitproberen, alsof je een laatste laagje make-up aanbracht voor een avondje uit. Dit was de man die hij straks zou ontmoeten. En terwijl hij naar dat gezicht staarde, wist Reuben voor het eerst dat dit de moordenaar was. Want hij kende dat gezicht. Hij had het gezien, de afgelopen paar dagen nog. Deze keer was er geen gelijkenis met zichzelf of zijn broer. De gelaatstrekken waren ruwer, donkerder, dreigender, zelfs op het scherm. Hij keek in de ogen en nam toen de andere trekken in zich op: de volle lippen, de zware wenkbrauwen, de dikke oorlellen, het dichte haar. Maar de identiteit bleef hem ontsnappen.

Reuben schudde zijn hoofd en dacht snel aan de recente gebeurtenissen, flitste langs iedereen die hij had ontmoet: mensen die hij op straat was tegengekomen, beelden die hij in de aantekeningen van Judith had gezien, leden van Kieran Hobbs bende die hij in het café had geobserveerd, Maclyn Margulis en zijn handlangers in het restaurant, de bodyguards van Xavier Trister, iedereen die zijn netvliezen hadden gescand sinds de dood van Sandra Bantam. Hij knarste met zijn tanden en tikte tegen zijn voorhoofd. De taxi reed over een minirotonde. Reuben keek op zijn horloge. Vierendertig minuten. Hij zocht naar straatnamen. Het gezicht wilde nog steeds niet komen. Het was een soort jeuk achter in zijn hersenen, die zich niet liet krabben. Hij merkte op dat de straten hem bekend voorkwamen. Reuben keek naar de ogen van de taxichauffeur in de achteruitkijkspiegel. Hij kreeg een misselijk voorgevoel. Hij herkende de hobbels van de straat waarin ze reden. Hij bekeek het scherm van zijn laptop weer. Hij hoorde de centrale deurvergrendeling klikken. Hij ging in gedachten terug naar de kruising. De taxi. De chauffeur. De man. Het gezicht. Het gezicht. De taxi minderde vaart. Ze waren weer bij de kruising. Ze stopten. De chauffeur keek om. Reuben zag twee gelijke beelden, een op zijn laptop, een achter de tussenruit van de taxi. Een van de twee was neutraal, de ander glimlachte. Door het betaalgat stak het dode oog van een pistool. Reuben klapte zijn laptop dicht. Hij keek naar de moordenaar.

'Wijs jij van hieraf maar de weg,' zei de man.

'Waar is Jez?' vroeg Reuben.

'Jez is weg. Nu moet je me de weg wijzen. Ik weet dat we in de buurt zijn. En geen gesodemieter als je wilt blijven leven.'

Reuben slikte moeizaam. 'Derde links. Dan met de bocht mee naar de bogen.'

De taxi sprong naar voren en reed het industrieterrein op.

'Herken je me?' vroeg de man.

'Ik herken je. Maar het is een tijdje geleden dat ik je voor het laatst heb gezien.'

'Dat klopt,' antwoordde hij.

'Rechts,' zei Reuben. Hij knarste met zijn tanden om de misselijkheid die in zijn keel omhoog kwam tegen te houden. Hij zag Sarah Hirst voor zich, wanhopig op weg naar Walthamstow, met de helft van het CID van Londen achter haar aan. Hij zag Moray Carnock voor zich, in een hotelkamer in Helsinki. Maar vooral zag hij de snijwonden, de brandplekken en de langdurige folteringen van Sandra, Run en Lloyd voor zich. Terwijl ze door het verwoeste gebouw naar de kelder liepen, met de scherpe, eerlijke neus van het pistool gravend in zijn rug, besefte Reuben dat hij volkomen alleen was in een stad met acht miljoen mensen. Hij ging het lab in en knipperde mee met de tl-verlichting. Hij kon hier dagen schreeuwen, en niemand zou hem horen.

GCACGATAGCTTACGGG
AAAATCCT**NEGEN**GTATTCC
GCTAATCGTCATAACAT

1

Externe chaos had een pervers kalmerende invloed op Phil Kemps gemoedstoestand. Hij was de enige die te midden van alle paniek zijn hoofd koel hield, informatie beoordeelde, het achtergrondlawaai scheidde van het hoofdsignaal. Hoewel hij de laatste tijd vaak afwezig was geweest, had zijn kalmte hem geholpen gestaag op te klimmen tot de positie van hoofdinspecteur. In de begindagen, meegesleept in ontvlambare situaties of rommelige plaatsen delict, had hij een gezag uitgestraald dat veel van zijn collega's ontbeerden, puur door zijn vermogen om onverstoorbaar te blijven. En nu, terwijl Sarah Hirst bevelen blafte en paniekerig aantekeningen maakte, dwong hij zijn brein zijn gebruikelijke beheersing terug te vinden en zich te richten op de enige kwestie die ertoe deed.

Sarah had een gewapende eenheid geregeld om Reuben Maitlands taxi te onderscheppen, om illegaal een kleine revolver te overhandigen, om wegen af te sluiten en voor helikopterondersteuning. Maar, besefte Phil grimmig, dit was een potentieel rampscenario. Hij pakte Sarahs CID-mobiel en bladerde door de opties tot hij bij de oproepinformatie kwam, en toen bij haar ontvangen oproepen. Phil schreef het laatste nummer over. Hij wist dat het weinig zin had om zijn collega's op de hoogte te stellen van zijn acties. Niemand zou luisteren. De ervaring had hem geleerd dat mensen in de hitte van de strijd alleen het vuren van geweren horen.

Sarah liep naar hem toe en pakte haar telefoon.

'Nou, daar zijn we dan,' zei Phil. 'Het eindspel.'

'Inderdaad.'

'Luister, Sarah, we moeten die klootzak pakken. Dat is alles wat ertoe doet.'

'Laat me raden.' Sarah keek hem kwaad aan. 'Jij wilt degene zijn die hem pakt.'

Phil was voor zijn doen opvallend peinzend, en hij woog zijn antwoord af. 'Nee, dat zeg ik niet.'

'Wat dan?'

'Gewoon... Laten we dit goed aanpakken,' antwoordde hij. 'Jij gaat hem halen, en ik bewaak het fort.'

'Zeker weten?'

Phil knikte. 'Ja.'

Sarahs ogen bedankten hem. Ze draaide zich om en verliet de kamer, een hele colonne CID-agenten achter haar aan. Phil zag haar haastig vertrekken. De werkelijke roem lag in de jacht, in het vangen van de moordenaar. Het runnen van de Incidentenkamer was onbevredigend en afstandelijk. Maar hij zou doen wat hij moest doen. Voor één keer nam hij er genoegen mee Sarah de eer te laten opstrijken. Terwijl hij het telefoonnummer in de computer invoerde, overpeinsde hij dat het een intense strijd was geweest vanaf het moment dat Sandra Bantam was vermoord. GeneCrime had geleden. De dood van het personeel zou voor altijd de naam van GeneCrime besmeuren, aangezien de eenheid nu algemeen bekend was, erover geschreven was op voorpagina's, erover gespeculeerd was in redactiestukken.

Maar er was nog een ander probleem geweest. De moorden hadden diepe kloven geopend tussen de rangen, tussen wetenschappers en CID. Er waren grote gaten tussen de twee geslagen, die misschien nooit meer zouden dichtgaan. Zelfs Sarah en hijzelf waren erin gezogen, het steeds oneens, ruziënd als kinderen, concurrerend om een promotie. Hij vroeg zich af wat de toekomst in petto had voor zijn divisie en zag niets positiefs. Een steekje spijtgevoel brandde in zijn kalmte. Phil had zijn beroepsmatige leven gewijd aan het runnen van de geavanceerde forensische eenheid, en het was mogelijk dat hem dat zou worden afgepakt als de moordenaar was gearresteerd. Er zou onderzoek worden gedaan naar zijn doen en laten tijdens de klopjacht. Er zouden vragen worden gesteld over moraal, samenwerking, het delen van kennis en een heleboel andere politiekwesties. Sarah, besefte hij droevig, stond op het punt een overwinning te behalen. Terwijl hij door schermen vol gegevens bladerde, pakte Phil zijn telefoon en belde een nummer op het scherm. Hij overpeinsde dat terwijl zijn zelfbeheersing in de loop van het onderzoek was weggelekt, hij geleidelijk het spel was gaan verliezen.

'Hoofdinspecteur Phil Kemp, Euston CID, GeneCrime-unit,' zei hij toen er werd opgenomen. Hij kauwde op zijn duimnagel, met grote ogen en een gefronst voorhoofd, en las toen de cijfers van het telefoonnummer op. Na nog een paar seconden gaf hij zijn eigen telefoonnummer. Hij schreef een paar regels tekst op een vel A4-papier, vouwde het op en stopte het in zijn borstzak.

Phil legde de hoorn op de haak en bleef een volle minuut volkomen stil zitten. Sereniteit te midden van chaos. Hij overwoog de mogelijkheden, schudde langzaam zijn hoofd, zette een headset op en luisterde naar de ratelende communicatie die heen en weer schoot tussen agenten op weg naar de locatie.

Ergens in de kakofonie ving hij Sarahs stem op, die bevelen gaf, overreedde, advies vroeg en scenario's doorsprak. Phil hoorde sirenes tussen elke uitspraak door, die van hoogte en toon veranderden terwijl verschillende CID-leden in verschillende wagens zich in de dialoog mengden en zich er weer uit terugtrokken. Hij schreef locaties en straatnamen op terwijl hij ze hoorde, voerde ze op zijn computer in, hield de voortgang nauwlettend in de gaten, zag de voertuigen achter elkaar aan rijden, nieuwe auto's en busjes die zich erbij aansloten, allemaal onvermijdelijk samenkwamen in Walthamstow.

Phils mobiele telefoon ging en hij luisterde aandachtig, waarbij hij een van de oordopjes van zijn oor wegtrok. Hij pakte het stuk papier uit zijn borstzak en krabbelde er nog wat cijfers en getallen op. Wederom bleef hij korte tijd roerloos zitten, tijdelijk afgesneden van de snelle gebeurtenissen om hem heen. Toen richtte Phil zich tot een jong CID-lid en vroeg: 'Kun je het even overnemen?'

De agent knikte, en Phil merkte de paniek in zijn ogen op.

'Je redt je wel. Goeie ervaring. Hou gewoon alles bij wat je belangrijk lijkt en geef locaties en geschatte aankomsttijden door.' Hij wiebelde met zijn telefoon. 'En bel me als het uit de hand loopt.'

Phil verliet de Incidentenkamer en ging naar de verdieping eronder. Hij trok zijn jas aan en liep door een lange gang met vinyl op de vloer, langs een reeks laboratoria en kantoren naar de toiletten. In een hokje vouwde hij het papier weer open en staarde ernaar, en hij bereidde zich voor op een uiteindelijke beslissing.

2

'Mooi lab.'

'Bedankt.'

'Heel discreet, moeilijk te vinden.'

'Dat was de bedoeling.'

'Een paar collega's van je waren niet bepaald bereid me je adres te geven. Zelfs niet na een hoop aanmoediging.'

'Ze wisten het niet.'

'Jammer. Je verlaat het huis van je vrouw, laat geen nieuw adres achter, wordt ontslagen, verdwijnt in het niets. Maar nu snap ik waarom ik je eerder niet kon vinden.'

'Die martelingen waren om mij te vinden?'

'Niet alleen daarvoor. Maar dat zie je nog wel.'

Reuben voelde zich merkwaardig kalm, maar hij wist dat zijn stemming nog zou veranderen. 'Nou, je hebt me gevonden. Wat nu?'

'Grappig eigenlijk. Je plant iets zo lang, oefent wat je gaat zeggen, en als het dan gebeurt... Laten we zeggen dat ik een strategie heb. Jij wordt anders dan de anderen. Meer pijn, maar ook meer winst. Ik leg het wel uit terwijl we het doen. Waar staat het fenol?'

Reuben liet zijn ogen naar een grote bruine fles op een schap boven de werkbank gaan.

'Niks van die nieuwerwetse setjes voor jou. Jij houdt het gewoon bij wat al twintig jaar werkt.' Hij fronste zijn voorhoofd. 'Verhoren en waarheid, dat is wat je geleerd wordt. De waarheid ten koste van alles, toch? Oké, laten we dan maar beginnen met jouw verhoor.' Hij reikte naar de fles en prutste met de dop. 'Je weet wie ik ben?'

Reuben staarde naar zijn gezicht en nam de gelaatstrekken in zich op die door de Voorspellende Fenotypering waren voorspeld. De zwarte ogen, de dikke wenkbrauwen, de volle lippen, de puntige tanden. 'Ja, ik herken je.'

'En ik ben?'

'Lars Besser.'

'Heel goed. En waarom herken je me?'

'Ik ben je eerder tegengekomen. Een pubmoord in de jaren negentig.'

'Uitstekend. Wat je je misschien ook nog herinnert, is dat jij de leiding had over het team dat me heeft veroordeeld?'

'Ja.'

Er leek iets te knappen in de serene gelaatstrekken van Lars Besser: zijn wangen werden rood, zijn kartelige mond verstrakte, zijn wimpers trokken het licht naar binnen en onthulden felgekleurde ogen. 'Informatie loskrijgen is makkelijk, weet je. Net als DNA loskrijgen. Je hebt alleen het juiste gereedschap nodig. Heb ik gelijk?'

Reuben haalde zijn schouders op.

Lars Besser maakte het fenol open. 'Ik vroeg: heb ik gelijk?'

'Ja,' beaamde Reuben snel. En toen stelde hij de vraag die hem al tien minuten plaagde. 'Heb je Jez vermoord?'

Lars glimlachte; een flauwe, slangachtige glimlach, met lippen die kil omhoogkwamen. 'O ja,' antwoordde hij.

'Waar?'

'In zijn huis. Een paar minuten hiervandaan.'

Reuben voelde zijn buik verstrakken en zijn spieren verharden. Zijn adrenalineklieren draaiden overuren, lekten hun endocriene paniek in zijn bloed, dreven Reuben aan tot maximale alertheid. In zijn intense toestand voelde hij zijn eigen vergankelijkheid. Hij had geleefd, fel gebrand, en stond nu op het punt te worden uitgedoofd. Toch stak zijn nieuwsgierigheid de kop op. 'Dus je hebt hem niet gemarteld? Daar kun je geen tijd voor hebben gehad...'

'Nee, ik heb hem niet gemarteld. Dat was niet nodig. Ik had uiteindelijk alles wat ik nodig had van Jeremy. Jeremy is me namelijk bijzonder behulpzaam geweest, op manieren die jij je niet eens kunt voorstellen.'

Reuben keek op zijn horloge. Het uur was nog niet om. In de fictieve achtervolging door Londen zou er nog altijd hoop zijn geweest voor Jez. Reuben besefte wat de reden was voor de misleiding. 'Dat was jij in die witte Fiesta, die ons een paar dagen geleden schaduwde? Je bent achter ons aan gereden vanuit het lab toen we van Sarah kwamen. En daardoor wist je de buurt, maar niet het adres. Dus heb je me uit de tent gelokt en opgepikt. Me gedwongen mijn dekking te verlaten om een vriend te helpen. Toen liet je me in een gestolen taxi het CID bellen en ze de verkeerde kant op sturen voordat je me hierheen bracht.'

'Min of meer.'

'Dus dit heeft iets te maken met het laboratorium? Anders had je me ook wel naar een andere plek kunnen brengen.'

'Weet je, het is fascinerend om jouw hersens in actie te zien. Ik bedoel, ik heb je op de radio gehoord en je artikelen gelezen – meestal onorigineel, kortzichtig en met een onduidelijke conclusie – maar nu zie ik wel dat er daarbinnen ergens een intellect zit dat probeert eruit te komen.' Lars Besser zette een stap naar voren, brutaal, in controle, Reubens machteloosheid benadrukkend. 'Misschien wordt het tijd om terug te gaan naar het verhoor.' Lars hield zijn pistool op heuphoogte en gaf Reuben een paar handboeien aan. 'Doe die om, handen aan de voorkant.'

Reuben pakte ze van de werkbank en schoof een boei om zijn linkerpols, waarna hij de tweede om zijn rechter klikte. Hij hield zijn blik op Lars gericht. Achter die starende ogen gingen duizend gedachten en impulsen geruisloos door zijn hersenschors, smeedden verbindingen en sloten verbonden.

'Leg je handen op de werkbank, handpalmen omlaag,' droeg Lars hem op.

Reuben deed wat hem gezegd werd, langzaam en mechanisch, en liet zijn brein vechten voor zijn overleven. Hij zag Lars een pipettor pakken, die in een doos tips planten en er weer uit trekken. Het werd Reuben steeds duidelijker dat Lars wist wat hij deed. Lars doopte het instrument vervolgens in het fenol en zoog er een milliliter uit op. Reuben moest snel nadenken. Lars stond op het punt hem te ondervragen en te vermoorden. Reuben zou sterven, omringd door de apparatuur en monsters waarop hij zijn onderzoek had gebaseerd.

'Hou je handen heel stil. Als je ze beweegt, schiet ik. Het is aan jou, dokter Maitland – een kogel door je hand, of een druppel fenol.' Lars greep een markeerstift en tekende om Reubens vingers heen, een zwarte omtrek op de werkbank en tegen Reubens huid. Hij bracht de punt van de pipet omlaag zodat die boven Reubens rechterhand zweefde. De druppel fenol bolde iets naar buiten, vastgehouden door de viscositeit. Reuben klemde zijn kaken op elkaar. Fenol was akelig spul, maar dat moest het ook zijn. Als je DNA wilde oogsten uit spieren, huid of haar, had je een chemisch middel nodig dat menselijke cellen zou verslinden en laten openbarsten. En dat was nu juist het probleem. Je moest voorzichtig zijn met dat spul, anders vrat het je op. 'Dit prikt misschien een beetje.' Lars Besser glimlachte. 'Ik wil dat het een voorproefje is, een hint van wat er komen gaat. En niet alleen met het fenol. We kunnen een beetje tri-reagens drinken, een beetje chloroform gorgelen,' hij keek om zich heen in het lab, 'misschien wat ethidium bromide snuiven. En dat is nog voordat we beginnen met de acrylamide of mercapto-ethanol.'

'Wat wil je?' vroeg Reuben met grote ogen terwijl de pipet langzaam naar zijn hand zakte.

'Wat wil een mens? Vrede. Liefde. Begrip.' Lars Besser zette zijn duim boven de plunjer. 'Maar vooral begrip.' Hij duwde. De dikke, heldere vloeistof met de ontsmettingsgeur sijpelde uit het blauwe uiteinde. Het stuiterde even in elastische aarzeling, en toen viel het op Reubens huid.

Reuben onderdrukte de neiging om zijn hand weg te grissen, naar de wastafel te rennen en het af te spoelen. Fenol was erg, maar een kogel zou erger zijn. Even voelde hij alleen de kilte, alsof de vloeistof gewoon water was geweest. Maar toen begon het branden. Hij zag de huid omhoogkomen; witte blaren verschenen. Het fenol sijpelde door de huid en in de bloedsomloop eronder. Het leek alsof alle spieren in zijn lichaam zich spanden. Zijn hand bewoog spastisch. Het vlees werd weggevreten door de brandende tanden van de vloeistof. Hij zag een beeld voor zich van zwavelzuur dat aan metaal vrat. In zijn hoofd schreeuwde hij geruisloos. Reuben concentreerde zich op zijn vingers, hield ze stil, onmogelijk stil. Toen hij opkeek, was hij voor het eerst echt bang. Lars Besser straalde, zijn gezicht zoog de angst op en zijn zintuigen genoten van Reubens pijn. Hij scheen te zijn opgezwollen, kracht te hebben geput uit de hulpeloosheid van zijn slachtoffer. Hij was werkelijk onvoorspelbaar, onmogelijk in te schatten van het ene moment op het volgende. Sinds de taxi was Lars Besser dreigend, overredend, teruggetrokken, redelijk, uitgelaten en sadistisch geweest. Reuben besefte dat hij moeite zou hebben hem een stap voor te blijven. Hij probeerde zijn gedachten weg te houden, spoorde ze aan de sirene van pijn te negeren. Maar het werkte niet. Ze werden teruggesleept naar de helse pijn en verteerd.

'Zie je wat er gebeurt?' vroeg Lars vrolijk. 'Zie je hoe dit allemaal een metafoor is? We strippen lagen weg, komen bij het echte vlees en de botten aan. We onttrekken informatie en begrip zoals we DNA onttrekken en lezen. Je ziet de schoonheid ervan toch wel?'

Reuben klemde zijn kaken op elkaar. De pijn bonsde met de intensiteit van een migraine. Het was net alsof hij werd gebrand met een sigaar, waarbij de sigaar fel gloeiend door de opperhuid werd geduwd tot hij in het vlees eronder begon te doven.

'Wat ook leuk is, is dat je in je driftige pogingen om mij op te sporen alleen maar hebt bereikt dat je zelf verdacht werd gemaakt. Hoe meer jij probeerde mij te vinden, hoe meer je jezelf als de moordenaar hebt aangewezen.'

Reuben gromde.

'Nu heb ik vast wel je aandacht. Dat was één druppeltje fenol. Je hebt hier een grote fles vol. Denk je eens in hoe dat zal voelen!' Reuben dacht aan de verminkte lichamen van Sandra Bantam, Run Zhang en Lloyd Granger. Voor het eerst zag hij in dat die verwondingen met enthousiasme en ijver waren toegebracht. Het was te zien in de rukkerige, opgewonden bewegingen van Lars Besser. Hij was een schooljochie dat een vislijn om de nek van een mus wond en die liet wegvliegen tot hij zijn nek brak en doodging. 'Maar zoals je weet is fenol veel effectiever wanneer het fatsoenlijk in evenwicht is gebracht.'

Reuben keek toe hoe Lars Besser de liter fenol uit de bruine fles overgoot in een hoge, smalle maatbeker. Hij was voorzichtig, gebiologeerd door de kwaadaardige vloeistof. Toen spoot hij met een pipet een kleinere hoeveelheid isoamylalcohol in het fenol, waar het een instabiele toplaag vormde, helderder dan de bruinige vloeistof eronder. Druppels ethanol zakten langzaam door het visceuze fenol, als in een lavalamp. Half in trance fluisterde Lars: 'Als het fenol helemaal in evenwicht is, beginnen we. En als ik je heb zien sterven achter je werkbank – en ik leid uit de literatuur af dat dat wel een tijdje kan duren – dan zal een anonieme tipgever de politie het adres van dit lab geven. Met jouw DNA op alle plaatsen delict en FenoFit-foto's door de hele stad zal deze zaak snel worden wat de kranten echt willen: een enkele, allesomvattende kop: "Verbitterde wetenschapper gaat op moordtocht en pleegt zelfmoord". Einde verhaal.' Lars duwde het uiteinde van de pipet in de blaar op Reubens hand, waardoor die knapte en er een dunne, waterige vloeistof uit lekte. 'En dan hoef ik nog maar met één persoon af te rekenen.'

'Wie dan?'

Lars tikte alleen tegen de zijkant van zijn neus en knipoogde.

Reuben verzamelde wat verzet, zag hoe de druppels alcohol doorzakten en elk dagen van zijn leven met zich meenamen. 'Wat wil je verdomme van mij?'

'Laten we praten over het punt waarop onze levenspaden elkaar eerder kruisten, dokter Maitland. Laten we het bewijs doorpluizen, kijken tot welke conclusies we komen.' Hij ging met zijn vingers over een borstelige wenkbrauw, streelde die, plotseling peinzend. 'Het is halverwege de jaren negentig. Een aangeschoten student wordt doodgeslagen in een gevecht dat achter een pub in Zuid-Londen eindigt. De politie is bijna meteen ter plaatse en niemand ziet een dader wegrennen. Alle mannen in de pub worden verhoord en later op DNA getest. Klinkt bekend?'

'Enigszins.'

'En ik? Ik zit alleen maar te drinken in het café en overdenk een paar dingen. Zie je, dokter Maitland, ik heb een leven gehad dat je gestoord zou kunnen noemen. Een abnormale opvoeding. En terwijl ik daar zat, dacht ik aan mijn vader en moeder. Alles wat er gaande was. De woordeloze afranselingen. De onrust. De begrafenis. De leugens. Dat ik terug wilde naar Göteborg om het graf van mijn vader te vernielen. Stomverbaasd dat ik had weten te ontsnappen naar Engeland, het land van mijn moeder. Je weet wel, ik bladerde door de afgelopen paar jaar en overwoog wat ik zou gaan doen. Ik werd onderworpen aan een DNA-test net als alle anderen, verhoord en vrijgelaten. En wat dacht je? Een paar weken later wordt mijn DNA gevonden op de kleding van het slachtoffer! Ik word gearresteerd en in staat van beschuldiging gesteld, en met mijn twee eerdere veroordelingen voor ernstige mishandeling, nou, het stond als een paal boven water dat ik de dader was.' Lars glimlachte woest en bracht zijn gezicht dichter naar dat van Reuben toe. De manie kwam weer boven. 'Het enige probleem is dat ik het niet gedaan had. En het team dat me had getest? Geleid door niemand minder dan Reuben Maitland.'

Reuben zweeg. Druppeltjes bleven vallen en maten de minuten af die hij nog te leven had. Herinneringen knaagden aan hem. Dit was niet simpelweg wraak. Dit was iets anders. De herinneringen gaven aanleiding tot onrust, een gevoel dat simpele waarheden niet langer simpel waren. Hij keek langs Lars' pistool en zag voor zich wat er tien jaar geleden in de Lamb and Flag was gebeurd.

3

Reuben Maitland gaat de bar in. Hij is nerveus: de CID-leden die nu onder hem staan zijn bijna allemaal ouder. Ze zijn niet actief vijandig, maar er is vrij weinig kameraadschap terwijl ze een stukje vloerbedekking onderzoeken. Hij ziet het in hun schouderophalen en opgetrokken wenkbrauwen. Die vragen: waar is de echte hoofdrechercheur van de forensische dienst? Reuben kijkt de gelagkamer rond. In de hoek, net als in de lounge, die hij vanuit de bar kan zien, wordt een groep van twintig tot dertig gasten een voor een verhoord. Een forse barman praat met een rechercheur. Twee ronde tafels zijn gevorderd en aan elk ervan zit een agent, die om persoonlijke gegevens vraagt, aantekeningen maakt, legitimatie controleert.

Even blijft Reuben waar hij is. Een groot deel van hem wil vluchten. Ik hoor hier niet, fluistert een stem. En dan zegt een andere: Dit is de eerste keer dat je de leiding hebt, verpest het niet. Doe dit goed, dan maken ze dit misschien permanent. Met de plotselinge angst dat hij verlamd zal raken door de verantwoordelijkheid begint hij te doen wat hij zijn baas regelmatig op een plaats delict heeft zien doen.

'Zo, wat hebben we?' vraagt hij, een frase die hij rechtstreeks van zijn supervisor leent.

Een lange, potige agent recht zijn rug en zegt: 'Het lijk van een jongeman, waarschijnlijk ene Gabriel Trask, ligt buiten. Alle mensen die hier ten tijde van zijn dood waren, worden verhoord. We onderzoeken de plek waar de overledene zat net voordat hij naar de achtertuin ging.'

'Oké. Luister, ik wil dat dit hier, en het gedeelte rondom het lijk, wordt afgezet. Geen agenten binnen drie pas afstand. Akkoord?'

'Jij bent de baas.'

'En hou de klanten hier. Ik wil van hen allemaal DNA hebben.'

'Allemaal?'

'Ja.'

'Zeker weten?'

'Volkomen. Er is een forensisch technicus onderweg.'

'Maar we hebben al getuigenverklaringen...'

'Luister, dit is mijn onderzoek. We doen DNA, of het je nu bevalt of niet. Oké?'

De lange agent kijkt even chagrijnig, en Reuben vraagt zich af of hij te veel zijn best doet om de leiding te nemen. Zolang zijn stem niet trilt, zal het wel goed gaan.

'Best,' antwoordt de agent.

Reuben loopt door de pub, langs de vochtige geur van de toiletten de achtertuin in. Op zijn rug op het betonnen terras ligt het lichaam van een haveloze jongeman. Zijn wasbleke gezicht wordt verlicht door een schelle veiligheidslamp op de muur ertegenover. Er is bloed onder zijn steile haar gelekt, dat een halo om zijn hoofd vormt die zwart lijkt in het kunstlicht. Een politiepatholoog zit naast hem geknield, en door het ribbelige beton wordt hij gedwongen af en toe zijn gewicht te verplaatsen. Reuben stelt zich voor.

'Reuben Maitland, plaatsvervangend hoofdrechercheur forensische dienst,' zegt hij, terwijl hij zijn hand uitsteekt.

De patholoog, een bebaarde man van achter in de vijftig, kijkt naar hem op en toont Reuben zijn bloederige handschoenen.

Reuben trekt zijn hand terug en vraagt: 'Wat is de doodsoorzaak?'

'Als ik moet gokken, een paar flinke meppen gevolgd door een ongelukkig contact tussen schedel en beton.'

'Dus hij is steil achterovergeslagen en heeft zijn schedel gekraakt?'

'Zoals ik al zei, het is nog maar een gok.'

Op zijn knie naast de patholoog zit een jonge agent, Philip Kemp, die tegelijk met Reuben promotie heeft gemaakt. Hij is nu rechercheur, en Reuben kan aan de lichaamstaal van de patholoog aflezen dat Phil op weg is om een gerespecteerd politieman te worden. Philip Kemp staat op en drukt hem de hand.

'Dus ze hebben jou de leiding over een zaak gegeven?'

'De baas is met iets anders bezig.'

'Dan kun je het maar beter niet verprutsen.' Hij glimlacht, en Reuben beseft dat hij een vriend heeft gemaakt op de plaats delict.

'Nou,' zegt Reuben, 'wat is er precies gebeurd?'

'We werden gebeld door Jimmy Dunst, de eigenaar. Zei dat er een knokpartij gaande was. Het verplaatste zich gedeeltelijk naar hier, waar Gabriel Trask' – hij wijst met zijn duim naar de liggende gestalte – 'pech had. We hebben geen rechtstreekse getuigen, maar het is waarschijnlijk dat de dader ofwel daar over de muur is geklommen of terug de bar in is gerend. We waren hier vrij snel, terwijl de meeste mensen nog binnen waren.'

'Je moet haast bergbeklimmer zijn om over die muur heen te komen.'

'Als je wanhopig bent, kom je overal overheen.'

'Dus de moordenaar is waarschijnlijk nog binnen.'

'Zou kunnen.' Phil Kemp haalt zijn schouders op. Hij kijkt snel naar Reuben. 'Eerlijk gezegd is dit ook mijn eerste grote onderzoek.'

'Dan bluffen we ons er samen doorheen. Nou, er is maar één manier om erachter te komen.'

'O ja?'

'Ik ga iedereen ter plaatse op DNA testen.'

'En de mensen die al hier waren? Het is niet bepaald schoon.'

'Tussen ons gezegd en gezwegen, ik vind het tijd worden dat we dit vaker doen.' Reuben werpt een blik op het lijk. 'Zelfs gewoon voor vechtpartijen die uit de hand zijn gelopen.'

'Luister, vat dit niet verkeerd op, maar is het niet gemakkelijker om ze allemaal te ondervragen, verklaringen op te nemen, verdachten op een rij te zetten?'

'Ik weet niet... Dit zou anders kunnen zijn.'

'Hoezo?'

'Je hebt een pub vol mensen, de meeste waarschijnlijk dronken, en de helft ervan is met elkaar op de vuist geweest. Het slachtoffer is buiten omgebracht, waar weinig mensen het gezien zullen hebben. Ik heb het gevoel dat het lastig zal worden om betrouwbare getuigenverklaringen te krijgen die niet meteen onderuit worden gehaald bij de rechter.'

Phil Kemp, een paar centimeter kleiner, staat naar hem op te kijken. Hij kauwt op zijn onderlip en kijkt even naar zijn vingers. Dan zegt hij: 'Denk je dat dit gemakkelijker wordt? Je weet wel, voor de grotere jongens binnen?'

Reuben fronst zijn voorhoofd. 'Ik hoop toch verdomme van wel,' antwoordt hij.

Phil grijnst, loopt langs Reuben heen en gaat de pub in. Even later hoort Reuben gelach, en hij denkt dat hij Phils grinniklach er ook bij hoort. Reuben volgt hem naar binnen en gaat aan een lege tafel zitten, kijkend naar de werking van het onderzoek, wachtend tot de forensisch technicus komt. Het is, concludeert hij droevig, een strijd om nieuwe methoden te introduceren bij oude politiemannen, en zelfs bij jonge. Maar terwijl hij naar de rij drinkers kijkt die geduldig wacht om te worden verhoord, vermoedt hij dat dit nog niets is vergeleken met de strijd die voor hem ligt.

4

Het enige wat hem in leven hield, besefte Reuben, was het verschil in viscositeit tussen twee vloeistoffen. Hij dacht na over het dispuut in oppervlaktespanning dat de vloeistoffen uit elkaar hield, waarbij de fenolpolitie af en toe aan de kant werd geduwd door protesterende druppels alcohol die zich door hun kordon drongen.

Reuben had in zijn beroepsmatige leven wel vaker stilgestaan bij zijn sterfelijkheid. Hij had het amper kunnen vermijden. Als je de dood en de akelige nasleep ervan steeds zag, ging je aan die van jezelf denken. Al had hij zich natuurlijk nooit kunnen voorstellen dat hij aan zijn werkbank in het lab zou sterven. Reuben keek om zich heen. Laboratoria waren plekken waar mensen eindigden nadát ze dood waren. Ze hoorden niet de feitelijke plaats delict te zijn. Ze waren te geordend voor de chaos van het sterven – het futiele kronkelen, het wanhopige happen naar zuurstof.

'Heb jij iemand gestuurd om me dood te schieten?' vroeg hij aan Lars Besser.

'Je onwetendheid blijft me maar verbazen. Ik had geen idee waar je zat. Als je niet zo effectief was verdwenen, had ik je collega's niet hoeven martelen om je te vinden. Denk daar maar eens over na. Je plotselinge anonimiteit heeft meerdere mensen het leven gekost. Bovendien ben ik van plan het genoegen van je dood helemaal voor mezelf te houden. Dus er is nog iemand anders die je bloed wil zien?'

'Het lijkt erop.'

Lars grijnsde. 'Nou, wie het eerst komt...' Hij richtte zijn ogen op de maatbeker. 'Het duurt niet lang meer voordat de show begint. Het is beter als we in je laatste paar minuten meteen tot de kern van de zaak komen.' Lars Besser draaide zijn pistool om in zijn handen. 'Ten eerste wil ik je nog een ander verhaal vertellen, dat in veel opzichten nog belangrijker is. Hoe ik de link hebt gelegd tussen een paar schijnbaar ongerelateerde gebeurtenissen. Hoe ik besefte wat er werkelijk gaande was. Een jaar voordat ik uit de gevangenis werd vrijgelaten arriveerde er een nieuwe gedetineerde, die van de daken schreeuwde dat ze hem de schuld in de schoenen hadden geschoven voor de onopgeloste moord op drie lifters in Gloucestershire aan het eind van de jaren tachtig. Ken je die zaak, dokter Maitland?'

'Ik heb eraan gewerkt.'
'En de forensische eenheid die zijn schuld bewees? GeneCrime.'
'Luister, Lars, die veroordeling had niks met mij te maken. Ik werkte aan iets anders...'
'Hou je bek!' schreeuwde Lars. 'Ik ben aan het woord.'
De felheid van Lars Bessers reactie spoorde Reuben aan om zijn mond te houden.
Lars balde zijn vuist. En toen, zonder waarschuwing, sloeg hij met de kolf van zijn pistool op Reubens hand. Meteen verspreidde zich vanuit het inslagpunt een brandende gewelddadigheid. Al Reubens zenuwen krijsten het uit. Zijn maag verkrampte. De hand krulde op als een gewond dier. Een zoemende pijn ontstond in de botten; knokkels die pas waren genezen, gilden van de pijn. De huid, toch al geopend door het fenol, stuwde bloed over de werkbank. Lars richtte het pistool op Reubens gewonde hand.
'Beweeg hem nog eens en je krijgt het andere uiteinde.' Het lab beefde van de kracht van zijn stem. Reuben klemde zijn kaken op elkaar. De pijn werd intenser, overspoelde hem. Hij had geen ander besef dan dat van zijn gebroken hand. Toen hij probeerde zijn vingers te strekken, volgde er een hels pijnlijk conflict tussen handwortelbeentjes, pezen en middenhandsbeentjes. Hij beet in zijn wang. Lars wachtte erop dat hij zijn handen van de werkbank zou halen. Hij duwde ze hard op het tafelblad en kneep zijn ogen dicht. Hij was stervende, en hij wist het. Niet nu, maar het proces kreeg houvast. De systematische marteling, de chemische aanval, de misselijkmakende minuten terwijl het gif door zijn huid en bloedsomloop lekte, cellen wegbrandde en zenuwen blootlegde. Reuben zag voor zich hoe hij smeekte terwijl Lars Besser op hem neer staarde, zijn ogen vochtig van genot, en een nieuwe code opschreef met Reubens lekkende bloed. Hij zag de dag vervagen, de bewolkte Londense lucht, de stad die zich voorbereidde op de nacht, mensen die hun rituelen uitvoerden alsof de wereld eeuwig zou standhouden. Hij dacht aan het feit dat alle anderen zouden doorgaan terwijl hij eindigde. Joshua die onrustig sliep in zijn bedje; Judith die uit een anoniem venster staarde; Moray op surveillance in Finland; Lucy en Shaun Graves, vrijend met het raam open; zijn moeder zittend in haar stille woonkamer; Sarah Hirst die terugkeerde naar de basis, onthutst en gejaagd; het forensische team dat op gedempte toon over Jez sprak; zijn broer die door een kleine politiecel ijsbeerde. Hij stelde zich voor dat de pijn in zijn hand zich door zijn hele lichaam zou verspreiden.
Reuben besefte dat hij echt dood wilde.
'Natuurlijk is iedereen in de gevangenis onschuldig. Iedereen is erin

geluisd. Maar ik begon belangstelling te krijgen voor dit geval. Weet je waarom?'

Reuben grimaste toen de verbrijzelde botten intenser gingen bonzen. Hij schudde zijn hoofd, deels om de vraag, deels om zijn verlangen naar een snelle dood te verdrijven.

'Ik geloofde hem. Je kon het aan zijn gezicht zien. Hij was geen heilige. In feite had hij waarschijnlijk wel ergere dingen gedaan dan klooien met een paar lifters. Maar ik was de enige die de link legde.'

'En die was?'

'Dat dezelfde forensische klootzakken die mij erin hadden geluisd, er nog andere mensen inluisden. Mensen opsloten op basis van valse bewijzen.'

'Maar er zijn beveiligingen...'

'Ja. Beveiligingen. Controles. *Mechanismen*.' Hij schreeuwde dat woord. 'Je vergeet alleen één ding.'

'Wat dan?'

'Dat in de zoektocht naar een moordenaar maar één persoon de waarheid kent. En ik was die persoon.'

'Jij?'

'Die kerel was erin geluisd, dat was duidelijk. Want eind jaren tachtig, toen ik in de buurt van Gloucester werkte, heb ik drie jongelui die stonden te liften wat ongemak bezorgd. Ze laten zien hoeveel gezag iemand kan hebben. Ze laten zien dat menselijk vlees bestaat om van te genieten, op alle mogelijke manieren. Dat terwijl de een sterft, de ander tot leven komt. Dat toen mijn vader mijn moeder vermoordde, hij sterker werd, krachtiger.' Lars bekeek het fenol. Het was bijna zover. Hij trilde van opwinding.

Reuben keek naar het gezicht van de Lifter-moordenaar. Hij zag wel dat Lars Besser een zeldzaam slag was. Sadistisch, intelligent en psychotisch. Hij had iets bipolairs: rationeel en woest, afgemeten en uitzinnig, beheerst en onvoorspelbaar. Een complexiteit die normale opsporingsmethoden nutteloos maakte, overdonderd door een superieure scherpzinnigheid, overspeeld door een onverwachte kwaadaardigheid.

'Natuurlijk zag ik de schoonheid ervan. In de gevangenis is iedereen doodsbang voor de forensische wetenschap: het starende oog dat ze overal volgt waar ze gaan, zijn neus steekt in alles wat ze doen. Ze vrezen het meer dan de politie. Het is dodelijker dan een mobiele eenheid.' Lars knarste met zijn tanden en kauwde op zijn woorden. 'Niemand twijfelt aan forensische bevindingen. Jury's zijn er dol op, verdomme. Vroeger, in de goeie ouwe tijd, liet je iemand bekennen door hem op zijn bek te slaan. Wie heeft, nu de politie constant in de gaten wordt gehouden, overal macht over? Wie kan nog veroordelen wie hij verdomme maar wil veroordelen? Wie zijn er onfeilbaar? Wetenschappers. Pipetten in plaats van knuppels. De nieuwe korte weg naar opsluiten wie je maar wilt opsluiten.' Lars dempte zijn stem. 'Hoe kun jij weten hoe het voelt om tien jaar in de bak te zitten voor iets wat je niet hebt gedaan? Wetend dat één corrupte wetenschapper je daar heeft laten belanden en hetzelfde heeft gedaan bij anderen. En met de vraag of hij het nog eens zal proberen als je vrijkomt.'

Reuben zweeg.

'Dus kwam ik op het idee om je met je eigen stok te slaan. De forensische wetenschap te gebruiken om jou te grazen te nemen. Jou van binnenuit te vernietigen. Je te laten inzien dat je geen absolute macht hebt. Een paar van de jaren terug te eisen die je hebt afgepakt van mij en alle anderen die je er hebt ingeluisd.'

Krabbelend, klauwend, graaiend vocht Reubens brein om een antwoord. Er moest een uitweg zijn. Kijk naar het verhaal van Lars, hield hij zich voor. Bekijk het van zijn kant. Zie zijn gevoel van onrechtvaardigheid en gebruik dat, leid het om.

Er waren nog maar een paar druppels alcohol over. Lars kwam bij het slot van zijn betoog, omdat hij wilde dat Reuben stierf in de volle wetenschap van zijn misdaden. Reuben luisterde half, en ondertussen greep hij naar kronkelige gedachten die heen en weer schoten door zijn waterige bewustzijn.

'Dus ik begin plannen te maken, te lezen over genetica en moleculaire biologie. Leer het vak kennen. Ik overtuigde de cipiers ervan dat ik mijn leven wilde beteren, dat ik wilde studeren voor een graad als ik uit de gevangenis kwam. Natuurlijk hadden die halve zolen niet in de gaten dat moleculaire biologie hetzelfde is als forensische wetenschap. Identieke principes, alleen een andere naam. Biologie? Wat kan daar nou gevaarlijk aan zijn? Dus was ik hele dagen bezig met absorberen en leren, tot ik zo ongeveer alles wist. GeneCrime nam vrijheden, en nu werd het tijd voor de terugbetaling. Ik heb zelfs een paar van je zielige artikelen gelezen. En toen een doorbraak. Ik zag dat een van je medeauteurs een man was met een ongebruikelijke achternaam, dezelfde als die van een gevangene in Belmarsh. Wat een mazzel! Jeremy Hethrington-Andrews was gemakkelijk te bereiken. Een belofte om zijn broer Davie in de gevangenis te laten vermoorden. Zijn lieve moedertje gevangen houden in haar flat in Walthamstow. En hij beloofde me te helpen. Gewoon een paar monsters verwisselen, dat was alles. Een beetje DNA van Reuben Maitland uit zijn uitsluitingsprofiel bij GeneCrime pakken en verwisselen met het DNA van een plaats delict. Al die chaos, gewoon door het opzettelijk verkeerd labelen van een paar buisjes. En toen, met een mannetje in het forensisch team, was ik zo goed als onvatbaar voor opsporing, zoals je hebt gezien. Niet te stoppen. Niet op te sporen. Tot Jez begon te... hoe zal ik het zeggen... breken onder de druk. Arme Jez. Hij wist niet echt waar hij zich mee had ingelaten. Was zich volkomen onbewust van de schaal van mijn plannen. Maar hij was slim genoeg om te weten dat als hij zijn mond opendeed, hij meteen zijn broer en moeder kwijt zou zijn. En toen ik eenmaal ongeveer wist waar jij zat, was Jez niet meer nuttig.'

Reuben zag de laatste druppel alcohol wiebelen en weifelen op het minder visceuze bed. Dit was het einde. Denk na. Denk na. Denk na. Hij vroeg zich af of hij Lars kwaad moest maken. Hij wilde doodgeschoten worden. De dood door fenol was geen optie. Als hij dan toch moest sterven, dan maar liever snel.

'En dus...' Lars Besser keek naar de maatbeker. De laatste druppel was klein, nog maar net zichtbaar. Hij wankelde. Lars gaf de beker een zetje. De amylalcohol reed op de golf van fenol die stroperig van rechts naar links en weer terug klotste. En toen, als een duiker met loden laarzen, dook hij omlaag en boorde zich door het fenol. Beide mannen keken er gehypnotiseerd naar, een geruisloze omgekeerde luchtbel. 'We zijn in evenwicht. We zijn klaar.' Lars pakte met één hand de lange cilinder op, terwijl hij met de andere het pistool op Reuben bleef richten. Hij haalde langzaam, diep adem, sloot even zijn ogen. Toen hij ze weer opende, zei hij: 'Daar gaan we dan.'

Reuben keek paniekerig om zich heen in het lab. Koelkasten, vriezers, machines, chemicaliën, felgekleurd plastic en kale muren staarden naar hem terug. De kille, steriele schelheid van de wetenschap. De stilte werd verstoord door een passerende trein boven hen. In de hoek beefde het onvoltooide portret van Lloyd Granger lichtjes door de trillingen. Lars bewoog de cilinder met fenol. Reuben sloot zijn ogen. Lars Besser voelde het gewicht van de beker, schatte in hoe hij die het beste kon lanceren. Reuben zette zich schrap. Hij nam in stilte afscheid. Zijn tanden knarsten langs elkaar. Lars haalde zijn arm naar achter. Reuben hield een koude, lege ademteug binnen. Zijn rechterbeen trilde onbeheersbaar. Nog een trein rommelde langs, en de werkbank vibreerde. En toen klonk er een stem in de kamer.

'Blijf heel stil staan,' zei die vanuit de schaduwen. 'Vertrek geen spier.'

5

Reuben en Lars keken allebei tegelijk om. Reuben zag dat het pistool van Lars onschuldig op de werkbank lag. Hij probeerde de stem te traceren, wetend dat dit alleen maar slecht nieuws kon zijn. Moray was er niet en de politie keerde terug van een wilde achtervolging de verkeerde kant op. Iemand anders die het lab had gevonden kon alleen maar op problemen wijzen. Hij dacht aan de man die was gestuurd om hem te vermoorden in het steegje. Langzaam kwam de gestalte uit de schaduwen, eerst het pistool, toen de hand, arm, schouder en gezicht. En toen hij in de ogen van Phil Kemp keek, voelde Reuben een diepe vreugde opwellen vanuit zijn maag en zich door zijn lichaam verspreiden. Hier, in de vorm van een standvastige, nuchtere hoofdinspecteur, was de cavalerie. Phil naderde behoedzaam.

'Zet die beker neer en schuif je pistool buiten bereik,' beval hij, gebarend met zijn eigen wapen.

Lars Besser zette het fenol op de werkbank en staarde hem aan. Er was haat in zijn gezicht te lezen. 'Kemp, toch?' vroeg hij.

'Ik vraag het niet nog een keer. Als je je pistool niet wegschuift, heb ik geen andere keus dan op je te schieten.'

Reuben stapte geleidelijk weg bij Lars, schuifelend in een boog om achter Phil te komen. Hij was onder de indruk van de beheerstheid van hoofdinspecteur Kemp. Dit was een kant van hem die hij nooit eerder had gezien: de kalme controle over een gevaarlijke situatie. Phil hield zijn arm recht en keek langs de loop van een politiepistool. Reuben voelde zich beschermd, alsof zijn vader tussenbeide was gekomen bij een gevecht op school en nu tegenover de bullebak stond.

'Ik tel tot vijf. Dan heb ik geen andere keus dan te vuren.' Reuben was zelfs geroerd door Phils taalgebruik. Dit was het soort clichésmerispraat waar hij normaal gesproken van walgde. Maar hij zag nu wel in dat de simpelheid en kracht ervan functioneel waren.

'Phil Kemp. De middelmatigheid in eigen persoon.'

'Eén.'

Lars fronste zijn voorhoofd. 'En dan te bedenken dat ik jou hierna wilde doodschieten.'

'Twee.'

'Grote held denkt dat hij de wereld kan redden.'

'Drie.'

'Ik heb hier nog steeds de leiding, weet je. Het is alleen maar een kwestie van of ik dood wil of niet.'

'Vier.'

'Leven of sterven.' Lars keek naar zijn pistool. 'Leven of sterven.'

'Vijf.'

Lars kwam in beweging om zijn pistool te grijpen. Phil haalde de trekker over, en Lars verstijfde bij de galmende knal van het schot. Reuben keek langs Lars naar het gat in de muur.

Phil schreeuwde: 'Laat vallen, klootzak!'

Lars staarde naar zijn wapen. Phil richtte op Lars' hoofd. Reuben keek naar Lars. Hij scheen te overwegen of hij tijd had om het pistool te grijpen en te richten. Phils vinger verstrakte op de trekker. Hij schreeuwde: 'Deze keer wordt het je hoofd.'

Lars keek hem aan. Hij glimlachte en begon toen langzaam, bijna onmerkbaar, zijn armen in de lucht te steken en zijn pistool op de vloer te duwen.

'Schop het naar Reuben toe,' beval Phil, die zijn wapen op het hoofd van Lars gericht hield.

Lars gehoorzaamde, maar zonder een spoortje verslagenheid. Reuben voelde aan dat ze nog altijd niet veilig waren. Lars had de uitstraling van een pitbull die zich een halsband liet omdoen, wetend dat hij zich kon bevrijden wanneer hij maar wilde.

Reuben bukte om het pistool op te rapen en voelde de warmte van de kolf. Hij schoof de sleutels van de handboeien van de werkbank en deed zijn boeien af. Phil keek naar Reuben.

'Alles goed?' vroeg hij. 'Je hand ziet er...'

'Best.' Reuben voelde een bijna overstelpende genegenheid voor hoofdinspecteur Kemp. Hij erkende dat hun werk geleidelijk aan tussen hen in was komen te staan. Bij GeneCrime was Phil een teamleider die onder druk stond, moest doen wat hij vond dat juist was, constant strijdend om orde te scheppen in een eenheid die verdeeld en onsamenhangend was. En hij en Phil waren langs dezelfde breuklijn gebarsten als de rest van de organisatie. 'Maar hoe ben je hier gekomen?'

'Ik heb je mobiele nummer nagetrokken. Ik wilde zeker weten dat je echt richting het oosten ging.' Phil zweette een beetje, nog altijd met het vuurwapen in zijn hand. 'Ik heb een contactpersoon bij de Inlichtingendienst je route laten scannen, GPS-gegevens gekregen en je hier gevonden. Allemaal volkomen illegaal, natuurlijk.'

'Natuurlijk,' beaamde Reuben glimlachend. 'Weet je, Phil, vroeger...'

'Laat maar,' zei Phil. 'Zoals je zegt, vroeger. Het enige wat nu uitmaakt, is wat we van hieraf gaan doen. Nu we eindelijk de moordenaar hebben.' Hij gaf zijn pistool aan Reuben. 'Hier,' zei hij, 'hou hem onder schot.'

Reuben keek toe terwijl Phil een paar operatiehandschoenen uit een doos pakte en zijn vingers erin wurmde. 'Laten we de boel afzetten,' zei hij. 'En dat' – Phil gebaarde naar de maatbeker vol fenol – 'was het beoogde moordwapen?'

'Heb je dat gezien?' vroeg Reuben. 'Hoe lang was je...'

'Net lang genoeg om te horen wat ik moest horen.'

'Typisch voor een smeris,' spuugde Lars.

'Reuben, geef me dat fenol aan, voorzichtig.'

Reuben zette een stap naar Lars Besser toe en schoof toen het fenol voorzichtig over de werkbank naar Phil toe. Het voelde goed, alsof hij Lars ontwapende. Even werd de opluchting die hem doorspoelde vermengd met een gevoel van woede, en hij overwoog de trekker over te halen. Maar nee, het was essentieel dat Lars werd gearresteerd, aangeklaagd en geïsoleerd van de samenleving. Zo hoorde gerechtigheid te werken. Wraak betaalde nooit echt een schuld terug. Met zijn gehandschoende handen pakte Phil Kemp het fenol op en keek ernaar.

'Akelig,' zei hij.

'Heel akelig,' antwoordde Reuben.

Phil scheen gebiologeerd door de giftige vloeistof. Hij beende naar Lars Besser toe en zei: 'Ziet eruit als de laatste nagel aan je doodskist, Besser.'

'Als jij het zegt.'

'Heb je nog iets te zeggen voor ik je officieel arresteer?'

Lars sneerde naar hem. 'Grote held,' antwoordde hij.

En toen gooide Phil het fenol in zijn gezicht.

Lars schreeuwde, wankelde achteruit en graaide naar zijn ogen. Hij bukte zich, even stil, voordat hij weer krijste. Reuben rilde van het geluid, het sneed door hem heen en weerkaatste tegen de muren. Lars zoog lucht in zijn longen met een felheid die alle zuurstof uit de kamer leek te trekken. Hij viel op zijn zij, en Reuben zag dat zijn gezicht werd weggevreten onder zijn vingers. Zijn vlees vertoonde witte blaren en begon in misselijkmakende repen los te laten. Lars krijste en krijste, en Reuben besefte dat zijn dood enkele minuten weg was, in plaats van uren zoals hij had geschat. Besser draaide op zijn rug, spastisch bewegend, met maaiende armen en benen, en hij maakte een geluid dat Reuben hoopte nooit meer te hoeven horen. Zijn ledematen sloegen tegen de vloer, tegen de zware poten van de werkbank en de voet van een kruk. Reuben draaide zich om en keek naar Phil. Die hield nog altijd de lege maatbeker vast en was gebiologeerd door het tafereel. 'Tering,' fluisterde hij zachtjes.

Lars' ademhaling werd fluïdiek, een vermenging van gassen en vloeistoffen in een condensor. Hij klauwde aan zijn gezicht, scheurde blaren kapot, opende diepe, bloederige wonden, alsof hij probeerde het aangetaste vlees eruit te graven. Reuben wendde zich af. Het gejammer werd luider. Eindelijk scheen Lars te proberen iets te zeggen. Het duurde even voor Reuben het verstond. 'Schiet me dood! Schiet me dood!' gilde hij. Weer keek Reuben naar Phil, wiens gezichtsuitdrukking niet was veranderd. Het gebrek aan uitdrukking en sympathie scheen te zeggen: zijn verdiende loon. Lars' kreten werden deerniswekkende snikken. Reuben besefte dat hij zag hoe een sadist zijn eigen beloning begon te begrijpen. Zijn onbetwijfelde macht ebde en smolt weg. Phil deed een stap dichterbij en hurkte neer. Het lichaam van Lars schokte alleen nog een beetje, en zijn gezicht zag eruit alsof het was gevild. Zijn moeizame ademhaling scheen nu alleen nog uit inademingen te bestaan, plotseling, abrupt en raspend, waardoor elke paar seconden zijn hele bovenlichaam verkrampte.

'Geef me zijn pistool,' zei Phil zonder om te kijken.

'Ga je hem doodschieten?'

'Zoiets.'

Reuben gaf hem het wapen aan en Phil keek ernaar, terwijl hij af en toe een blik op Lars wierp. Hij scheen te overwegen wat hij moest doen.

'Moet ik versterking laten komen?' vroeg Reuben.

Nog altijd hurkend, met zijn rug naar Reuben toe, antwoordde Phil: 'We hebben de situatie onder controle. Die klootzak gaat nergens naartoe. Ik wil het alleen even zeker weten.'

'Maar het CID...'

'Ik zeg toch, ik wil het alleen even zeker weten. Die smeerlap heeft me genoeg problemen bezorgd. Het werd tijd dat hij eens lijdt zoals hij anderen heeft laten lijden. Je weet hoe dit spelletje werkt, Reuben. Hij zou hebben ontkend, de rechtbank hebben beziggehouden, misschien vijfentwintig jaar hebben gekregen in een knusse cel. Wat is daar rechtvaardig aan? Waar is de menselijke gerechtigheid? Dat snap je vast wel. Kom op, denk aan Sandra. Denk aan Run. Denk aan Lloyd.'

'En Jez.'

'Jez? Smerig beest!' Phil tilde Lars' pistool op en hield het even boven zijn hoofd. Hij knarste met zijn tanden.

'Phil,' zei Reuben.

'Oké.' Phil liet het pistool zakken. 'Modern politiewerk en zo. Soms vergeet je het.' Hij wreef over zijn gezicht en zuchtte.

'Is hij eindelijk dood?' vroeg Reuben zachtjes.

'Ik denk het. Jezus, wat een akelig spul is dat. Ik bedoel, ik zou nooit...'

'Heb je wel gedaan. En nu is het voorbij.' Reuben rechtte zijn rug en spande en ontspande langzaam zijn gehavende hand, die weer een beetje begon mee te werken. 'Wat een verschrikkelijke manier om te gaan.' Hij voelde zich ineens misselijk. Ondanks alle naslepen, alle koude, verminkte lichamen die hij in zijn loopbaan had gezien, had niets hem kunnen voorbereiden op wat hij net had gezien.

'Wat wilde hij eigenlijk van je?'

'Details van een oude zaak.'

Phil draaide zich om, vlak bij het hoofd van Lars gehurkt. 'Welke?'

'De moord in de Lamb and Flag, halverwege de jaren negentig. Weet je nog?'

'En dat is wat hem tot deze extremen heeft aangezet?'

'Hij zei dat hij erin was geluisd. Dat onze bewijzen vals waren.'

'Op welke manier?'

'Dat hij de moordenaar niet kon zijn geweest.'

'Natuurlijk niet.' Phil trok zijn wenkbrauwen naar Reuben op en lachte even. 'Zo'n prima kerel als hij.'

'Nee, man.'

'Maar goed...' Phil stopte het pistool in de handpalm van Lars om te zien hoe het paste. 'Het onderzoek is afgesloten. Al jaren. En nu' – hij grijnsde omhoog – 'heb ik de Forensische Moordenaar gepakt.'

Reuben glimlachte terug toen de spanning eindelijk uit zijn lichaam wegvloeide. 'Ja, het lijkt erop.'

Phil drukte de nog warme wijsvinger van Lars op de trekker van het pistool. Hij draaide Lars' arm en keek erlangs.

'Wat doe je?'

'Zoals ik al zei, ik heb de Forensische Moordenaar gepakt.' Hij richtte het pistool op Reuben.

'Wat?'

'Je ziet toch wel hoe het ervoor staat? Dit is de conclusie, het antwoord in de zaak. De waarheid staat voor je, achter je, om je heen. In feite ben jij de waarheid. Dat waar je al die jaren al op jaagt, ben je zelf.'

'Phil, geen geintjes.'

'En dit is de waarheid. Forensisch Moordenaar Reuben Maitland vermoordt Lars Besser, hoofdverdachte in het onderzoek, door fenol over hem heen te gooien. Maar terwijl Besser stervende is, weet hij dokter Maitland dood te schieten. De forensische bewijzen en vingerafdrukken zijn waterdicht. Zaak gesloten.' Phil kneep Lars Bessers glibberige vinger op de trekker. 'Of heb ik iets over het hoofd gezien?'

Reuben hield zijn mond, verraden, geschokt, starend naar Phil met een mengeling van angst en ongeloof.

'Maar, Phil...'
'Dag, Reuben,' zei Phil.
'Ik begrijp het niet...'
'Het was leuk om je gekend te hebben, dokter Maitland. Vaarwel, *vriend*.'

Starend langs het pistool merkte Reuben beweging op, een schokken van de voeten. Phil had het niet gezien. En nog een keer. 'Phil...' zei hij. Maar het was te laat. Lars Besser kwam omhoog en graaide. Hij greep vlees vast. Hij brulde als een gewonde grizzly, zijn handen klauwden door de lucht. Phil probeerde weg te schuiven, maar hij gleed uit en het pistool viel op de grond. Lars lanceerde zichzelf, met monsterlijk grote ogen waarvan de oogleden waren weggesmolten. Reuben sprong instinctief naar voren en greep Phil vast, die op zijn rug lag. Lars sloeg zijn armen om Phils benen en kneep. Phil schreeuwde: 'Haal hem van me af, haal hem van me af!' Reuben trok aan Phils schouders. Lars verplaatste zijn greep een stukje omhoog langs Phils benen. Zijn starende blik was op Phils nek gericht. 'Schiet dan, verdomme.' Reuben zag Phils pistool niet. 'Schiet dan!' Lars' pistool zat vastgeklemd onder Phils lichaam. Lars lag boven op Phil, en zijn immense kracht trok hem omhoog totdat hij om zijn borst gewikkeld zat. Een arm reikte naar Phils nek.

Reuben liet Phil los en stond op. Hij schudde zijn hoofd. Waar was hij verdomme mee bezig? 'Help me dan!' krijste Phil overstuur. Reuben keek om zich heen, terwijl het conflict in zijn lichaam woedde. Hij dook op de labtafel af en pakte een fles. Er stond alleen 'Salpeter' op. Lars brulde, grauwde en gromde. Reuben draaide de dop van de fles. Hij hield stil. Een verschrikkelijke gedachte kwam bij hem op. Natuurlijk kon hij Phil redden. Maar hij kon ook Lars redden. Ze hadden allebei geprobeerd hem te vermoorden. Wie wilde hij in leven houden? Phils geschreeuw om hulp drong door Reubens besluiteloosheid heen. Zijn handen trilden toen hij de fles boven hun hoofden hield.

Reuben stond over hen heen gebogen, aarzelend toen Phils kreten wanhopiger en paniekeriger werden. 'Vermoord hem. Vermoord die klootzak!' Als hij niets deed, zou Phil binnen een minuut dood zijn, slachtoffer van de immense kracht van Lars. Maar als hij Lars uitschakelde, was Phil nog steeds een dreiging. Misschien kon hij hem overmeesteren, een pistool grijpen, hulp roepen? Maar Phil laten leven zou meer problemen opleveren dan oplossen. Reuben zag dat Phils gezicht van kleur veranderde, zijn ledematen vruchteloos spartelden. Toch wachtte hij nog. Hij kon niet goed nadenken. Het was doden of gedood worden. Hij hoefde alleen maar het salpeterzuur over de een of de ander te gooien, maar hij kon het niet.

Reuben sloot zijn ogen en trok een grimas. Hij zou het leven van een mens moeten beëindigen. Phil jammerde, Lars werd sterker. Reuben wankelde. Phil of Lars. Lars of Phil. Ze wilden hem allebei dood hebben, en nu was hij aan zet. Phil werd paars en zijn ogen puilden uit. Lars drukte zijn vingers dieper in Phils hals, met opgezwollen onderarmen, spieren die verstrakten. Lars of Phil. Allebei zouden ze een heleboel problemen oplossen. Een verschrikkelijk besluit kristalliseerde zich. Hij veranderde de hoek van zijn pols. En toen goot hij de heldere vloeistof uit de fles.

6

Er volgde een schreeuw van puur, onverdund afgrijzen. Een brandgeur, vlees en haar, vulde de kamer. Reuben keek misselijk en gefascineerd toe. Een kringeltje damp bleef als de rook van een pistool om de flesopening hangen. Een volgende kreet galmde door het lab en bracht bijna het glaswerk aan het schudden, sneed door Reubens oren en kraste over zijn zenuwen.

Phil Kemp staarde naar hem op met uitpuilende ogen, stervende. Lars Besser draaide zijn vervormde gezicht ook omhoog. Vier ogen, vier verschrikkelijke ogen, die in hem boorden. Reuben wist dat hij die blikken nooit zou vergeten. Hij goot nog een lading over Lars Besser heen; er waren nog maar een paar druppels over. Lars viel eindelijk stil, en zijn beschadigde ogen bleven open. Een gravende zwartheid verscheen in zijn vlees, stoom steeg op van de wond. Het fenol had de buitenste huidlaag laten smelten. Het salpeterzuur verzwolg vlees en botten. Lars maakte een schokkerige beweging, greep naar zijn achterhoofd. Phil kronkelde bij hem weg en wist hem van zich af te schudden. Lars rolde op zijn buik. Zijn achterhoofd was rood en wit, huid verdween van bot, bot verdween van membraan.

Phil kwam langzaam overeind, happend naar adem. 'Kut, kut, kut,' zei hij. Hij liep naar Lars toe en gaf hem een harde schop in zijn nieren. Lars' ademhaling werd onregelmatig. De vechtlust sijpelde uit hem weg terwijl het zuur zijn hersens bereikte.

Reuben pakte Lars' pistool van de vloer en veegde het schoon met een tissue. Phil ijsbeerde in kringetjes rond, mompelend in zichzelf, onvast op zijn benen. Hij ging om het lichaam van Lars heen en leek niets anders te zien. Hij schopte Lars nog een keer. Deze keer kwam er geen grom van protest.

Reuben besefte nu pas dat hij bezig was om iemand te vermoorden. Hoewel hij had geaarzeld voordat hij het zuur had uitgegoten, wist hij dat een klein deeltje van hem, een stukje van zijn geest dat hij uit alle macht probeerde te onderdrukken, de rechtvaardigheid ervan inzag. Maar hij vermoedde dat zodra de adrenaline wegtrok, het schuldgevoel zou gaan spreken. Niet alleen om de pijn die hij had veroorzaakt, maar omdat hem nu duidelijk was dat Lars Besser, ondanks zijn sadisme, was gemotiveerd door onrecht. Er was een overeenkomst in hun situatie die hem verontrustte, terwijl hij zag hoe Phil het lichaam onderzocht, een arm van Lars optilde en die slap weer liet vallen. Reuben was behoedzamer en bleef uit de buurt van de liggende gestalte. Phil tilde Lars' andere arm op en keek Reuben aan. Nu pas zag hij het pistool.

'De situatie is een beetje gestoord, geloof ik,' mompelde Phil.

Reuben haalde zijn schouders op, niet wetend wat hij moest zeggen.

Phil wiegde met gespreide vingers zijn hoofd langzaam heen en weer. 'Kut, kut, kut. Dit is het meest gestoorde... Ik dacht dat hij me zou vermoorden.'

Reuben haalde de veiligheidspal van het pistool en pakte zijn mobiele telefoon uit zijn broekzak. Hij koos een nummer. 'Kom hiernaartoe, alleen en ongewapend,' zei hij toen er werd opgenomen. 'Ik heb wat je een lastige situatie zou kunnen noemen.' Hij gaf het adres en een korte routebeschrijving. 'Ik heb een pistool op hoofdinspecteur Phil Kemp gericht, en ik sta niet in voor wat ik ga doen. Als je hem levend wilt zien, kun je beter meteen komen.' Reuben klapte het toestel dicht. Hij pakte een stijve witte labjas en drapeerde die over Lars Bessers lichaam.

'Zo, hoofdinspecteur Kemp.' Hij fronste zijn voorhoofd. 'Nu wordt het interessant.'

GCAACGATAGCTTACGGG
TATCTTA**TIEN**GGTATTCG
GCTAATCGTCATAACAT

1

Reuben hoorde zijn maag klagen. Die had te veel adrenaline en niet genoeg voedsel gezien. Hij kon zich niet herinneren wanneer hij voor het laatst had gegeten. Hij leunde met zijn lege lichaam tegen de koelkast. Hij trilde een beetje, de vibraties van de compressor één met zijn eigen oscillaties. Achter Phil Kemp zag hij dat Lloyd Granger geen enkele postume waardigheid had gekregen. Alles was zo chaotisch geweest dat het op het doek tot uiting was gekomen. Lloyd zou moeten wachten.

Phil bleef zwijgen terwijl zijn gezicht langzaam asgrauw werd. Er klonk een geluid bij de deur, en Reuben stapte snel achter Phil, richtte het pistool op zijn hoofd en hield de ingang in de gaten.

'Zo,' zei hij toen hoofdinspecteur Sarah Hirst het lab in stapte.

'Zo,' antwoordde ze. Hij zag dat ze de chaotische toestand in het lab in zich opnam, haar eigen verhaal samenstelde op basis van het tafereel. De gestalte die op de vloer lag, de gemorste vloeistoffen, de verbrande huid, Phil met een pistool tegen zijn hoofd. Sarah streek door haar haar, trok haar kraag recht en streek haar rok glad, alsof ze zich distantieerde van de rommel om haar heen. Ze liep langzaam verder. 'Dit is die situatie waar je het over had.'

'Laat zien dat je niet gewapend bent,' droeg Reuben haar op.

Sarah Hirst knoopte haar jas open. Reuben keek naar het gebeeldhouwde aanzien van haar witte blouse terwijl ze zich omdraaide.

'Ga je me nog vertellen wat er aan de hand is?' vroeg Sarah toen ze weer naar hem toe gedraaid stond.

'Sarah, in godsnaam,' smeekte Phil.

'Nog één woord, hoofdinspecteur Kemp, en het is meteen je laatste.' Reuben duwde de afgeschuinde mond van het pistool hard in Phils haar.

'Nou?'

'Lars Besser was de Forensische Moordenaar.'

'Wat ik eigenlijk vraag, dokter Maitland, is waarom je een hoge CID-rechercheur onder schot houdt.'

'Dat is ingewikkeld.'

'Daar neem ik geen genoegen mee. En je hebt niet veel tijd. Ik heb tegen Mina Ali gezegd waar ik naartoe ging. Als ik om twee uur niet buiten sta, slaat ze alarm. En je weet wat dat betekent.'

Reuben zuchtte. Uiteraard had Sarah geen woord gehouden. Als zijn tijd beperkt was, had hij hulp nodig. 'Ik ga iemand bellen,' zei hij, 'en dan kunnen we ter zake komen.' Hij pakte zijn telefoon en koos een nummer. 'Judith,' begon hij, 'ik ben in het lab. Ik denk dat je hierheen moet komen. Er zijn dingen veranderd. Een heleboel dingen. Maar het is veilig. En ik heb je technische assistentie nodig. Hoe snel kun je hier zijn? Oké. Tot straks.'

Reuben legde zijn mobieltje neer en keek naar Sarah, die nu voor het onvoltooide portret van Lloyd Granger stond. 'Natuurlijk weet je,' zei ze, kijkend naar het doek, 'waarom je schildert?'

'Vertel het maar.'

'Omdat je diep vanbinnen de waarheid niet kunt verdragen.'

Reuben gromde. 'Ik dacht dat het een uitlaatklep was. Iets waar ik misschien baat bij had. Wat doe jij dan voor de kick, hoofdinspecteur Hirst?'

'De controle houden.'

'Bekijk je omgeving eens. Denk je dat je nu de controle hebt?'

Sarah Hirst draaide zich abrupt om toen de deur opengïng. Reuben stapte achteruit en richtte het pistool op de ingang, maar wel achter Phils hoofd. Vanuit de schaduwen stapte de grote gestalte van Moray Carnock tevoorschijn.

'Wat is er loos?' vroeg hij, en zijn gezicht betrok toen hij om zich heen keek.

'Lang verhaal. Ik dacht dat jij in Helsinki zat?'

'Ik was niet langer welkom en moest snel vertrekken.'

'Nou, maak je nuttig. Pak dat pistool en hou het op hoofdinspecteur Kemp gericht.'

Reuben beende naar Sarah toe, pakte haar elleboog en leidde haar weg bij het schilderij. 'We gaan een paar tests doen,' zei hij, terwijl hij haar parfum opsnoof. 'Uitzoeken wat er is gebeurd. Ik heb een risico genomen door jou hier uit te nodigen, maar ik moet dit allemaal wettelijk en openlijk aanpakken. Ik moet weten dat ik je kan vertrouwen.'

'Waarom zou je daar nu mee beginnen, dokter Maitland?'

'Omdat ik geen andere keus heb.'

'Jouw mannetje houdt het pistool vast.'

'Heb ik je medewerking of niet?'

Sarah haalde haar schouders op. 'We zullen zien.'

'Laat maar. Moray, hou hoofdinspecteur Hirst ook in de gaten.'

Sarah kleurde van woede en schudde zich los uit Reubens greep. 'Zo is het genoeg, dokter Maitland. Je gaat me vertellen wat je weet. Je gaat me ervan overtuigen dat wanneer dit allemaal achter de rug is, ik je niet aan stukken moet laten scheuren.'

Reuben keek snel in Phils richting. Hij hield Sarah met stille wanhoop in de gaten. Reuben zag dat dat er nog hoop in zijn ogen was. Achter hem leunde Moray tegen een werkbank. Hij hield het vuurwapen vast en zocht in zijn zakken naar iets te eten. Toen hij de honger in Reubens blik zag, gaf hij hem een banaan en een blikje drinken aan. Reuben keek naar Sarah en mompelde: 'Oké, op hoop van zegen. Heb je wel eens gehoord van de moord in de Lamb and Flag? Een student die Gabriel Trask heette?'

Sarah fronste haar voorhoofd. 'Ja, dat weet ik nog.'

'Lars Besser, die daar op de grond ligt, was de man die we als de schuldige aanwezen. De ouderwetse DNA-vingerafdrukken hadden er moeite mee. Pas drie maanden na de moord hadden we een doorbraak, omdat we DNA van Besser op de kleding van de student vonden.' Reuben nam een slok appelsap en genoot van de zoetzure kou.

'Wat wil je daarmee zeggen?'

'Het is het enige wat hoofdinspecteur Kemp verbindt met Lars. Phil zat op die zaak, en toen Besser hem vandaag zag, zei hij dat hij de volgende was die hij zou doodschieten. Ik ga uitzoeken waarom. Judith Meadows is onderweg om te assisteren. Om redenen waar ik nu liever niet op inga heb ik nog monsters uit dat onderzoek.'

Reuben liep naar een vriezer en opende die. Er zaten vier schappen in, elk met ongeveer tien rechthoekige plastic dozen die leken op ijsbakken. Hij pakte er bakjes uit, bekeek de etiketten en stapelde ze op de vloer. Na een paar minuten vond hij de doos met het opschrift LAMB AND FLAG 1995. Hij gaf die aan Sarah en zette de andere dozen terug in de vriezer. Sarah haalde het deksel eraf en staarde een paar seconden naar de inhoud. Er zaten dertig witte buisjes in, kogelvormig en met opeenvolgende nummers erop. In een plastic zakje zaten zes of zeven kleinere buisjes, rood van kleur. In een ander een paar velletjes papier en nog vijf Eppendorfs. 'Ik zal maar niet vragen waarom je specimens van GeneCrime in je vriezer hebt,' zei ze, kijkend op een vochtige stuklijst. 'Maar wat heb je hieraan?'

'Ik ga Voorspellende Fenotypering toepassen op de oorspronkelijke monsters, zodat we iedereen kunnen ontmoeten die die dag in de pub was.'

'O ja?' vroeg Sarah kil. 'Je hebt niet veel tijd voordat de cavalerie komt.' Ze keek naar Phil. 'En hij zal een behoorlijk kwaaie wesp zijn als hij uit zijn potje wordt bevrijd.'

'Ik snap de hint.' Reuben at snel, zette een chiplezer aan, pakte een rekje met tips en begon sneller te werken dan ooit tevoren. Hij worstelde met de kwestie waarom Phil zowel Lars als hem dood had willen hebben. Waar was hij zo bang voor? Phil moest iemand beschermen, en het moest iemand zijn die Reuben ook kende. Waarom zou hij anders zo veel moeite doen? Phil was in de pub aangekomen toen Gabriel Trask dood was, dus misschien was zijn enige rol geweest om het onderzoek af te leiden van iemand die er liever niet bij betrokken wilde worden. Hij dacht aan de mensen die hij de laatste tijd had ontmoet. De blonde Kieran Hobbs met zijn verwarde wimpers, de cosmetisch verfraaide gangster Maclyn Margulis, de nachtclubeigenaar Xavier Trister. Hij zag Phils kornuiten bij GeneCrime voor zich, politiemannen die hun leven zouden geven voor hun baas. Hij overpeinsde de man die was gestuurd om hem te vermoorden achter het huis van Shaun Graves. Hij ging weer terug naar tien jaar geleden, naar de Lamb and Flag, herinnerde zich de jonge Phil Kemp die fluisterde tegen oudere CID-agenten, de patholoog, de politieagenten, de bedompte, rokerige lucht, de gesloten cirkel. Vier of vijf politiemannen, van wie er twee sindsdien carrière hadden gemaakt. In gedachten ging hij door de gevallen van twijfelachtige zaken die hij de afgelopen maanden had verwerkt: de bedrijfsspionage, de identificatie van slachtoffers, de overspelzaken. Hij zocht naar relaties tussen gebeurtenissen, waarvan hij tot nu toe had gedacht dat die er niet waren. Dit was, besefte hij wat laat, het geheim van de wetenschap: connecties smeden tussen afzonderlijke bewijsreeksen.

Terwijl hij nadacht maakte hij buisjes open met zijn linkerhand, goot vloeistoffen uit, stopte monsters in een microfuge, beet in een appel, waarvan de smaak vloekte met het appelsap, spoelde filters uit, versterkte signalen, hybridiseerde sondes, programmeerde machines en opende zijn laptop, waar nog altijd het gezicht van Lars Besser op stond, onbeschadigd en onberispelijk. Judith Meadows kwam eindelijk aan, voorzichtig en argwanend. Hij zag dat ze de chaos in zich opnam, zag haar gezicht veranderen toen ze Phil Kemp, Sarah Hirst, de dode man op de vloer en Moray Carnock met het pistool zag. Even aarzelde ze onbehaaglijk. Judith ging tegen een vriezer staan en speelde met de twee ringen om haar vinger. Reuben liep naar haar toe en omhelsde haar. Het was een korte omhelzing, stram en mechanisch, voordat Judith zich losmaakte, vroeg wat Reuben deed en in welke fase hij zat, en een doos handschoenen opende. Zwijgend begon ze hem bij de procedures te helpen.

'De tijd tikt door, Reuben,' zei Sarah, die op haar horloge keek en de stroom van activiteiten verstoorde.

'Ik snij zoveel mogelijk hoeken af,' antwoordde hij. 'Ik stel de Voorspellende Fenotypering in op de laagste resolutie, wat goed genoeg zou moeten zijn. En we voeren ook niet de gebruikelijke controles en kalibraties uit. En als laatste strategie geef ik voorrang aan de monsters die we voorheen niet hebben bekeken. Het zou een stuk sneller moeten gaan dan normaal.'

Sarahs mobieltje ging, een polyfone imitatie van een klassiek nummer. Ze negeerde het. De telefoon ging nog eens, en ze keek geërgerd op het schermpje. De derde keer dat hij overging keek ze smekend naar Moray en toen naar Reuben. Hij knikte. 'Moray, luister mee. En Sarah, zeg niets wat jouw leven of dat van hoofdinspecteur Kemp in gevaar brengt.'

Sarah drukte op een toets. Moray hield zijn hoofd schuin en luisterde aandachtig. Phil verplaatste zijn gewicht van de ene voet naar de andere en keek hoopvol naar zijn evenknie. Sarah zei vaak ja, nee en misschien. Niets belastends. Toen ze de verbinding verbrak, kondigde ze aan: 'Ze hebben het lichaam van Jez uit zijn flat gehaald. Mensen stellen vragen. Mina heeft haar grote mond opengedaan. En,' voegde ze eraan toe, het beste voor het laatst bewarend, 'ze zijn op weg hiernaartoe.'

2

De woorden drongen tot Reubens staat van verhoogde bewustzijn door. Personeel van GeneCrime was onderweg naar het laboratorium, ongetwijfeld bijgestaan door vele agenten van de gemeentepolitie, bloedhonden in de achtervolging, die de arrestatie van de Forensisch Moordenaar al roken. Hij zag deze kamer zoals zij hem zouden zien. Een lijk, een politierechercheur onder schot, een schimmige beveiligingsadviseur en de hoofdverdachte van de zaak, allemaal ter plaatse. Er waren vele manieren om zo'n tafereel te interpreteren, maar slechts weinig daarvan gaven hem hoop. Hij werkte harder.

'Hoe lang hebben we?'

'Zo lang het ze kost om ons te vinden.'

Phil tilde zijn kin op. Er was triomf in zijn ogen te lezen.

'Het eerste beeld komt over een paar minuten door.'

'Reuben, waarom geef je je niet gewoon over? We kunnen alles later wel uitzoeken.'

Reuben staarde Sarah aan. Ze gebruikte haar onderhandelingsstem, zachte tonen die erop gericht waren zijn wil te breken. 'Omdat we hier blijven en ik je ga laten zien wat er echt is gebeurd. Voordat ze hier binnenstormen en overal aanzitten. Voordat politieprocedures de boel ingewikkelder maken. Voordat je probeert me te arresteren.'

Terwijl Judith een lange rij nylonfilters pipetteerde als aan een stilstaande lopende band, opende Reuben zijn programma en voerde snel een lijst van commando's in. 'Oké,' mompelde hij tegen het scherm, 'laten we beginnen met een paar klanten die ten tijde van de moord in de bar waren. Kijken of iemand ze herkent.'

De volgende paar seconden verschenen er een paar ruwweg gedigitaliseerde gezichten. Ze werden beter en scherper, maar het bleven korrelige neefjes van voltooide FenoFits. Reuben draaide de laptop bij zodat iedereen in het lab het scherm kon zien. Belangrijker nog, hij wilde dat Phil de beelden zag. Reuben peilde zijn reactie, maar hij bleef onbewogen. 'Heeft iemand dit olijke stel al eens gezien? Misschien bij een ander onderzoek? Rondhangend met Phil op een sociale gelegenheid?'

Niemand zei iets, dus begon Reuben met de volgende twee foto's. Op de achtergrond ging de processor van zijn laptop knarsend door de gegevens die Judith er via de beeldverwerker naartoe stuurde. Zodra hij de ene afbeelding had gesloten, kon hij de volgende al openen. 'En deze?' vroeg hij. Weer kwam er geen reactie. 'Of die kerel? Zijn vriendin?'

'Hoeveel moeten we er bekijken?' vroeg Sarah, die ongeduldig met haar mobieltje tegen haar kin tikte.

'Nog een paar, en dan beginnen we met de uitsluitingen en de monsters van het slachtoffer.'

Reuben liet nog drie paar foto's aan Sarah, Moray, Phil en Judith zien. Een ervan was herkenbaar als Lars Besser, de andere waren anoniem. Phil knipperde niet met zijn ogen. Hij keek emotieloos naar het scherm, met een vermoeide onverschilligheid op zijn gezicht. Maar toen Reuben aandachtig naar Phil staarde, zag hij dat – ondanks zijn zorgeloosheid – zijn pupillen zo groot waren als schoteltjes. Ze zogen alle details op. Hij was ergens bang voor.

'Is er iets, Phil?'

'Het enige wat ik tegen jou zeg is: "Je bent erbij, Maitland." Zodra mijn CID-jongens en -meisjes hier zijn.'

Reuben negeerde zijn sneer en ging op in de afbeeldingen. 'Ik begrijp nog steeds niet... Wie beschermde je in godsnaam?'

Phil staarde uitdrukkingsloos terug. Maar op de kraag van zijn overhemd zag Reuben een oprukkend front van zweet, dat vanuit zijn nek in de stof trok.

'Wie waren er bij het incident? Wie leidde het onderzoek, Phil? Het is tijd om wat herinneringen op te halen. Mijn eerste plaats delict als hoogste forensisch rechercheur,' zei Reuben. 'Laten we eens kijken naar de uitsluitingen, de agenten die er aanvankelijk bij waren. Roep jij hun namen maar.' Hij opende een reeks van afbeeldingen.

De eerste twee agenten werden geïdentificeerd door Sarah, die steeds meer belangstelling was gaan krijgen voor de foto's. 'Die links is Nick Temple, en rechts Bob Smetter.'

Reuben opende nog een duo grijze jpeg's en wachtte ongeduldig terwijl ze pixel voor pixel tot leven kwamen.

'Helen Parker, geloof ik, die rechter. Maar die andere herken ik niet. Iemand?'

Niemand wist de naam van de rechercheur aan de linkerkant.

'Laatste twee,' zei Reuben.

'James Truman,' zei Sarah. 'Nu commandant. Grote jongen bij het bureau in Essex. En die ander is Cumali Kyriacou.'

'Hmm.' Reuben haalde zijn schouders op. 'Dus wat hebben we? Een paar grote mensen die grootse dingen hebben bereikt. Veel invloed voor een jonge agent. Je kunt ver komen met zoveel slagkracht achter je. Denk je niet, Phil?'

'Val dood,' antwoordde Phil.

'Reuben, je tijd raakt op.'

'Ik denk na, ik denk na.' Reuben keek naar de laatste paar monsters, die van Gabriel Trask, de dode student waren gehaald. Judith was druk bezig ze te typeren. Dit was snelle en onnauwkeurige wetenschap, maar de enige soort waar ze tijd voor hadden.

'Geef het op, Reuben,' zei Phil. 'Luister, Sarah, die kerel is een moordenaar, in godsnaam. Zelfs als je niet gelooft dat hij Run en Sandra en die anderen heeft vermoord, kijk eens wat hij met Lars Besser heeft gedaan.'

Weer moedigde Moray hem aan te zwijgen. 'Hou je bek,' grauwde hij.

'De klok tikt door, dokter Maitland. Nog heel even en het CID is hier. En je hebt nog steeds niemand overtuigd...' Sarahs mobieltje ging en ze nam met korte, afgemeten woorden op. 'Ze zijn nu bij het industrieterrein,' zei ze tegen Reuben.

'Kut,' reageerde hij. Hij kneep zijn ogen dicht. Dit was zijn enige kans. Hierna zou Phil de controle over de situatie overnemen. Niemand zou Reubens verklaring van de gebeurtenissen geloven. Misschien zouden ze geloven dat Lars Jez, Sandra en Run had vermoord, misschien kon dat forensisch worden bewezen, maar dan nog zou Reuben een hoop problemen hebben. Hij had geholpen om Lars te vermoorden, hield twee rechercheurs onder schot en had de politie misleid. En nu had hij het moeilijk. De afgelopen paar dagen vergden hun tol. Zijn ademhaling was snel en oppervlakkig. Er was geen andere optie dan dit door te zetten tot aan het eind. 'Judith,' hijgde hij, 'laten we eens naar de monsters van de slachtoffers kijken. Zijn ze klaar?'

'Min of meer. Maar ze zullen wat ruw zijn.'

Reuben voerde bliksemsnel een paar commando's in op de laptop. Seconden later werd er een specimen dat JAS heette verwerkt. De afbeelding van een man lichtte op het scherm op. Het was een versie van Lars Besser in een lage resolutie. 'Volgende,' beval Reuben. Het monster kwam uit een buisje waar WANGSLIJM op stond. Het was de foto van een jongeman, een beetje mager en met donker haar. 'Gabriel Trask, denk ik.'

Boven klonk het gerommel van een trein, snel gevolgd door een aaneenschakeling van luide voetstappen. Er klonk ook een langdurige uitbarsting van geweervuur. Reuben en Moray keken elkaar aan.

'Ze schieten,' zei Moray. 'Shit.'

'Op wie?'

'Geen idee. Maar ze schieten op iemand. En wie het ook zijn, ze zijn in het gebouw.'

'Kom op,' fluisterde Phil.

'Oké, dokter Maitland, je zult hoofdinspecteur Kemp moeten laten gaan. Anders schieten ze je dood. Ze zullen niet wachten en het beleefd vragen. Vertel ons wat je weet voordat de hele zaak wordt overgenomen.'

'Ik weet het niet zeker.' Hij wiegde heen en weer, met zijn ogen dicht. Wie beschermde Phil in godsnaam? Het volgende beeld begon te verschijnen, van een specimen met het etiket GEZICHT. Moray, Sarah, Judith en Reuben staarden allemaal aandachtig naar de laptop. Het gezicht verscheen en kwam stukje bij beetje tot leven.

'Weer Lars Besser, verdomme,' gromde Moray.

Reuben zag de teleurstelling overal om zich heen. Hij besefte dat ze wilden geloven in zijn intuïtie, hoopten dat er een verklaring was voor alle sterfgevallen, enige betekenis in de afgelopen twee verschrikkelijke weken van hun leven. De politie schreeuwde. Hij hoorde een hond blaffen. Ze zouden de deur vinden, de trap en dan de gang. Reuben opende het laatste bestand, dat VINGERNAGELS heette, afgeleid van het scherm door het geluid van hernieuwd geweervuur boven hem. Hij keek naar de gezichten van de anderen, stelde het moment uit dat hij zou moeten toegeven dat het allemaal voorbij was. Hij zag dat Morays mollige kin een stukje zakte, dat Sarahs schitterende ogen groter werden, dat Judith haar voorhoofd fronste, dat Phils wangen rood werden. 'Wat?' vroeg hij. De deur werd ingetrapt. Drie geüniformeerde CID-leden van GeneCrime stormden naar binnen. Moray liet zijn pistool vallen. Ze werden op de voet gevolgd door een agent met een opgewonden Duitse herder. 'Stilstaan,' beval een van hen. Een andere agent liep naar het lijk op de grond. 'Hebben we een ambulance nodig?' vroeg hij.

'Te laat,' antwoordde Sarah.

'En is hoofdinspecteur Kemp in orde?'

'Prima,' antwoordde Phil opgelucht. 'Arresteer nu dokter Maitland en die vette Schot van hem.'

De breedste van de agenten stapte naar voren en pakte zijn handboeien.

3

Hoofdinspecteur Sarah Hirst was de eerste die in beweging kwam. Ze greep Phil Kemps pistool en richtte het op het hoofd van de CID-agent die naar Reuben Maitland toe stapte.

'Stop!' riep ze.

De agent draaide zich om, met de handboeien in zijn vingers. 'Mevrouw?'

'Niemand doet iets tot ik het zeg. Ik neem de controle over de plaats delict over. Wil je even de deur dichtdoen, agent Parish?'

Agent Parish deed wat hem gezegd werd. Sarah wuifde met het pistool naar de andere mannen.

'We hebben hier een toestand die ik tien minuten lang zo wil houden. Daarna zal ik het wapen wegleggen en kunnen we op de normale manier doorgaan. Maar gedurende die tijd komen er geen andere agenten binnen. Oké?'

Twee CID-leden wisselden een blik. Het was onbekend terrein voor ze dat een hoger geplaatste agent met een wapen naar hen zwaaide. Ze knikten langzaam, onzeker.

'Jij en jij' – ze wees naar hen met de loop – 'blijf bij de ingang staan. Jullie mogen aan degenen die binnen willen komen uitleggen dat hoofdinspecteur Hirst de plaats delict veiligstelt voor forensisch bewijs en dat niemand, wat zijn rang ook is, erin mag. Begrepen?' Sarah controleerde de veiligheidspal van het pistool. 'En jullie mogen niet praten met hoofdinspecteur Kemp. Als hij probeert jullie te overbluffen, denk er dan aan dat ik degene ben met het vuurwapen.'

Sarah richtte haar aandacht weer op haar collega, tevreden dat het CID zou meespelen. 'Zoals ik het zie is het probleem dat we nu hebben vrij simpel, hoofdinspecteur Kemp.'

'En dat is?'

'Dode mannen krabben niet.'

Phil wendde zich smekend tot de agent die het dichtst bij hem stond. 'Geoff, dit is een rechtstreeks bevel. Haal je collega's naar binnen.'

Geoff keek om beurten naar zijn superieuren: naar Phils wanhoop en naar Sarahs wapen.

'Kom op. Doe het dan, in godsnaam.'

Hij bleef staan.

'Phil?' herhaalde Sarah. 'Dode mannen krabben niet. Of wel?'

Reuben zag plotseling de mogelijkheden. Sarah was scherp, en deze keer was ze hem net voor. Terwijl zij over de hoofdweg scheurde, had hij de steegjes verkend. Dat het incident bij de Lamb and Flag niet was wat het leek. Waarom er een student was doodgeslagen. Wie de fatale klappen had uitgedeeld. Waarom het eerste genetische onderzoek was mislukt. Wiens monsters automatisch waren uitgesloten van het onderzoek. De identiteit van degene die Phil al die tijd in bescherming had genomen.

'Het is schitterend,' mompelde Judith, die het ook doorhad. 'Perfect.'

'En dan besef je dat een van de klanten een strafblad heeft.'

'En Lars Besser boet ervoor,' voegde Sarah eraan toe.

'Geoff, doe het, verdomme.'

'Ik wist dat hij iemand beschermde.' Reuben staarde Phil aan. Hij was bleek, en zijn afbeelding op het scherm stak rossig bij hem af. 'Ik besefte alleen niet dat hij het zelf was.'

Moray maakte een prop van een chocoladepapiertje en stopte het in zijn zak. 'Is dit een gesloten feestje,' gromde hij, 'of is iedereen uitgenodigd?'

'Zie je, Moray,' zei Reuben, 'in de rapporten stond dat Phil net na het overlijden was gearriveerd, dat hij was gezien toen hij de pub binnenkwam. Maar wat gebeurde er echt, Phil? Je gaat die avond uit om wat te drinken, raakt betrokken bij een gevecht, laat dat beruchte korte lontje van je opbranden, slaat die arme jongen tegen de grond, ziet dat hij er ernstig aan toe is? Je klimt over de muur en zorgt dat iedereen ziet dat je de pub binnenkomt, schijnbaar voor het eerst? Dus Sarah heeft gelijk. Dode mannen krabben niet. Er kan geen andere reden zijn voor het feit dat jouw DNA onder zijn nagels zat, anders dan dat er fysiek contact tussen jullie is geweest toen hij nog leefde.'

'Geoff...'

'En dan zorgt hij ervoor dat hij het lijk besmet met zijn DNA...'

'Ik weet nog dat ik hem zag,' zei Reuben, 'op zijn hurken bij de patholoog, waarschijnlijk al voor hem aangekomen...'

'En toen knipte Phil alle losse eindjes af. Door de plaats delict te besmetten werd hij automatisch uitgesloten.'

Phil Kemp keek om zich heen. Hij bekeek het laboratorium, de gevangeniscelwitte muren, streng en onverbiddelijk. Hij zag drie agenten van GeneCrime terugstaren op een manier die hem angst aanjoeg. Hij zag dat Sarah Hirst genoot van zijn pistool in haar hand, dat ze op hem richtte alsof ze wilde schieten, rustig in controle over de situatie. Hij hoorde de commotie buiten, rusteloze CID-leden die de deur wilden intrappen, hoge heren van de gemeentepolitie die bevelen blaften. Hij zag zijn eigen gezicht op het computerscherm, in pixels en onbewogen als de krantenfoto van een verdachte, en dompelde zich onder in de kernvraag. Als ik de leiding had over dit onderzoek, wat zou ik dan denken als ik binnenkwam? Als ik het tafereel overzag, wie zou ik dan geloven? Wat was het echte bewijs en wat was overbodig? Zou ik Sarah Hirst, Reuben Maitland, Moray Carnock en Judith Meadows geloven, of mij? Zou ik hun verhaal aanhoren en van de hand wijzen? Zou ik het forensische bewijs bekijken en ontleden? En uiteindelijk, zou ik in mijn ogen kijken en negeren wat ik daar zag? 'Zo ging het niet,' fluisterde hij.

Reuben keek op van het toetsenbord waar hij op hamerde. 'Vertel jij het dan maar.'

Phil verbleekte nog meer; de kleur trok zich terug in zijn poriën, verstopte zich achter de zwarte stoppels die permanent door zijn huid dreigden te breken. 'Die student. Er gebeurden dingen. Het werd een rotzooi,' mompelde hij.

'Dus je werd erin meegesleept?' vroeg Reuben.

'Dat zei ik niet.'

'Jullie vochten, jij gaf hem een klap, hij stootte zijn hoofd...'

'Mevrouw, ze willen dat we opendoen. Ze zeggen dat ze hoe dan ook binnenkomen.'

'Hou ze op. Nog twee minuten.'

De deur begon mee te geven. Phil zweeg. Er galmden drie zware bonzen door het lab, snel achter elkaar. Oranje baksteenstof wolkte naar binnen rond de scharnieren. De CID-agent die er het dichtst bij stond, zette snel een stap achteruit. Phil Kemp keek onbehaaglijk naar de ingang. De laboratoriumdeur ging met een knal open. Een waas van zwarte uniformen zwermde naar binnen, geschreeuw en bevelen weerkaatsten tegen het hoge, gebogen plafond. Vanuit zijn ooghoeken merkte Reuben de aanwezigheid op van commandant Robert Abner. Sarah praatte met hem. Op de achtergrond besefte hij dat de overige leden van zijn oude team waren binnengekomen, gekleed in het wit, rondhangend, wachtend om te beginnen. Bernie Harrison keek hem aan en glimlachte flauwtjes. Mina Ali stak haar duim op en draaide zich om. Paul Mackay ontweek zijn blik. Birgit Kaspar trok haar wenkbrauwen op. Simon Jankowski kleurde en zocht iets om mee bezig te gaan. Reuben besefte dat dit de enige reünie was die hij zou krijgen. Hij wilde het liefst naar hen toe lopen en ze alle vijf omhelzen, maar hij wist dat de grens was getrokken. Uit gewoonte zochten zijn ogen naar Run Zhang en Jez Hethrington-Andrews, maar hij zag alleen wetenschappers die hij niet kende, personeel dat was aangenomen om de doden te vervangen. Commandant Abner en hoofdinspecteur Sarah Hirst kwamen naar hem toe.

'Dokter Maitland.' De commandant fronste zijn voorhoofd. 'Ik geloof dat wij even moeten praten.' Hij legde een enorme hand op Reubens schouder. 'Bij GeneCrime.'

4

Het was net alsof hij in een onbetrouwbare spiegel of naar een oude foto van zichzelf keek. Het uiterlijk was bijna wat je zou verwachten. Bijna. En toch waren er verschillen, subtiele veranderingen die door de jaren waren ontstaan, lichte wijzigingen die je enigszins van je stuk brachten, zelfs nu nog.

'Hoe gaat het?' vroeg hij.

'Geweldig,' antwoordde zijn broer.

'Drie jaar.'

'Drie jaar.'

Reuben staarde in Aarons lichtgroene ogen. Het maakte niet uit hoe identiek je was, er waren altijd discrepanties. Aarons ogen waren ondoordringbaar als altijd. De enige persoon die Reuben nooit echt had kunnen peilen deelde zijn DNA met hem. Ze hadden de natuur en de vorming gemeen, en toch bleef Aaron een raadsel. Natuurlijk was er communicatie, maar alleen over alledaagse dingen. Ze begrepen elkaar waar het aankwam op muziek, kunst en politiek. Maar wat betreft de grotere dingen, gevoelens, stonden ze even ver bij elkaar vandaan als gewone broers.

'Hebben ze je vrijgelaten?' vroeg Reuben.

'Voorlopig. En jou? Ze zeiden dat je een ernstig dilemma had.'

'Zoiets.'

'En daarom hadden ze mij gearresteerd.' Aaron haalde zijn schouders op, met een ongeduldig gebaar. 'Wie had dat gedacht? Dat jij mij in de nesten zou werken.'

'Je bent me nog steeds een heleboel schuldig.'

'Luister, broer, dat met die coke in mijn auto... Het was nooit mijn bedoeling dat jij...'

Reuben wist dat Aaron niet in staat was zijn verontschuldigingen aan te bieden. Hij had er meer dan vijftien jaar de tijd voor gehad, en toch had hij het nooit kunnen opbrengen. Reuben had de straf voor zijn broer ondergaan. Destijds had een deel van hem het leven van zijn broer willen kennen, zijn duisternis willen doorleven, hem willen begrijpen. Maar Reuben besefte dat hij Aaron nooit helemaal zou begrijpen. 'Dat is iets wat ik je nooit zal vergeven,' verzuchtte hij.

Aaron schuifelde met zijn voeten, hij wilde dat het gesprek voorbij was. 'Hebben ze je binnenstebuiten gehaald?'

'Verhoren zijn makkelijk als je de waarheid vertelt. Je zou het eens moeten proberen.'

'Beter van niet. Ik weet nog dat pa me in zijn hele leven maar één advies heeft gegeven. "Als de politie zegt dat ze het hele verhaal kennen, liegen ze. De politie kent nooit het hele verhaal."'

'Goed advies. En ma heeft mij pasgeleden wat goede raad gegeven. "Hou contact met je broer."'

'Ja. Mij ook.'

'Dus wat nu?'

'Ik ga terug naar mijn leven, jij naar het jouwe.'

'Maar wat is het jouwe?'

Aaron Mitland keek onbehaaglijk door de gang heen en weer. 'Me een tijdje koest houden. Wegblijven bij die glibberige smeerlappen.'

'Heb je problemen?'

'Niet meer dan normaal.'

Reuben bespeurde zijn onbehagen. Aaron was onrustig, wilde hier weg. 'Luister, Aaron, pak dit aan.' Hij haalde een velletje papier uit zijn zak en krabbelde er een nummer op. 'Mijn mobiele nummer. Je hoeft me niet te bellen. Dat is prima. Maar neem het mee.'

Aaron kneep zijn ogen samen en hield zijn handen waar ze waren, stevig in zijn zakken gedrukt. 'Nee, bedankt,' antwoordde hij.

'We wonen in dezelfde stad, verdomme,' smeekte Reuben. 'Misschien heb je me op een dag nodig.'

'Ik zei: "Nee bedankt."'

Reuben maakte een prop van het papiertje en sloot zijn vingers er stevig omheen. Hij had genoeg over zijn broer geleerd om te weten dat hij alleen zou doen wat hij zelf wilde, en anders niets. Terwijl Reuben naar het gezicht tegenover hem staarde, voelde hij een deur sluiten, het einde van een deel van hem, het verlies van een arm of been. Aaron draaide zich al om en liep weg, slenterde zijn leven uit. Reubens andere helft, zo goed als identiek en toch werelden van elkaar verwijderd op alle manieren die er werkelijk toe deden, liep voor altijd zijn leven uit. Hij voelde zich in de steek gelaten, teleurgesteld op de pijnlijkste manier. Hij keek hem verstijfd na. Dit was het centrale thema van zijn leven, dacht Reuben. Hij verloor iedereen om wie hij gaf: Lucy, Joshua, Run, Jez, zijn vader, en nu Aaron. Even zag Reuben zichzelf geïsoleerder dan ooit tevoren, met een vacuüm om zich heen waarin betekenisvolle relaties of interacties geen voet aan de grond kregen. Zijn broer kwam bij een paar grote klapdeuren aan en draaide zich om.

'Hé, Rubinio,' riep hij.

'Wat is er?' vroeg Reuben vlak.

Aaron tikte met zijn wijsvinger tegen zijn slaap en knipoogde. 'Nul zeven zeven zes vijf zes een negen een twee drie, toch?'

Reuben probeerde een glimlach te onderdrukken, maar dat mislukte. 'Mag ik collect bellen?'

Reuben grijnsde nog eens, en toen was Aaron weg, opgeslokt door de deuren, die een paar keer piepend open en dicht zwaaiden en lachten als hyena's. Reuben voelde dat hij zijn rug rechtte. Hij zoog een paar diepe ademteugen naar binnen, die hem leken op te blazen. Hij was al anderhalve dag bij GeneCrime. De sluipende paranoia van het gebouw die weer in hem was gekropen, verdampte nu in de droge lucht. Hij wist dat hij vrij was om te vertrekken, maar hij wilde nog niet. Dit zou zijn laatste keer zijn, en als hij de zonneschijn buiten instapte zou hij de zware veiligheidsdeur naar een groot deel van zijn leven sluiten. Toen beende Sarah Hirst door de ingang naar binnen, waardoor de deuren bijna van hun scharnieren werden gerukt.

'Kom op,' zei ze, 'loop even met me mee om te praten. We gaan via de parkeergarage naar buiten.' Reuben draaide zich om en liep met haar mee, hield haar bij, steeds langzamer toen ze door de witte gangen en langs de kantoren en laboratoria liepen die Reuben ooit had gebruikt, de toiletten waar Reuben de drugs had genomen die hem op het werk bij zijn volle verstand en thuis paranoïde hielden, en uiteindelijk langs de cellen waar hij was vastgehouden en verhoord.

Sarah vertelde wat ze wist. Hoe ze een eerdere versie van de Voorspellende Fenotypering op Phils computer hadden gevonden, nog van voor Reubens ontslag bij GeneCrime. Hoe ze beseften, hoewel ze zijn dossiers nog aan het doorspitten waren, dat Phil geprobeerd had die te gebruiken om schurken op te sluiten die door de software werden geïdentificeerd als potentiële gevaren voor de samenleving. Hoe het vier man sterke team van de gemeentepolitie had gegraven in Phils achtergrond tot ze een rijke ader van tegenstrijdigheden en inconsistenties hadden blootgelegd. Hoe Phil had geprotesteerd en zich verzet, geschopt en geschreeuwd, ontkend en beschuldigd. Hoe hij opnamen had beluisterd van zijn eigen gesprekken met Gary Megson van de *Sun*, waarin hij verhalen aan de pers had gelekt. Hoe hem belangrijke forensische dossiers onder de neus waren gehouden met bewijzen van manipulatie. Hoe twee leden van zijn CID-team, bedreigd met oneervol ontslag, hun baas waren gaan beschuldigen van een reeks onorthodoxe praktijken. Hoe documenten en getuigenverklaringen en computerbestanden en e-mails en richtlijnen en getuigenissen zich snel tot een smorende deken van waarheid hadden gevormd. Hoe Phil ineens was opgehouden te praten. Hoe hij voor zich uit had gestaard. Hoe de verhitte onschuld was weggelekt, vervangen door een loodzwaar schuldgevoel. Hoe hij was gaan trillen. En hoe hij, na zesendertig uur van verhoren, zesendertig uur waarin hij was onderworpen aan dezelfde verhoren waar hij anderen aan had onderworpen, zachtjes en in tranen had gecapituleerd. Hoe hij uiteindelijk de moord in de Lamb and Flag had bekend. Hoe hij met een tweede forensisch onderzoek dat dreigde in paniek was geraakt en had gezorgd dat het DNA van Lars Besser op het lijk werd gevonden. Hoe hij de plaats delict had besmet met zijn eigen DNA om zijn eliminatie uit de forensische analyse zeker te stellen. Hoe hij vervolgens veroordelingen was gaan manipuleren ten behoeve van zijn eigen carrière. Hoe hij alles had gedaan wat in zijn macht lag om de algehele leiding over GeneCrime te krijgen.

Sarah en Reuben gingen de laatste hoek om. Daar, wachtend bij de uitgang, stond commandant Abner. Reuben keek naar Sarah, die terugkeek. Robert Abner was een lange, indrukwekkende gestalte. Ondanks zijn leeftijd – Reuben schatte hem begin vijftig – was de commandant fysiek nog even imposant als altijd.

Robert Abner krabde in zijn korte nekhaar en wachtte tot ze bij hem waren. 'Nog één ding, dokter Maitland, voordat je dit gebouw voorgoed verlaat.'

'Meneer?'

'Boven je lab op het industrieterrein troffen we een kale man met een snor aan, en een oud legerpistool. Helaas kwam hij de gewapende eenheid tegen. We hielden hem al een tijdje in de gaten. We denken dat een gangster genaamd Maclyn Margulis hem had ingehuurd om je te vermoorden. Enig idee waarom dat zou kunnen zijn?'

'Geen flauw idee,' loog Reuben.

'We hebben een vermoeden dat Kieran Hobbs er ook bij betrokken was. Misschien heeft hij de huurmoordenaar geholpen je te vinden. Waarom zou hij dat nou doen?'

Reuben hield zich in. Het laatste stuk. Kieran Hobbs had hem verraden. Hij kneep zijn ogen samen. Net toen hij van plan was om het CID genoeg genetisch bewijs te geven om Kieran eindelijk op te sluiten. 'Zoals ik al heb gezegd...'

Commandant Abner fronste zijn voorhoofd en levenslang verzamelde rimpels verschoven. 'Dokter Maitland, jij vindt misschien dat we je onze verontschuldigingen zouden moeten aanbieden.' Reuben merkte op dat zijn wangen contrasterend glad waren, glanzende huid die strak over uitstekende botten lag. 'Maar dat heb je mis. Ik zie wat hier is gebeurd, en ik zie enige verwijtbaarheid en heel veel omzeilde regels.' Hij trok de mouwen van zijn jasje glad. 'Wat ik echter voor je zal doen, is wat Sarah voorstelde. Ik zal niet vragen waarom je politiedossiers, politiemonsters en politiemensen je werk voor je laat doen. Maar dat is alles. En ik wil dat je je lab sluit. Is dat begrepen?'

Reuben knikte zwijgend.

'Oké, Sarah,' vervolgde Robert Abner. 'Van nu af aan onthef ik je van je input in dit onderzoek.'

'Meneer?' vroeg Sarah fronsend.

'Je bent er te nauw bij betrokken. We hebben onpartijdigheid nodig. Alle forensische zaken worden van nu af aan gedaan door de dienst, niet door GeneCrime. Maar laat ze de computerbestanden zien, leg uit waar de monsters vandaan komen, breng ze op de hoogte, zoek uit hoe ver we terug moeten kijken. We moeten dit zo snel mogelijk afhandelen.'

'Oké,' antwoordde Sarah somber terwijl haar invloed wegsijpelde.

'Bovendien zijn er nog andere zaken.' Een twinkeling van belofte verscheen in de ogen van de commandant. 'Mark Gelson is nog op vrije voeten en we denken dat hij weer heeft gemoord – weer een CID-agent, vanochtend gevonden. En een rijke Londense clubeigenaar wordt vermist nadat zijn dochter is vermoord.'

'Toch niet toevallig Xavier Trister, hè?' onderbrak Reuben hem.

'Ken je hem?'

Reuben herinnerde zich dat hij het SkinPunch-wapen op hem had afgevuurd in het steegje. Hij ving de blik van de commandant en wenste dat hij dat niet had gedaan. 'Gewoon van gehoord, meer niet.'

Commandant Abner aarzelde, draaide zijn hoofd en keek Reuben fronsend aan. 'Ik kom naar je lab, dokter Maitland. En als ik zie dat je nog steeds rommelt met forensische zaken, laat ik je vervolgen. Is dat helder?'

Reuben knikte langzaam. 'Kerststal,' antwoordde hij.

De commandant trok zijn wenkbrauw op. 'Ik hoop dat je niet met me spot.'

'Alleen iets wat iemand hier vroeger altijd zei.'

'Wees voorzichtig, dokter Maitland. Heel voorzichtig.'

Robert Abner beende boos langs hen heen en de hoek om, en zijn schoenen klikten op de vloertegels. Reuben merkte dat hij recht voor Sarah stond. Hij was niet op zijn gemak, onzeker, liet zwijgend zijn blik van haar gezicht naar haar voeten springen, schatte haar sterke en zwakke punten in, haar imperfecties en gebreken. Sarah straalde, en hij voelde de warmte. Hij vermoedde dat als je door de buitenkant heen kon breken, je echt in stijl doorbrak. Hij genoot even van haar plotselinge aandacht, woog die, probeerde te schatten hoe oprecht die was. Als hij de zaak vanuit haar standpunt bekeek, moest hij toegeven dat Sarah meer dan genoeg redenen tot argwaan had.

Sarah glimlachte en zei: 'Sorry.'
'Waarvoor?'
'Dat ik je niet geloofde.'
'En nu?'
'Terwijl we jou en Phil verhoorden, werd snel duidelijk wie er eerlijk spel speelde. Er bleef niets anders over dan partij te kiezen.'
'Dus je staat aan mijn kant?'
'Niet overdrijven, dokter Maitland.' Haar toon was kil, maar er was speelsheid in haar ogen te zien. En mogelijkheden. Reuben dacht terug aan het feestje waar ze waren geweest voordat Reuben getrouwd was, toen Sarah iets had gezegd wat hem jarenlang was bijgebleven.
'Weet je dat feestje nog?'
'Ik vergeet feestjes altijd.'
'Toen je zei dat...'
Sarah legde haar vinger op haar lippen.
'Ik heb me altijd afgevraagd wat je bedoelde.'
'Dan vind je het vast niet erg om je dat nog wat langer af te vragen.'
Reuben ging met zijn vingers door zijn blonde haar. Het ijs smolt. Vissen zwommen. De natuur raakte aan de kook.
'Nou, jij bent nog heel, maar dat lab moet weg. Ga je een fatsoenlijke baan nemen?' vroeg ze, veranderend van onderwerp.
'Wat? Weer op het rechte pad?' Reuben besloot Sarah mee uit te vragen. Hij zou er de tijd voor nemen, maar hij zou het doen. Hij voelde wat kracht terugkeren, adrenaline door zijn hart pompen. 'Trouwens' – hij glimlachte – 'ik heb veel te veel pret. Ik bel je nog wel.' En met de zoete spijt die opkomt als je wegloopt bij schoonheid beende Reuben GeneCrime uit, door de parkeergarage, de zonneschijn in, waar hij zijn longen volzoog met zwoele, warme lucht, tot leven kwam, zijn vermoeidheid wegebde, zijn vochtige uitputting wegbrandde in de warmte.
Wachtend op hem, onrustig schuifelend in de zon, kijkend door camera's en krabbelend in notitieblokjes, stonden zes journalisten. Ze werden alert toen Reuben naderde, schreeuwden vragen, probeerden hem tegen te houden, duwden microfoons in zijn gezicht, bestookten hem met flitsen van hun camera's.
'Hebt u commentaar, dokter Maitland?'
'Hoe voelt het dat uw naam is gezuiverd?'
'Hebt u een boodschap voor de nabestaanden?'
'Klopt het dat u zelf een aanklacht indient?'
Reuben drong zich langs hen heen. Achter de journalisten, hangend tegen een muur, stond Moray Carnock. Moray liep de hoek om. Tegen de tijd dat Reuben hem had ingehaald, voelde hij zich bijna weer een

normaal mens en amper nog een wetenschapper. Hij sloeg een arm om zijn corpulente partner heen. 'Bedankt voor alles,' zei hij.

'Nee, jij bedankt,' antwoordde Moray.

'Dus welke heb je liever?'

'Welke wat?'

'Welke schurk, Xavier Trister of Mark Gelson?'

'Heb je hier nog niet genoeg van?'

'Ik begin nog maar net. Bovendien hebben ze het moeilijk. Ze kunnen niet op de plekken komen waar wij komen.'

'Blijf me betalen, dan zal ik kijken wat ik kan doen.'

'We zullen een nieuw lab moeten bouwen.'

'Nee, jij zult een nieuw lab moeten bouwen.'

'Ook goed.'

Reuben liet Moray los en sloot zijn ogen. Hij sloot het beeld van Phil Kemp buiten, zijn verraad van alles en iedereen om wie hij ooit had gegeven, zijn verwoeste leven, zijn afgebroken carrière; en Lars Besser, vervormd en verwoest; en de dode forensisch wetenschappers op metalen tafels; en Aaron die vrij was in zijn ondergrondse wereld; en Judith Meadows met haar liefdeloze huwelijk en rustige waardigheid; en Sarah Hirst met haar ontdooiende buitenkant; en Kieran Hobbs en Maclyn Margulis met hun verborgen agenda's; en Joshua Maitland die groeide en zich ontwikkelde en leerde een andere man papa te noemen; en het DNA van zijn zoon dat in de hotelkluis lag, waar hij geen genotypering op toe durfde te passen, doodsbang dat het enige, het laatste ter wereld waar hij nog om gaf misschien toch niet van hem zou blijken te zijn, dat de enige van wie hij ooit werkelijk had gehouden misschien bestond uit de genen van iemand anders.

'De pot op,' zei hij, terwijl hij zijn ogen opende en uitkeek naar een taxi. 'We doen ze allebei.'

Reubens geest maakte een plotselinge sprong, terwijl hij doorliep. Hij pakte zijn telefoon en belde een nummer. 'Lucy,' zei hij, 'kun je iets kleins voor me doen? Overleg het maar even met Shaun als het moet. Ik zal het niet nog eens vragen, en ja, je moet dit doen. Je hebt geen andere keus.'

5

De taxi zette Moray midden in een drukke straat af, en hij liep in de richting van een metro-ingang. Toen hij omkeek zwaaide hij met een gebalde vuist, als in triomf. Reuben gaf de chauffeur aanwijzingen en ze reden weg. Er was geen triomf voor Reuben. Nog niet, althans.

Twintig minuten later ging Reuben een felgekleurd gebouw binnen en werd onmiddellijk staande gehouden door een moederlijke vrouw met grijzend haar dat strak boven op haar hoofd was gebonden.

'Kan ik u helpen?' vroeg ze kordaat.

'Ik ben Reuben Maitland,' antwoordde Reuben.

'Ach, ja. Wacht hier maar even.'

Reuben keek om zich heen op zoek naar een stoel, maar die stond er niet. De geuren sijpelden bij hem naar binnen en brachten steels beelden en herinneringen met zich mee. Hij was hier vele keren eerder geweest, maar nog nooit waren de geuren zo intens geweest. In feite overweldigden ze hem bijna terwijl hij tegen een knalgele muur leunde, wachtend, peinzend en bezorgd. Er was op middelhoogte een rij kapstokken opgehangen, waar tassen en jassen aan hingen. Hij keek naar de namen, maar zag niet degene die hij zocht. En toen vermoedde hij dat hij naar een andere ruimte was geleid.

Een jongere vrouw naderde, fronsend en onzeker. 'Meneer Maitland?' vroeg ze.

Reuben knikte.

'Komt u maar mee. Eigenlijk slaapt hij nog, maar hij krijgt zo iets te eten.'

Ze liep terug, opende deuren met klinken op schouderhoogte en plastic beschermstukken op de hoeken. Ze gingen naar boven en Reuben volgde, stap voor stap, nerveus en opgewonden, hij wilde eigenlijk rennen. Een laatste deur werd geopend en ze gingen een verduisterde kamer in. Binnen lagen vijftien of twintig kleine gestalten op witte dekens, op hun rug of buik, met beertjes of poppen in hun armen, hun mond open of druk zuigend aan spenen.

'Hij is daar.' Ze wees. 'Links achterin.'

Reuben aarzelde, plotseling onzeker.

'Toe maar,' fluisterde de vrouw. 'Loop er maar tussendoor.'

Hij tuurde naar de peuter die sereen in de hoek lag en liep er op zijn tenen naartoe. Toen hij er was, brak Reuben bijna. Van dichtbij hadden de maanden van afwezigheid hun sporen nagelaten. In zijn open mond telde Reuben acht tanden, vier in de onderkaak en vier boven. Het haar was iets lichter, de wangen molliger, de kin puntiger. Reuben bukte zich en boog zich naar voren tot hij zijn ademhaling kon horen. Joshua bewoog zich een beetje en draaide zijn hoofd opzij. Reuben bekeek zijn oren en neus, zijn wenkbrauwen en zijn hals. Maar deze keer niet, zei hij bij zichzelf, als geneticus. In plaats daarvan bekeek hij zijn zoon met de wanhopige liefde van een vader.

Reuben besefte dat hij in de gaten werd gehouden door de begeleidster, maar hij negeerde haar. Dit was belangrijker dan wat ook ter wereld. Hij stak langzaam zijn hand uit en raakte de warme hand van Joshua aan, die een beetje bewoog. Hij streelde zijn haar en kuste zijn wang. Zijn zoon werd wakker en begon meteen te huilen. Reuben glimlachte verwonderd. Hij pakte een speen en stopte die in Joshua's mond.

'Ik kan het je niet kwalijk nemen,' fluisterde Reuben. 'Je kent me niet echt.' Hij streelde zijn haar. 'Maar dat komt nog wel, jochie. Dat komt nog wel.'

Hij tilde Joshua op, voelde het gewicht van zijn mollige armen en benen en gokte dat hij nu twee keer zoveel woog als de vorige keer dat hij hem had vastgehouden. Joshua wurmde en kronkelde, wilde vrij zijn om te kruipen en te verkennen. Terwijl Reuben hem knuffelde, zijn haar en huid rook, besloot hij bezoekrecht te regelen met Lucy. Joshua, hier in zijn armen, was het enige wat er werkelijk toe deed. Hij was nog altijd de vader, zijn naam stond op de geboorteakte, zijn bloederige vingers hadden de navelstreng doorgeknipt. Genetica was immers, zoals zijn broer en de forensische moorden pijnlijk hadden aangetoond, slechts een deel van elk verhaal. Liefde was de ultieme waarheid. Biologie was daarbij vergeleken bijna irrelevant. En kijkend in Joshua's opengesperde ogen besloot hij dat hij hoe dan ook van hem zou houden.

Reuben kuste zijn zoon zachtjes en blies een scheetje tegen zijn wang. Joshua hield op met kronkelen. Reuben blies er nog een, en zijn zoon giechelde. Een derde en hij gilde, met zijn ogen stijf dicht van pret. De begeleidster loerde naar hem. Reuben draaide zich om, wendde zich van haar af, weg van het andere personeel, en weg van de wereld, nu hij het antwoord eindelijk in zijn handen hield.

Dankwoord

John Macken spreekt zijn dank uit aan het National Endowment for Science, Technology and the Arts (NESTA) voor hun fondsen via de DreamTime Award; de volkeren van Siberië en India omdat ze geduldig hebben geluisterd naar zijn reeks lezingen; zijn agent omdat hij echt zijn geld heeft verdiend; zijn donderdagavonders voor hun aanhoudende desinteresse; en zijn vrouw en kinderen omdat ze het accepteren te leven met de dubbele nachtmerrie van een wetenschapper en schrijver.